IL ÉTAIT UNE FOIS LE *TITANIC*

DU MÊME AUTEUR

AUX ÉDITIONS DE L'ARCHIPEL

Henry Dunant, l'homme qui inventa le droit humanitaire, 2009. Préface de Jean-François Mattei, président de la Croix-Rouge française.

Prises d'otages: de l'enlèvement des Sabines à Ingrid Bétancourt, 2009. Préface d'Hervé Morin, ministre de la Défense.

America's Cup: une histoire (1851-2007), 2006.

Landru, bourreau des cœurs, 2005.

Anatole Deibler: carnets d'exécutions (1885-1939), 2004.

CHEZ D'AUTRES ÉDITEURS

Pour l'amour de Blanche, roman, Presses de la Cité, 2008.

Courbet, l'homme blessé (Indiscrétions d'atelier II), Punctum, 2006.

Les Amazones des Sept Mers, Le Félin, 2003 (rééd. revue et augmentée des *Femmes d'abordage*).

Les Rosenberg. La chaise électrique pour délit d'opinion, Le Félin, 2003.

Anatole Deibler (1863-1939): l'homme qui trancha 400 têtes, Le Félin, 2001.

Rodin et les femmes (Indiscrétions d'atelier I), L'Aire, 2001.

La Confession de Marengo, roman, L'Aire, 2000.

Sur les pas d'un enfant du siècle: Paul Guimard, écrivain et dilettante, Pen-Duick, 2000.

Grandeur et misère du corsaire Joseph Bavasro, Éditions des Écrivains, 1999.

Hong Kong. Chronique d'une île sous influence, Le Félin/Luc Pire, 1997.

Luckner, ou le roman vrai d'un corsaire du XXᵉ siècle, Glénat, 1995. Prix littéraire du Yacht Club de France.

Forbin: la légende noire d'un corsaire provençal, Glénat, 1994. Grand Prix de la Mer de l'Association des écrivains de langue française.

Vues sur la piraterie, Tallandier, 1992.

Vespucci, La Joie de Lire, 1990. Prix Octogone. Prix de la ville de Saint-Dié.

Pirates, flibustiers et corsaires, Aubanel, 1987. Prix Robert-de-la-Croix.

Approche critique et bibliographique des frères Rosny, de l'Académie Goncourt, Éditions Naaman, 1986.

Les Femmes d'abordage, Clancier-Guénaud, 1984; rééd. augmentée, Pen-Duick, 2000. Préface de Florence Arthaud.

GÉRARD A. JAEGER

avec la participation de
BÉATRICE ALVERGNE

IL ÉTAIT UNE FOIS LE *TITANIC*

Préfaces de John Andrews et Clifford Ismay

l'Archipel

Site web de l'auteur et bande-annonce du livre :
gerard-a-jaeger.com, rubrique « Titanic 2012 ».

Pour s'entretenir avec l'auteur :
http://www.facebook.com/gerard.jaeger

www.editionsarchipel.com

Si vous souhaitez recevoir notre catalogue
et être tenu au courant de nos publications,
envoyez vos nom et adresse, en citant
ce livre, aux Éditions de l'Archipel,
34, rue des Bourdonnais 75001 Paris.
Et, pour le Canada, à
Édipresse Inc., 945, avenue Beaumont,
Montréal, Québec, H3N 1W3.

ISBN 978-2-8098-0611-3

À Terry Madill, de Belfast, infatigable pourvoyeur d'informations sur le Titanic.

« *Je n'ai jamais cessé de penser au* Titanic,
*symbolique à mes yeux de l'existence,
de sa grande paix, de sa fragilité,
de son soudain dernier moment.* »

Jean Guitton
Portraits et Circonstances (1989)

Un naufrage qui a fasciné le monde

Je suis lié au *Titanic* par mon grand-oncle Thomas Andrews – oncle Thommy, comme on l'appelait dans la famille. Ingénieur au chantier naval Harland & Wolff, il a joué un rôle majeur dans la construction du *Titanic*, après avoir conçu de nombreux autres navires pour la White Star Line Shipping Company.

Je me souviens de mon père nous racontant comment l'oncle Thommy l'avait emmené à Belfast pour le lancement du *Titanic*, le 31 mai 1911. Mon père, alors âgé de huit ans, avait aidé les ouvriers du chantier à retirer l'une des nombreuses cales de bois qui retenaient le navire sur la rampe de halage. Il se remémorait souvent cette journée car il avait eu sa part dans le lancement du grand navire construit par oncle Thommy.

La France est liée à l'histoire du *Titanic*. Lors de son voyage inaugural, le navire parti de Southampton ne fit que deux escales avant la tragique nuit du 14 au 15 avril 1912, dont la première était Cherbourg. À cette occasion, deux transbordeurs avaient conduit les passagers à bord du transatlantique, mouillé à l'écart du port en raison de son fort tirant d'eau[1]. L'un d'eux était le *Nomadic*, que les Parisiens ont pu contempler sur les bords de la Seine lorsqu'il était un restaurant flottant. Rapatrié à Belfast, il est désormais le dernier témoin de la construction navale des « années *Titanic* ».

---

1. Partie d'un navire située sous la ligne de flottaison.

Le naufrage du plus grand et du plus luxueux des paquebots jamais construit fascine le monde. Son destin tragique symbolise la fin d'une époque et d'un certain art de vivre que la dépression économique, puis la Première Guerre mondiale sont venues bouleverser. En outre, la mémoire du *Titanic* ravive des chagrins plus personnels pour tous ceux qui, comme moi, y ont perdu un membre de leur famille. Car oncle Thommy, à qui la vie réservait tant de promesses, n'est jamais revenu de cette première traversée. Il fut l'une des mille cinq cents victimes qui subirent le même sort et qui, pour beaucoup, traversaient l'Atlantique à la recherche d'une nouvelle vie en Amérique, terre d'espoir et d'opportunités.

Je suis heureux que l'auteur de cet essai, l'historien Gérard A. Jaeger, ne mette pas en cause la fiabilité du *Titanic*, comme cela a été colporté, et qu'il rétablisse la vérité sur la compétence des architectes et des ingénieurs, de même que sur la qualité des matériaux utilisés sur le chantier naval de Belfast.

J'apprécie enfin, tout particulièrement, de voir souligner que le *Titanic* était le fruit de l'unité irlandaise.

JOHN ANDREWS[1]

---

1. Descendant de Thomas Andrews, ingénieur et architecte naval du *Titanic*. Traduit de l'anglais par Béatrice Alvergne.

Face à la vindicte populaire

Lancé en 1911, le *RMS Titanic* était le plus grand, le plus luxueux navire jamais construit par la main de l'homme. À la suite de son jumeau l'*Olympic*, il était la fierté de la White Star Line et sans nul doute était-il jalousé par les autres compagnies. Pourtant, malgré son opulence et ses dispositifs modernes de sécurité, le *Titanic* fit naufrage au cours de son voyage inaugural. Mille cinq cents vies furent perdues le 15 avril 1912.

À bord se trouvait Joseph Bruce Ismay. Bien que président de la White Star Line, il s'était embarqué comme simple passager de première classe. Il était en effet de tradition qu'il accompagnât tous les navires de sa compagnie dans leur premier voyage.

Après seulement quatre jours de mer, le *Titanic* heurta un iceberg. Sitôt l'ordre donné d'embarquer les femmes et les enfants dans les canots de sauvetage, Joseph Ismay se fraya un chemin sur le pont du navire afin d'offrir toute l'aide possible. Il guida les passagères et leurs enfants, apaisa l'angoisse des hommes et prit part à la mise à l'eau des embarcations, jusqu'au chargement de la dernière chaloupe. Puis il prit place avec d'autres hommes dans le dernier radeau, alors qu'il n'y avait plus de femmes et d'enfants près de lui.

Avant même d'atteindre New York à bord du *Carpathia* – un navire de la Cunard Line venu porter secours aux naufragés –, Ismay accusé de lâcheté. L'opinion internationale fut prompte à le condamner, avant même qu'il ait pu expliquer son comportement. Uniquement parce qu'il avait sauvé sa vie.

Pourquoi était-il devenu la cible privilégiée des journaux et, tout naturellement, le bouc émissaire des historiens? L'une des réponses tient à un fait peu connu du public, qui résume assez bien la légende du *Titanic*. Dans sa jeunesse, Joseph Bruce Ismay travaillait comme agent maritime au bureau new-yorkais de la White Star Line que dirigeait son père. C'est alors qu'il se lia d'amitié avec le magnat de la presse William Randolph Hearst. Les deux hommes étaient devenus proches et, très vite, le patron de presse demanda au jeune Ismay de devenir partenaire de son entreprise. Joseph Bruce, qui n'appréciait guère la morale des médias de son temps, déclina l'offre, en dépit des avantages qu'elle lui octroyait. Hearst, qui n'aimait pas être contrarié, le prit très mal. C'est sans doute pourquoi, n'ayant jamais oublié cette vexation, il s'en prit à son ancien ami lorsque l'occasion se présenta de le désigner à la vindicte populaire. Hearst tenait sa vengeance et Joseph Ismay resta sans défense au milieu de la tempête.

La plupart des livres publiés sur le *Titanic* répètent à l'envi qu'Ismay n'a pas agi de manière appropriée, et que c'est un geste hautement condamnable de quitter un navire en perdition, alors qu'il est en train de sombrer. Gérard A. Jaeger nous fait revivre cette journée autrement. Il nous permet d'y réfléchir de l'intérieur, et non pas seulement à travers la chronique des faits.

À l'issue de mes nombreuses conférences, on finit toujours par me demander : « Monsieur Ismay, pensez-vous que Joseph Bruce aurait dû sombrer avec son bateau? » À cela je réponds tout simplement : « Dans les mêmes circonstances, qu'auriez-vous fait? » C'est ainsi, je crois, qu'il faut écrire l'Histoire. Et c'est ainsi qu'il faut lire ce livre.

CLIFFORD ISMAY[1]

---

1. Descendant de Joseph Bruce Ismay, directeur de la White Star Line et armateur du *Titanic*. Traduit de l'anglais par B. Alvergne.

Prologue
LONDRES, 29 JUILLET 1907

Le baron William James Pirrie, entrepreneur conquérant, avait pour devise d'être le meilleur, toujours le premier. Aussi, depuis qu'il présidait aux destinées du chantier naval Harland & Wolff à Belfast[1], songeait-il à construire une génération de paquebots qui surclasserait la concurrence.

Ce 29 juillet 1907, William Pirrie attendait le patron de la White Star Line à son domicile londonien. Bien qu'informelle, sa rencontre avec Joseph Bruce Ismay était de la plus haute importance stratégique pour leur avenir commun. Car dans les cartons de ses ingénieurs se trouvait l'ébauche d'un projet qu'il était impatient de partager.

C'était un beau soir d'été.

Chevalier de l'ordre de Saint-Patrick et conseiller privé de la Couronne, lord Pirrie affichait sa réussite en perpétuant son combat pour la modernité, pour la pérennité de son entreprise et de la White Star Line de Joseph Ismay, dans laquelle il avait engagé ses fonds propres. Ainsi, le contrat qui liait les deux entreprises obligeait la White Star à faire construire ses navires par Harland & Wolff, à charge pour le chantier de lui garantir innovation et compétitivité.

---

1. Entré comme apprenti en 1862, il s'était associé à ses fondateurs douze ans plus tard, avant de prendre la direction du chantier en 1895, puis la présidence en 1906.

Pirrie était d'autant plus pressé de faire avaliser son plan que son concurrent direct, lord Inverclyde, patron de la Cunard Line, engrangeait les succès depuis une décennie. Et l'une de ses réussites agaçait tout particulièrement le vieux baron.

Le dernier paquebot mis en service par Inverclyde venait en effet de défrayer la chronique en établissant le record de la traversée de l'Atlantique Nord. La presse ne parlait que de cela. Le *Mauretania* était au centre de toutes les discussions. Et le *Lusitania*, son jumeau[1] récemment sorti des chantiers de Liverpool, s'apprêtait à son tour à concurrencer la White Star sur la ligne de New York. Ces deux géants de 232 mètres de long avaient transgressé toutes les normes connues jusque-là en matière d'ingénierie.

Toute la profession reconnaissait que la Cunard avait remporté la bataille du siècle naissant. C'était un défi que William Pirrie devait relever au plus vite.

À la fin du XIXᵉ siècle, le chantier naval de Belfast avait révolutionné le transport maritime en introduisant, sur le *Teutonic* et le *Majestic*, une classe intermédiaire entre les cabines et l'entrepont. Puis, en 1901, il avait inauguré la notion de luxe à l'anglaise sur quatre unités de prestige, dont le *Celtic* constituait le plus grand[2] et le premier d'une série de paquebots novateurs comprenant une piscine intérieure et des bains turcs. Mais la surenchère avait fait de cette génération de navires un épisode éphémère dans l'histoire de la construction navale, qui s'écrivait à marche forcée.

L'époque était à l'inventivité, à la hardiesse des pionniers dans tous les secteurs de la technologie. « L'obstiné génie de l'homme peut tout tenter, tout vaincre et tout chercher », pouvait-on lire dans *Le Petit Parisien*[3]. La navigation se développait en faisant front à la critique. Offrant

---

1. Ou *sistership* : appellation de navires semblables, issus d'une même série de construction.
2. Depuis le *Great Eastern*, lancé en 1858.
3. 24 janvier 1911.

un extraordinaire champ d'expériences pour la science et la technique, le transport maritime s'était considérablement accru au cours du demi-siècle écoulé, au point que neuf millions de passagers avaient déjà traversé l'Atlantique grâce à sa modernisation. Ce succès avait libéré les ambitions des compagnies. Et, par conséquent, l'inventivité des constructeurs.

William James Pirrie, héritier de la révolution industrielle, était partisan convaincu de la politique de rupture conduite par le roi Édouard VII contre la société victorienne qu'il jugeait figée dans ses certitudes, incapable de se renouveler.

S'extrayant de son fauteuil, le baron tira une montre en or de la poche de son gilet. Joseph Ismay n'allait pas tarder. Il était 22 heures précises lorsqu'une voiture s'arrêta devant le perron de Downshire House. Pirrie reconnut le pas de son associé dans le vestibule. La nuit venait à peine de tomber sur Londres. Quelques instants plus tard, les deux hommes traversaient la maison pour se rendre dans le jardin qu'ils arpentèrent en évoquant la situation économique.

— Vous avez dîné, sans doute? lui dit Pirrie d'un air distrait.

Son visiteur le remercia. Et l'intermède fut clos.

— Nous ne pouvons rester sans réaction devant le défi que nous oppose lord Inverclyde avec la renommée de sa flotte, assena lord Pirrie en proposant de regagner la maison.

Dans le grand salon Chesterfield, les lumières électriques que l'on venait d'allumer faisaient miroiter le bois de rose des lambris. Joseph Ismay, qui ne manquait jamais une occasion de vilipender la Cunard, s'offrit aussitôt une violente diatribe contre les subventions que lui accordait généreusement le gouvernement britannique.

— Une manne qui la met artificiellement à l'abri des aléas du commerce maritime et de la concurrence! dit-il en choisissant un cigare dans la boîte que lui tendait son hôte.

Il le fit rouler dans ses doigts, puis il le glissa dans sa redingote avec un geste presque solennel.

Quatre ans plus tôt, un prêt de 2,6 millions de livres avait été consenti par Londres au conseil d'administration de la Cunard Line pour la construction de ses deux nouveaux *liners*[1], au taux préférentiel de 2,5 %.

— Ce n'est pas la première fois que lord Inverclyde bénéfice des largesses du gouvernement, souligna calmement James Pirrie.

— Sans compter l'annuité de 150 000 livres que lui octroie l'Amirauté, ajouta Joseph Ismay, que cette mansuétude ne laissait pas d'irriter.

Pirrie lui rappela qu'ayant été rachetée par le milliardaire américain John Pierpont Morgan, fondateur de l'International Mercantile Marine Corporation, la Star n'avait plus à quémander les deniers publics pour se financer. Mais la charge en règle contre la concurrence était une lancinante habitude pour Joseph Ismay, presque un mode de pensée.

En 1902, le riche conglomérat d'armements et d'affrètement américain que dirigeait Pierpont Morgan avait acquis la White Star Line pour 10 millions de livres, soit le double de sa valeur boursière de l'époque. Elle était alors très rentable car, en nombre de passagers, elle faisait partie des principaux transporteurs du trust[2]. Pour conserver ce rang au sein de l'International Mercantile Marine, la Star se devait d'être à la pointe des flottes européennes sur le marché transatlantique. Et, pour ce faire, il fallait être dynamique, innovant et sans complexe devant la concurrence. Ce qu'était précisément lord Pirrie.

— Je suis impatient de vous révéler la nature de notre entretien de ce soir, lui dit à ce propos le vieux baron.

Dans la nuit claire, les arbres centenaires étendaient leurs ombres entrelacées. Invitant son hôte à le suivre,

---

1. Paquebots de la ligne de l'Atlantique Nord.
2. Avec une capacité de 29 833 personnes.

le baron quitta le salon. Ismay, qui connaissait intimement le président Pirrie, lui emboîta le pas jusqu'à son cabinet de travail en se demandant quelle nouvelle politique il allait tenter de lui imposer.

Les fenêtres étaient occultées par de lourdes tentures. Sur le bureau, éclairés par une lampe à pétrole, se trouvaient deux ou trois rouleaux de plans. Aux murs, des gravures et des photographies de navires illustraient chacun des combats gagnés par le maître des lieux depuis qu'il avait pris la direction de Harland & Wolff. Sa passion pour les navires était partout, elle envahissait sa vie.

Joseph Ismay était le fils aîné d'un armateur intègre que le milieu maritime avait toujours respecté[1]. Son épouse Margaret, née Bruce, l'avait mis au monde le 12 décembre 1862. En 1889, après avoir fourbi ses armes à New York en tant qu'agent maritime, il avait pris les commandes de la White Star Line, dont le nom avait été racheté par son père pour mille livres vingt ans plus tôt.

Depuis près de quarante ans, la Star et le chantier de Belfast avaient rivalisé de prouesses pour concevoir et construire des navires performants et sûrs, sans tomber dans les excès de la course au titre du plus beau bateau du monde. La philosophie de Joseph Ismay était plus prudente et consensuelle que celle de son mentor, mais il sentait qu'il devrait bientôt céder aux sirènes de la compétition qui se profilait.

— J'ai sur ce bureau les esquisses d'une nouvelle génération de paquebots à l'épreuve du temps, lança fièrement William Pirrie. Les trois géants que nous attendions pour déclasser les *Cunarders*[2] !

Ismay fut pris au dépourvu par la soudaineté du propos. Les plans des trois navires projetés par les ingénieurs irlandais provoquèrent en lui un curieux mélange d'inquiétude et de fascination. Puis, dans un réflexe que

---

1. Thomas Henry Ismay.
2. Les navires de la Cunard Line, parfois appelés « cunardiers » en français.

commandait sa fonction d'armateur, il s'enquit de ce qu'il devrait débourser.

Pirrie, dont le chantier serait le premier bénéficiaire de ce programme, s'attendait à cette objection détournée. C'est donc avec un large sourire qu'il lui annonça la bonne nouvelle :

— M. Pierpont Morgan lancera l'année prochaine un emprunt obligataire de 2,5 millions pour la réalisation de ce projet. Je viens d'en avoir confirmation. La White Star Line n'aura donc pas à s'endetter pour mettre sur cale nos futurs Léviathan.

Une fois de plus, Morgan s'était directement adressé à lord Pirrie. Il ne restait à Joseph Ismay qu'à entériner les décisions. Il en prit à peine ombrage, puis il se pencha sur les croquis ébauchés par le bureau d'études. Mais ses sourcils se froncèrent et son visage s'empourpra lorsqu'il prit conscience de la réalité du projet. Aussitôt, il releva les dimensions extraordinaires des unités qu'il avait devant les yeux. Leur longueur dépassait de 67 mètres leurs principaux concurrents. Quant aux 46 000 tonneaux[1] pour un déplacement[2] de 52 000 tonnes, ils constituaient un nouveau record de jauge !

James Pirrie se plut à souligner qu'en dépit de l'énormité de ces chiffres ces navires seraient plus économiques que leurs prédécesseurs en termes de consommation et d'entretien.

— Vu que leurs machines de 42 000 chevaux ne les propulseront qu'à la vitesse de 22 nœuds[3]…

Ismay acquiesça sans poser de question.

— Je crois également, poursuivit Pirrie, que pour assurer notre avenir il nous faut privilégier le confort des quelque dix mille personnes que ces trois paquebots pourront accueillir globalement.

---

1. Mesure de volume intérieur équivalant à 2,83 m³.
2. Poids d'un navire.
3. Unité de vitesse équivalant à 1,852 km/h.

Ismay avait besoin de visualiser ses explications, de les projeter dans son imagination pour mesurer l'ampleur du programme qu'on lui soumettait.

— Il faut nous démarquer de nos rivaux car nous serons vite trop nombreux sur le segment du transport des passagers à destination de New York, expliqua William Pirrie pour écourter ce silence.

Les États-Unis, qui avaient reçu plus d'un million d'immigrés par an jusqu'en 1902, avaient en effet limité ce nombre une première fois et s'apprêtaient à le réduire encore.

— Il est donc nécessaire de s'assurer cette clientèle en lui offrant un accueil digne de notre réputation.

Du fait qu'elle appartenait à un trust étranger, la flotte de la White Star Line n'était pas liée au cahier des charges de la Navy. Si bien que les ingénieurs de Belfast pouvaient donner à leurs trois nouvelles unités de référence un dénominateur commun : la satisfaction des passagers. La nouvelle philosophie voulait en effet que la quiétude du voyage palliât les aléas de la navigation.

— Mon cher Ismay, dit le baron Pirrie en le prenant par les épaules, l'avenir appartient à notre clientèle. Nous nous devons de l'attirer sur nos lignes en prévenant ses exigences.

Il sentait que l'affaire progressait dans l'esprit de son partenaire et que, de guerre lasse, il se laisserait convaincre.

Le directeur de la White Star Line acquiesça ; ce n'avait jamais été sa politique de pointer au tableau d'honneur d'un quelconque record, encore moins du Ruban bleu[1]. Ses concurrents britanniques, allemands et français se dis-

---

1. Les vapeurs se disputaient ce trophée, remis au navire qui traversait l'Atlantique Nord dans le temps le plus court, entre deux point géographiques déterminés. On n'en connaît pas l'origine exacte, dont la première apparition remonte à 1819. Trente-six paquebots l'ont remporté jusqu'en 1952, date du dernier record attribué. Certains, comme le *Lusitania*, l'ont conservé plusieurs années ; d'autres, comme le *Bremen*, ont battu leur propre record. *Cf.* Philippe Masson, *Le Drame du* Titanic, Paris, Tallandier, 1998.

putaient cet orgueil depuis l'utilisation de la vapeur dans la marine marchande, mais Joseph Ismay n'avait jamais prêté grande importance à cette compétition-là. La régularité des traversées primait à ses yeux sur la course de vitesse, la dignité du passager sur la rentabilité sans concession telle que l'appliquaient certaines compagnies.

Au cours du demi-siècle passé, on s'était couramment plaint de l'inconfort des navires. Mais c'était le transport des immigrants que négligeaient plus volontiers les armateurs. Robert Louis Stevenson écrivait à propos du *Devonia*, propriété de l'Anchor Line : « Dans l'entrepont, il y a des hommes et des femmes, alors que dans les cabines de première et deuxième classe les passagers sont des dames et des messieurs[1] ! » C'était l'époque où le Congrès américain déclarait, dans un rapport sur la salubrité des navires, que tout y était sale et suscitait le dégoût. Cinquante ans plus tard, les entreponts de triste mémoire où croupissaient les pauvres gens attirés par les sirènes du Nouveau Monde, étaient remplacés par des locaux plus sains, propres et aérés, bien que l'on continuât de s'entasser dans des dortoirs.

Si les choses avaient considérablement évolué au début du XXe siècle, cette lecture politique du commerce migratoire n'en restait pas moins popularisée par de nombreux auteurs, confortés par l'imagerie. À la suite de Charlie Chaplin[2], ils n'auraient de cesse que de l'utiliser à des fins de propagande contre les armateurs. Ainsi en 1906, sous la plume d'Edward Steiner, où l'on peut lire que les émigrants continuent de faire la fortune des compagnies maritimes qui se partagent l'Europe des laissés-pour-compte : « Toujours situé au-dessus des vibrations des machines », le voyageur de troisième classe est bercé « par le vacarme saccadé de la ferraille en mouvement et le grincement des amarres ».

---

1. Robert Louis Stevenson, *L'Émigrant amateur* (1895), cité par Melvin Maddocks, *Le Règne du paquebot*, Paris, Time Life, 1979.
2. Réalisant *L'Émigrant* en 1915, l'acteur s'inspire, pour son premier film, de la *commedia dell'arte* dont la thématique puise ses sources dans le fonds commun de la mémoire collective.

Quant au logement qu'on lui a réservé, dit-il, auquel on accède « par un escalier étroit aux marches visqueuses et glissantes », il renferme « une masse humaine, des couchettes nauséabondes et des toilettes rebutantes ». L'auteur y recense un assemblage suspect d'odeurs hétéroclites, distillées notamment par « une nourriture médiocre apportée dans d'énormes bidons et servie dans des gamelles[1] ».

En réalité, la troisième classe des principales compagnies offrait à ses passagers d'infortune des conditions de voyage qui s'étaient nettement améliorées depuis les décennies précédentes. Mais ce que le baron Pirrie proposait maintenant à la White Star n'avait jamais été envisagé par aucun armateur. Si les effets de la concurrence et du tarissement provisoire de l'immigration conduisaient à choyer les émigrants, le désir de se singulariser, de rompre définitivement avec l'image de négrier qui collait à la peau des armateurs européens nourrissait son ambition.

Les prévisions en matière d'émigration vers les États-Unis se chiffraient, au départ des ports européens, à un million sept cent mille candidats entre 1911 et 1912, date à laquelle les deux premiers navires projetés par Pirrie seraient en service.

— Les recettes de l'immigration ne suffisant pas à l'équilibre de nos comptes, j'ai pensé qu'une amélioration du confort général n'allait pas sans un réaménagement des première et deuxième classe, renchérit James Pirrie, de manière à nous attirer les voyageurs les plus aisés, les plus exigeants et les mieux disposés à louer nos services. Même s'il ne s'agit pas des catégories les plus rentables, car leur nombre est forcément restreint. Mais cette clientèle aisée, de plus en plus exigeante, est devenue regardante sur son confort et n'hésite plus à comparer les services offerts par la concurrence.

---

1. Edward Steiner, « On the Trail of the Emigrant » (Revell, 1906), cité par Pierre-Henri Marin, dans *Les Paquebots ambassadeurs des mers*, Paris, Gallimard, coll. « Découvertes », 1989.

Joseph Ismay, qui ambitionnait de faire du pavillon rouge et blanc de la White Star Line une référence en matière de transport maritime, se félicita donc de cette perspective. En cela, il n'était pas différent de ses pairs, qui cherchaient tous une représentation internationale. « Ce n'est pas une circonstance fortuite si les armateurs du xxᵉ siècle n'ont rien épargné pour que leurs paquebots soient de véritables ambassadeurs », écrira Georges Philippar[1], président des Messageries maritimes à la fin des années 1920.

En 1907, la White Star Line fut la première à concrétiser cette politique. Pour autant, l'expansionnisme des armateurs était freiné, depuis quelques années déjà, par certaines difficultés économiques. Chaque unité sortie des chantiers leur imposait donc une extrême rigueur financière, une stricte comptabilité qui les conduisait à s'entendre pour ne pas laisser tarir le fret ni casser les prix de passage. Durant plusieurs années, cette situation continuera d'interpeller les responsables des compagnies qui exprimeront publiquement leur préoccupation. « L'augmentation du mouvement des voyages étant moins rapide que l'augmentation du nombre des places, on est effrayé en pensant aux nouvelles unités qui vont entrer en service prochainement », dira le directeur de la Compagnie générale transatlantique au cours d'une conférence à l'Institut maritime de Paris[2].

Pour lutter contre ces aléas, certains armements s'étaient regroupés. Cette pratique, qui consistait à se partager le trafic d'une ligne donnée, chacun se réservant une part de marché bien définie, exigeait que tout excédent fût redistribué à l'ensemble des contractants. Si le quota n'était pas atteint par l'un d'entre eux, le *pool* pourvoyait à son déficit.

---

1. « La Décoration des navires », conférence donnée le 11 décembre 1926 à l'Institut océanographique de Paris, publiée par la Société du *Journal de la marine marchande*, 1927.
2. « L'Industrie des Transports maritimes, son évolution, son état actuel ». Transcription de la conférence de Dal Piaz parue dans le supplément de *La Ligue maritime*, juillet 1911.

Ayant intégré le trust de John Pierpont Morgan, la White Star Line bénéficiait de cette protection.

Pour autant, l'époque était aux économies, à la construction comme à l'exploitation des nouvelles unités. Dirigé par Alexander Carlisle, architecte naval en chef et beau-frère de Pirrie, le bureau d'études de Belfast suivrait la consigne à la lettre.

Le président Pirrie sonna son maître d'hôtel et demanda qu'on leur servît du whisky dans le salon. Puis les deux hommes se replongèrent sur les plans déroulés devant eux. Une coupe transversale permit à Joseph Ismay de distinguer la disposition des cabines et des locaux communs aux passagers, de situer les ponts-promenades et les principaux aménagements, tels que les grands escaliers à double révolution, les salons et vérandas, la salle de sport et la piscine, propres à rétrograder définitivement les anciens navires de la ligne. Sans oublier la lumière électrique, les machines réfrigérantes et le téléphone intérieur, qui feraient de ces nouveaux palaces de véritables villes flottantes.

— Naturellement, nota Pirrie, la décoration générale qui n'apparaît pas sur cette esquisse marquera les esprits de nos contemporains. Jusqu'aux cheminées, dont la quatrième est postiche et purement esthétique ! insista-t-il en se félicitant de la réaction favorable de Joseph Ismay, décidément de moins en moins hostile à sa philosophie du luxe et du gigantisme.

En matière de propulsion, les ingénieurs avaient fait le pari de trois hélices actionnées par deux machines alternatives à triple expansion, ainsi que d'une turbine à basse pression. Là se trouvait la principale innovation, dans l'antre invisible du monstre.

Mais déjà Pirrie mettait le doigt sur un point qui devait vaincre les dernières réticences d'Ismay : la sécurité du navire et des passagers. Il résuma ce que les ingénieurs avaient imaginé en matière de compartiments étanches et de coque à double-fond – censés rendre le navire pour ainsi dire insubmersible –, de pompes de cales, de détection acoustique et d'installation radiotélégraphique ultramodernes.

— Carlisle, qui a pris l'avis de votre commandant le plus chevronné pour imposer ses choix, ne m'a pas laissé le moindre doute sur la fiabilité de ces trois unités. Ni sur la confiance qu'elles inspireront à la clientèle. Honnêtement, je ne peux imaginer ce qui pourrait faire couler de tels navires !

« Désormais les transatlantiques de cette génération sont à l'abri de tout incident[1] », lui avait en effet déclaré le capitaine Edward John Smith, le plus ancien de tous les commandants de la White Star Line.

L'avenir s'annonçait radieux. Comme devait l'écrire Michel Mohrt bien des années plus tard : « À la naissance de toutes les compagnies maritimes, il y a eu des hommes exceptionnels, audacieux, souvent incompris, qui luttèrent pour faire prévaloir leurs vues et qui anticipèrent sur l'avenir. [...] Ils représentaient, en somme, ce que le système capitaliste a de plus remarquable, car plusieurs d'entre eux, marqués par l'idéologie du saint-simonisme, avaient la conviction d'œuvrer pour le bien de l'humanité[2]. »

Dans le bureau de Downshire House, les deux associés n'avaient pas vu le temps passer. Après avoir raccompagné son hôte sur le perron, William James Pirrie lui serra chaleureusement la main. Ce fut entre eux la seule marque de leur consentement et de leur satisfaction réciproque. Sous la haute colonnade qui ornait la façade de la villa, ils s'accordèrent trente jours pour qu'un document signé par

---

1. Propos publiés par le *New York Times* en mai 1907.
2. Michel Mohrt, *Paquebots : le temps des traversées*, en collaboration avec Guy Feinstein, Paris, Éditions maritimes et d'outre-mer, 1980. Saint-simonisme : doctrine établie par le comte de Saint-Simon dans le premier quart du XIXe siècle. Elle prétendait organiser la société dans l'intérêt du plus grand nombre. Avec Auguste Comte, Saint-Simon émit l'idée selon laquelle l'ensemble des forces de production devait hériter du pouvoir politique.

les deux parties conclût définitivement leur accord – une simple lettre stipulant que le chantier procéderait au lancement du premier navire durant l'automne 1910 et que le début de son exploitation commerciale suivrait six mois plus tard. Les deux unités restantes seraient mises sur cale à quelques mois d'intervalle.

Joseph Ismay s'engouffra dans sa voiture. Par la portière entrouverte, poussé par la curiosité, il demanda tout de même :

— Avez-vous prévu des noms pour nos trois géants, qui leur assureraient une destinée triomphale?

Pirrie se pencha pour lui répondre.

— Je me suis dit que le premier pourrait s'appeler *Olympic*. Ce nom était initialement destiné au jumeau de l'*Oceanic*, dont la construction fut abandonnée après le décès de votre père[1].

Ismay resta pensif un instant et Pirrie se reprocha d'avoir ravivé ce souvenir.

— Quant au second, poursuivit-il aussitôt, j'ai pensé qu'on pourrait l'appeler *Gigantic*, bien que cette idée ne semble pas faire l'unanimité chez les ingénieurs. Réservons-le peut-être pour le troisième de la série car je souhaiterais qu'il soit fortement emblématique.

— Et pour le deuxième, quel nom proposez-vous?

— J'ai pensé reprendre celui qu'avait donné l'armateur Scott à l'un de ses cargos en 1888. Revendu plusieurs fois, ce vraquier fut débaptisé depuis lors, si bien que le nom ne figure plus sur les registres du Lloyd. Si vous l'agréez, il fera de ce paquebot l'icône de notre flotte et l'ambassadeur de la White Star.

Ismay ne doutait pas de l'opportunité de son choix.

— Et quel est ce nom mystérieux qui doit assurer sa notoriété? dit-il en fixant le regard de Pirrie.

— *Titanic*!

---

1. En 1899.

Sans raison apparente, poussé peut-être par un étrange pressentiment, l'armateur lui demanda s'il savait ce qu'était devenu ce cargo à l'appellation quelque peu présomptueuse.

— C'était un bateau sans histoire, lui répondit laconiquement le baron[1].

Réputé pragmatique, le directeur Ismay cessa d'y penser durant le trajet qui le ramenait chez lui. Quelque chose pourtant l'avait contrarié, qui l'empêcha de s'endormir. « Un bateau sans histoire, songeait-il, ça n'existe pas... » Et ses doutes l'envahirent de nouveau.

---

1. Construit sous le nom de *Titanic* par le chantier MacIlwaine à Belfast pour le compte de l'armateur Scott & Co, ce navire à vapeur de 1 600 tonneaux de jauge brute fut vendu à Smith & Service Ltd avant même qu'il n'entreprît son premier voyage. Acquis en 1903 par la compagnie minière De Lota y Coronel, à Valparaiso, il navigua désormais sous le nom de *Luis Alberto*, puis *Don Alberto* jusqu'à son désarmement en 1928. *Cf. Latitude 41*, publication de l'Association française du *Titanic*, n° 24.

1

DES CONTRATS SUR L'ATLANTIQUE

La crainte qu'a toujours inspirée l'océan s'est atténuée au cours des siècles, tandis que la technologie se donnait les moyens d'en apprivoiser les dangers. Jusqu'à se jouer des avertissements distillés au fil des catastrophes, tout particulièrement sur la route de l'Atlantique Nord dont la mauvaise réputation n'était pas une légende. Brumes, icebergs, déchaînement conjugué des vents, des lames et des courants : autant de conditions extrêmes que les armateurs tentaient de conjurer pour atteindre le rêve américain.

À l'époque des grands voiliers, le franchissement des mers était une épreuve plus dure encore, que les voyageurs traversaient rarement sans péril. C'était le prix de l'espoir et la rançon de l'eldorado.

Les trente-cinq colons protestants du *Mayflower*, partis du petit port hollandais de Delftshaven pour l'Amérique le 22 juillet 1620, marquèrent le point de départ du transport de passagers sur l'Atlantique. À dater de cette époque, les voiliers, qui jaugeaient à peine 50 tonneaux, accueillirent à leur bord de plus en plus d'émigrants, à tel point que de nombreuses compagnies envisagèrent de constituer des flottes organisées pour ce trafic.

Les premiers paquebots

Les départs de ces petits vaisseaux sommairement aménagés pour recevoir quelques dizaines de passagers dépendaient prioritairement du fret. Si les deux mois que nécessitait en principe une traversée de l'Atlantique d'est en ouest n'étaient jamais garantis, les dates d'embarquement ne pouvaient être fixées avec précision. Les contraintes du négoce et la bonne fortune océane rendaient le calendrier des voyages aléatoire. Or, malgré cette incertitude, plusieurs millions de personnes l'entreprirent jusqu'à l'avènement du bateau à vapeur.

À la fin du XVIIIe siècle, l'idée s'imposa d'organiser des départs à dates fixes, dans le but d'optimiser les lignes par un meilleur service commercial, tant pour le fret que pour les passagers.

Le premier navire offrant ce service et dont on ait conservé le souvenir fut probablement le *James Monroe*, parti de Londres le 5 janvier 1818. « Ce départ au jour convenu, écrit Melvin Maddocks, annonçait les débuts d'une étape audacieuse, pour ne pas dire révolutionnaire, dans l'histoire mouvementée des affaires[1]. » Cependant, malgré le talent de son capitaine et les efforts de l'équipage pour tenir la mer au mieux, ce trois-mâts carré de moins de 450 tonneaux ne pouvait garantir une date d'arrivée précise à New York.

En quelques années, les armateurs affrétèrent d'autres navires qui, pour desservir les deux rives de l'Atlantique à raison d'un départ par semaine dans les deux sens, furent de plus en plus nombreux à se croiser au fil des traversées. Plus il y eut de bateaux sur la ligne et mieux se portaient les affaires. Les biens et les personnes voyageaient dorénavant avec une régularité qui favorisa les échanges.

Cette amélioration du service suscita l'intérêt des gouvernements pour l'acheminement du courrier. Moyennant

---

1. Melvin Maddocks, *Les Premiers Transatlantiques*, Paris, Time Life, 1982.

de substantielles rémunérations, les compagnies de navigation, qui s'étaient créées autour de quelques familles, rivalisèrent d'ingéniosité pour améliorer leurs performances, s'attirer contrats et subventions publiques et grossir leur flotte au fil des années. C'est ainsi, notamment, que se développa la société de Samuel Cunard, futur concurrent de la famille Ismay.

Le *packet boat*[1] était né, que le *Dictionnaire universel des sciences, des lettres et des arts* de 1896 définit comme « un bâtiment destiné, soit à faire entre deux ports le service des lettres et des dépêches, soit à établir une communication régulière entre deux pays séparés par la mer ».

En 1850, vingt-cinq de ces navires étaient en activité sur l'Atlantique Nord. Mais ce n'étaient encore que des voiliers, robustes et pesants, dans le ventre desquels étaient installées des dizaines de cabines pour les passagers les mieux logés, tandis que s'entassaient dans l'entrepont les voyageurs impécunieux. Les affaires étaient bonnes pour les armateurs, car un *packet* était généralement amorti après deux ans d'exploitation.

L'innovation technologique allait rapidement faire progresser l'art de construire des navires. « Contrairement au vaisseau de l'ancienne marine qu'avait affiné une évolution continue, note Courtlandt Canby, le navire à vapeur fut conçu par des terriens et se présentait comme un sous-produit non point de l'océan, mais de la révolution industrielle[2]. » Le *British Queen*, jaugeant 1 850 tonneaux, fut le premier *packet boat* à vapeur mis en service sur la ligne de New York en 1838. Il était la propriété de la British & American Steam Navigation Company.

Le nom de Robert Fulton est étroitement associé à cette mutation. Longtemps considéré comme un utopiste sur le Vieux Continent, Fulton s'était finalement résolu à expérimenter ces extravagants navires à vapeur sur les fleuves

1. Littéralement : « bateau courrier ».
2. Courtlandt Canby, *Histoire de la marine*, Lausanne, Éditions Rencontre, 1962.

américains. Ses compatriotes, qui crurent en son génie, mirent suffisamment d'argent dans son projet pour qu'il vît le jour le 17 août 1807.

Son premier bateau était à fond plat. Il l'avait baptisé *Clermont*, mesurait 42 mètres et la fumée qu'il dégageait terrifia les riverains et les quelques passagers conviés pour l'occasion. Mais c'est fièrement qu'il remonta l'Hudson River sur deux cent trente kilomètres en trente-deux heures. Il ne rencontra que quelques avaries mineures, si bien que le succès de cette expérience encouragea de nombreux imitateurs. Moins de cinq ans plus tard, cinquante vapeurs effectuaient des services réguliers sur les lacs, les rivières et les fleuves de l'Ancien et du Nouveau Monde.

Puis leurs propriétaires s'attaquèrent à l'Atlantique. Ils y lancèrent d'abord des navires mixtes dont la voilure d'appoint servait à pallier les carences de la machine ou l'épuisement du charbon. Les défaillances furent si rares que la voile fut bientôt abandonnée aux souvenirs des cap-horniers, quand bien même la nostalgie et le scepticisme naturels raillèrent quelque temps la folle invention de Fulton. « Autant parler de se rendre de la sorte d'ici à la Lune[1]! », s'écriait un prédicateur de Liverpool en 1835.

Robert Fulton avait donné l'exemple en réunissant les conditions qu'allaient devoir développer les armateurs: de forts appuis financiers, une ingénierie inventive et une adroite gestion commerciale. Riches de ces atouts, les plus grandes compagnies occidentales de navigation ne devaient plus arrêter la course effrénée qu'elles se livraient désormais pour la suprématie de l'océan, malgré les naufrages dus aux approximations de la technologie ou à l'aveuglement de la concurrence.

Dans la seconde moitié du XIXe siècle, ainsi que le résume Léonce Peillard, de nombreux pavillons sillonnaient l'Atlantique: « Des lignes allemandes, hollandaises,

---

1. Cité par Edward V. Lewis et Robert O'Brien, *Les Bateaux*, Paris, Robert Laffont, 1969.

belges s'établissaient, desservies par des paquebots de plus en plus modernes, rapides ; des navires touchaient les ports français et anglais, enlevaient passagers et marchandises, les armateurs n'hésitant pas à baisser leurs tarifs sans tenir compte des conséquences ruineuses qu'allait entraîner cette politique[1]. »

L'ère des démiurges

Le paquebot à vapeur s'était inscrit dans le déclin de la voile. Dès que ce nouveau mode de transport eut acquis sa respectabilité, les armateurs se mirent à l'écoute de la clientèle, rivalisant de génie pour garantir les besoins des voyageurs et prévenir leurs attentes, avec un sens commercial que les années devaient pervertir – non seulement d'un point de vue économique, mais en raison de la course aux superlatifs qui s'ensuivit, avec ses dangers inhérents.

Lorsqu'un nouveau navire était mis en service, on prenait l'habitude de parler avec une certaine ironie de « paquebot-réclame », tant on mettait d'empressement à souligner ses qualités. Or, si le joyau était précieux, il était de plus en plus éphémère. Il fallait donc braquer les projecteurs de l'actualité sur les innovations qui le rendaient unique, jusqu'à ce que la concurrence vînt le détrôner.

De même, l'esthétique, le confort et la performance occupaient tous les esprits. Ainsi que la sécurité, que l'on voulait discrète et néanmoins efficace, afin de rassurer la clientèle en lui faisant oublier qu'elle voyageait dans des conditions potentiellement dangereuses, en particulier sur la route de l'Atlantique Nord. Pour ce faire, le voyageur devait oublier qu'il était à bord d'un bateau.

Les paquebots modernes ne rivalisaient plus en matière d'ornements extérieurs avec les vaisseaux du temps de la voile. Désormais, leurs lignes générales se ressemblaient dans leur simplicité géométrique. Pour autant, les

---

1. Léonce Peillard, *Sur les chemins de l'océan*, Paris, Hachette, 1972.

dessinateurs faisaient tout pour leur apporter une touche d'ingéniosité qui les personnalisait aux yeux du public. Notamment par le nombre et la disposition des cheminées dont le but, parfois purement esthétique, était d'équilibrer le surdimensionnement de la coque.

La virtuosité artistique dont faisaient preuve les décorateurs se manifestait en revanche dans la finition des intérieurs qui se concurrençaient dans la surenchère, au gré des compagnies et des cultures nationales. En cela, les armements allemands marquèrent de leur empreinte le début du xxᵉ siècle. Leurs navires, tel le *Kaiser Wilhelm der Grosse*, imitaient le style bavarois. Les salons de chasse étaient conçus autour d'un âtre où l'on aurait pu cuire un bœuf. Chaque nation y allait ainsi de son univers. Souvent surchargé, le décor adoptait le goût de l'époque et forçait ainsi l'admiration de l'opinion. Pierre-Henri Marin raconte : « Alors qu'à bord du *Viceroy of India* le fumoir évoquait irrésistiblement les châteaux écossais, avec […] ses armoiries et ses épées fixées à la cloison, le *Winchester Castle* suggérait la chaleur d'un intérieur hollandais [décoré de] balcons en fer forgé et de poutres apparentes[1]. » Et de citer un voyageur anonyme que les décorations à la française du *Washington* avaient émerveillé. Passager de première classe, il en a décrit longuement les boiseries dorées à la feuille, les sièges rembourrés, les lampes de cuivre et les plantes vertes, qu'il garantissait être « du meilleur goût ».

Le savoir-faire et la tradition des artisans de chaque pavillon faisaient honneur à leur tradition. À cette mainmise patriotique sur la construction navale répondait un état de grâce nationaliste qui s'entendrait bientôt comme une victoire militaire. Le commandant Georges Croisile parlera d'« héroïsation par procuration[2] ».

---

1. P.-H. Marin, *op. cit.*
2. Georges Croisile, préface à Michel Mohrt, *op. cit.*

Si la décoration des paquebots faisait en général l'objet d'un certain consensus, la puissance des machines à laquelle on s'attachait dans les années 1900 opposait deux écoles : celle des partisans de la vitesse, qui affirmaient réaliser des économies sur le prix d'exploitation de la traversée, aux tenants d'une politique moins agressive, qui ne revendiquaient pas les exploits de leurs coursiers.

En termes de gestion des coûts, ces derniers assuraient que le doublement de la vitesse multipliait par six la consommation du combustible pour une rotation moyenne, soit 25 tonnes par heure sur la route de New York. Si l'argument semble recevable d'un point de vue comptable, les hérauts de la performance laissaient entendre *a contrario* que la vitesse leur faisait gagner des heures de navigation et, par là même, économiser davantage.

Le débat tourna d'abord au dialogue de sourds. Puis, avec l'augmentation de la vitesse qui finit par prévaloir chez les armateurs, il fallut prendre en compte la notion de sécurité. Encouragées par les bookmakers à toujours plus d'audace, les compagnies laissaient généralement leurs capitaines libres d'évaluer le danger. Mais, par excès de confiance et trop souvent par négligence, ils finirent par oublier le premier commandement que leur imposait leur fonction, à savoir de conduire à bon port le navire et ses passagers.

Les records de traversée devinrent donc de plus en plus à la mode et les paquebots qui les remportaient étaient aussitôt plébiscités par un afflux nouveau de passagers. Au point que les armateurs invitèrent les ingénieurs à concevoir des moteurs toujours plus puissants et de plus en plus performants, avec une certaine prise de risques.

Cette compétition permit à la technologie maritime de faire gagner aux paquebots cinq ou six nœuds en l'espace de trente ans, soit vingt-trois heures grappillées sur une traversée de 4000 milles. Chiffres sans doute significatifs au regard de la performance et des statistiques, mais des voix ne manquaient pas de s'élever pour stigmatiser une fuite en avant dangereuse car sans garde-fou, un pari malsain qui conduirait l'humanité à perdre petit à petit son propre contrôle.

Aussi, chaque fois que la presse évoquait une fortune de mer, la controverse était-elle aussitôt ravivée. Tout accident devenait immanquablement la conséquence d'une rivalité qu'une partie de l'opinion vouait aux gémonies. Par conséquent, tout un aréopage d'industriels et d'armateurs fut accusé de sacrifier des vies humaines à leur indélicatesse financière. Et de jouer les démiurges.

Le drame du paquebot français *La Bourgogne*, accidenté lors d'un abordage avec un voilier dans les brouillards de Terre-Neuve, est exemplaire de la controverse qui sévissait alors à propos de la course au Ruban bleu. Le naufrage survint pendant l'été 1898, alors que le navire transportait mille cinq cents passagers. Toute la presse interpréta cet accident comme le résultat de la course de vitesse engagée par les commandants des grosses unités, sans tenir compte des risques qu'ils faisaient courir à la navigation par inconscience ou fatuité. « Comment tolérer que, forts de leur expérience, ils se croient autorisés à lancer leurs mastodontes à toute allure dans la brume[1] ? », pouvait-on lire dans la presse à la suite de cet accident.

Il faut dire que les statistiques n'étaient guère favorables aux grands *steamers* qui, depuis leur mise en service sur la ligne de l'Atlantique Nord, comptabilisaient plus de cinq cents naufrages ! Et c'était compter sans les petites embarcations qui disparaissaient corps et biens sous l'étrave de paquebots aveugles lancés à plus de 20 nœuds, dans un bras de fer qui les coulait par dizaines chaque année. « En vain la sirène annonce-t-elle de loin le formidable bâtiment que déjà le monstre est sur eux. Sa puissante étrave heurte la fragile embarcation, et des malheureux disparaissent

---

1. Cité par Gérard Piouffre, *L'Âge d'or des voyages en paquebot*, Paris, Éditions du Chêne, 2009.

à jamais dans les flots », pouvait-on lire dans un supplément du *Petit Journal*[1].

La querelle des Anciens et des Modernes

« Pour que des navires pussent être lancés, il a fallu que beaucoup de mathématiciens, de géomètres et de physiciens joignissent leurs connaissances. Les progrès scientifiques ne deviennent sensibles à la foule que par les applications pratiques qui en découlent : alors, ils sortent de l'ombre et entrent dans l'histoire des peuples[2] », écrivait Pierre Gaxotte.

En 1907, lorsque William Pirrie lança son programme de construction pour le compte de la White Star Line, l'opinion publique était plus que jamais divisée sur la maîtrise du progrès. Les partisans de la modernité le justifiaient par l'avancée sociale qu'il représentait. Leurs contradicteurs brandissaient le spectre d'un drame annoncé. Il était alors impossible de les départager car ils défendaient leurs certitudes comme une religion. Pour autant, la marche en avant de l'Histoire était inexorable. L'intérêt de la production de masse et les progrès scientifiques prônés par les cercles politiques dès le début du xxᵉ siècle avaient confronté les édiles aux espoirs d'une supériorité technologique déterminante.

La dénonciation de cette course irrépressible, critiquée pour son opportunisme par les milieux conservateurs, eut un large écho. Certains intellectuels n'hésitaient pas à faire valoir publiquement leur opposition à toute forme d'innovation et de croissance, qu'ils jugeaient arbitraire. Pour l'écrivain Joseph Conrad, qui s'exprimait en 1912, tout progrès, s'il voulait constituer une avancée durable, devait infléchir sa trajectoire afin d'anticiper l'avenir[3]. Le

---

1. 29 décembre 1907.
2. Pierre Gaxotte, « Quand commença la révolution industrielle ? », *Historia*, n° 269, avril 1969.
3. Propos recueillis dans *Notes on Life and Letters*, London, J. M. Dent and Sons, 1924. Repris en français dans *Le Naufrage du* Titanic *et autres récits sur la mer*, Paris, Arléa, 2009.

modernisme, à ses yeux, devait avoir pour seule ambition de servir l'humanité.

Or l'Angleterre édouardienne était euphorique et ses démiurges n'étaient traversés d'aucun doute. Leurs idées étaient définitives et suscitaient peu d'interrogations. On entrait dans le rêve éveillé d'un monde ouvert à toutes les initiatives et libre de toute entrave. Thomas Andrews, concepteur des plus grands *liners* jamais construits chez Harland & Wolff, savait retourner des réponses précises aux questions qu'on lui posait sans jamais être pris au dépourvu par un quelconque adversaire de sa politique : « Il avait le talent de faire croire que la complexité n'existe pas[1]. » Cette orgueilleuse certitude était niée par certains esprits rebelles, qui ne se privaient pas de faire entendre leur dissonance.

En réalité, le siècle naissant n'avait pas eu le temps de prendre ses marques. Sa logique répondait encore d'un passé qui n'en finissait pas de mourir et refusait de capituler. Le courant de pensée qui animait les conservateurs n'était pas en accord avec les progrès de la science car la technique avait pris ses distances avec la philosophie traditionnelle. Le fossé que les progressistes avaient creusé à la fin du XIXe siècle n'avait pas été comblé. Le monde était en arythmie.

Le baron Pirrie avait confié à Joseph Ismay son projet de construire les plus grands navires du XXe siècle, mais le patron de la White Star Line avait-il pleinement conscience de ce qu'il venait d'entériner ? Bien qu'il eût fait le choix de l'avenir, du camp du progrès contre celui de la réserve et de la méfiance, il s'interrogeait encore sur la pertinence de sa politique. En 1907, plein d'incertitudes à propos du nom qu'on lui avait soufflé pour l'une de ses nouvelles unités, Joseph Ismay n'était pas complètement débarrassé des doutes qui assaillaient sa

---

1. Djana et Michel Pascal, Titanic : *au-delà d'une malédiction*, Paris, Anne Carrière, 2004.

conscience. Une simple poignée de main venait peut-être de libérer quelques mauvais génies et de laisser le champ libre aux Titans, dieux malfaisants qui distillent de faux espoirs. Le nom de *Titanic* envisagé par James Pirrie l'avait bien alerté, mais il avait finalement abandonné ses doutes au ban de sa conscience.

On ne saura jamais si Joseph Ismay connaissait ou non le roman de Morgan Robertson, intitulé *Le Naufrage du* Titan[1]. Mais il y a peu de chance qu'il l'ignorât. Si nous en parlons ici, c'est que ce livre fut au centre de la querelle des Anciens et des Modernes, des conservateurs et des progressistes en matière d'ingénierie maritime. Cet ouvrage, publié en 1898, n'a certes aucune valeur littéraire. Il n'en a pas moins défrayé la chronique par les critiques qu'il adressait aux armateurs. Réputé être un pamphlet sévère contre la société britannique – « avec son culte de la technique, de la puissance et de l'argent », note le sociologue Bertrand Méheust –, l'ouvrage mettait en garde contre l'arrogance des affairistes, des ingénieurs et des compagnies de navigation. « Tous les détails du récit étaient amenés pour stigmatiser la volonté de puissance qui menait le monde à la catastrophe[2]. » Ses thuriféraires prétendaient en effet que Robertson était un visionnaire et que le naufrage de son navire imaginaire était prémonitoire. Les descriptions que l'auteur faisait de son paquebot gigantesque ne laissaient pas de faire penser aux *liners* que le xxe siècle s'apprêtait à mettre sur cale. Et le tragique destin qu'il lui avait réservé alimentait les arguments de leurs détracteurs.

Au-delà de cette ressemblance, somme toute assez concevable pour l'époque, c'est la collision de l'iceberg et du *Titan* qui choqua les lecteurs. En 1898, plusieurs transatlantiques s'étaient en effet abîmés dans les champs de glaces du côté de Terre-Neuve. Ces accidents avaient coûté

---

1. La première édition était intitulée *Futility. Le Naufrage du* Titan est le titre de l'édition de 1912, postérieure au naufrage du *Titanic*.
2. Bertrand Méheust, *Histoires paranormales du* Titanic, Paris, J'ai Lu, coll. « Aventure secrète », 2006.

peu de vies humaines, mais Robertson étayait l'idée selon laquelle, un jour ou l'autre, le monde vivrait un drame à la démesure de ses ambitions, en raison de la vitesse qu'on atteindrait bientôt et par un manque de vigilance récurrent qu'on refusait obstinément d'admettre.

Ce n'était encore qu'un roman. Mais il avait réveillé dans l'opinion toutes les craintes associées aux traversées trans-atlantiques et ravivé le débat, que définit assez bien cette formule attribuée à la philosophe Hannah Arendt : « Le progrès et la catastrophe sont l'avers et le revers d'une même médaille. »

Aujourd'hui, la grande aventure imaginée par William James Pirrie et Joseph Bruce Ismay fait figure de conte philosophique dont la disparition du *Titanic* n'est que la part d'ombre. Ce tragique événement n'avait pas vocation à contrarier le cours des choses, ni à stigmatiser l'ensemble d'une époque en raison d'un naufrage de hasard. Les innovations ont souvent des catastrophes pour origine. « C'est ainsi que s'inventent à neuf outils, théories, sentiments, et cela s'appelle évolution », écrivait le poète allemand Hans Magnus Enzensberger[1].

En tout état de cause, cette lecture manichéenne a si bien traversé le temps qu'elle renaît régulièrement de ses cendres à chaque nouvelle transformation de la société. Comme une antienne récurrente, le « syndrome du *Titanic* » focalise sur son nom toutes les inquiétudes et les métamorphoses.

Ce paquebot, dont personne ne prédisait pareille infortune en 1907, mettra près de cinq ans avant de défrayer la chronique. Presque sans préavis, tandis que rien ne l'en prédisposait.

Fors le destin.

---

1. *Der Untergang der* Titanic, Frankfurt am Main, Suhrkamp Verlag, 1978. Traduit en français par Robert Simon, *Le Naufrage du* Titanic, Paris, Gallimard, 1981.

2

LA NAISSANCE DES TITANS

« La White Star Line constituait une part importante de l'histoire du commerce britannique[1]. » C'est en ces termes élogieux que Duncan Haws décrit la compagnie de navigation fondée par Thomas Henry Ismay. Toutefois, c'était à New York, au siège de l'International Mercantile Marine Company, que se décidait la politique générale du groupe et que se prenaient les grandes décisions d'avenir. À l'Oceanic House de Londres, on gérait la White Star au quotidien. Quand ce n'était pas directement au chantier naval de Belfast, où l'inspiration du baron Pirrie et la règle à calcul d'Alexander Carlisle s'entendaient pour dicter leur philosophie. Et Joseph Ismay les enregistrait plus ou moins volontiers. Ses concurrents ironisaient alors sur les pouvoirs de son directeur, qu'ils disaient à la botte des Américains et des Irlandais.

D'aucuns lui reconnaissaient pourtant un tempérament autoritaire, parfois même sectaire et méprisant. « Il m'est arrivé plusieurs fois de faire la traversée de l'Atlantique sur des bateaux à bord desquels Ismay voyageait aussi, fait dire le romancier Max Allan Collins à l'un de ses personnages, et je vous assure qu'on ne fait pas plus arrogant[2] ! »

---

1. Duncan Haws, « White Star Line (Oceanic Steam Navigation Company) », *Merchant Fleet*, Hereford, Duncan Haws, n° 19, 1990.
2. Max Allan Collins, *Les Meurtres du* Titanic, Paris, Payot & Rivages, 2000.

Si la fiction ne s'embarrasse pas de nuances, elle prend sa source dans une certaine réalité. Ce tempérament était probablement la conséquence d'une grande timidité. Ce qui n'empêche pas de brosser de lui le portrait d'un administrateur zélé connaissant son métier, dans lequel il fit carrière dès l'âge de vingt-cinq ans. À tel point que, sous sa direction, « la prospérité de la White Star Line ne fut jamais plus grande[1] ». Le débat reste ouvert.

Une étoile à cinq branches

L'histoire de la compagnie étoilée remonte aux glorieuses années des pionniers de la vapeur. Et, bien que la Star ne fût pas la première compagnie à s'ouvrir au marché transatlantique, elle en est extrêmement représentative.

C'est en 1845, à Liverpool, que John Pilkington et Henry Threlfeld affrétèrent leur tout premier bateau sur la ligne de Boston. À sa poupe flottait pour la première fois le pavillon rouge frappé de l'étoile blanche de la White Star of Boston Packets'.

Entre l'Ancien et le Nouveau Monde, le transport des passagers suscitait alors de nombreuses vocations. Les armements[2] fleurissaient dans une totale anarchie, construisant à la hâte des paquebots sans confort, prompts à embarquer dans leurs entreponts, à n'importe quelle condition, les flots d'émigrants qui s'y entassaient sans protester contre l'inconfort et le manque d'hygiène. Les voyageurs étaient abandonnés à leur sort durant la traversée, les compagnies ne fournissant même pas leur subsistance. Au point que le *New York Times* scandalisa ses lecteurs en rapportant ce qui se passait à bord de ces « bétaillères ». Daniel Hillion a

---

1. John Eaton, Charles Haas, Titanic : *destination désastre*, Le Touvet, Éditions Marcel-Didier Vrac, 1998.
2. Armement : port où un navire est immatriculé ou armé ; par extension, société qui fait naviguer des navires pour son propre compte.

repris dans *L'Atlantique à toute vapeur*[1] les propos tenus à l'époque par le grand quotidien : « Un fourneau, installé sur le pont, permettait aux émigrants de préparer des repas chauds quand le temps et l'allure du navire le permettaient, c'est-à-dire pas souvent. Pire, alors que l'équipage et les passagers des classes supérieures disposaient d'eau potable, ils ne pouvaient utiliser que l'eau résiduelle des appareils de chauffe et l'eau de mer… »

Après neuf ans d'exploitation sur l'Atlantique, Pilkington et Threlfeld se lancèrent à la conquête de l'Australie. Les affaires marchaient bien, mais la concurrence se faisait de plus en plus rude, obligeant les armements à moderniser leur flotte en permanence. Ce qui conduisit à de nombreuses faillites. D'autant plus que l'Allemagne était entrée dans la compétition, avec toute la force de son économie et l'ambition d'emporter le marché de l'émigration qui déferlait du nord et de l'est de l'Europe.

Épuisée par la course folle que lui imposait cette compétition sans merci, la White Star Line finit par déposer son bilan. Elle devait à ce moment-là plus d'un demi-million de livres aux banques.

Le père de Joseph Ismay, qui avait le démon des affaires, venait de s'associer avec un armateur du nom de Nelson. Cette compagnie ne possédait qu'un seul bateau, « mais qu'à cela ne tienne ! », se dit Thomas Henry. Il avait trente ans et la foi qui déplace les montagnes. Aussi, dès que son partenaire lui eut cédé ses parts, il se sentit libre et prêt à jouer le rôle de sa vie dans le métier.

En 1868, il racheta la White Star Line pour mille livres. Puis il convainquit l'un de ses amis, Christian Schwabe, de le rejoindre afin de constituer une nouvelle société sous le nom d'Oceanic Steam Navigation Company, à laquelle il accola celui de White Star dont il conserva l'emblème à l'étoile. Le 6 septembre 1869, l'accord était scellé.

---

1. Rennes, Éditions Ouest-France, 1993.

Or il se trouve que Christian Schwabe, riche financier de Liverpool, était l'oncle d'un certain Wilhelm Wolff, copropriétaire d'un chantier de construction navale à Belfast. L'association, fortuite au départ, se révéla précieuse avec le temps.

En parallèle, Thomas Ismay développa d'autres armements, dont la société de transports Imrie & Company. Asseyant son autorité d'année en année, il deviendrait membre de l'association North Atlantic Steam Traffic, puis directeur de la North Western Railway Company.

Lorsqu'il mourut, Thomas Ismay laissait une entreprise en pleine prospérité. Au point de faire dire à l'empereur d'Allemagne que le monde maritime venait de perdre l'un de ses plus illustres membres et l'Angleterre un citoyen dont l'œuvre incomparable resterait dans les mémoires[1].

Le 1ᵉʳ janvier 1900, Joseph Ismay prenait la direction de la compagnie, dans laquelle ses deux frères et ses quatre sœurs avaient personnellement des intérêts, de même que sa mère, à laquelle il demandait volontiers son avis. L'aîné de la famille, qui n'avait jamais eu la préférence de son père et que tout le monde appelait Joseph Bruce en raison des liens privilégiés qu'il entretenait avec sa mère, avait maintenant trente-sept ans et partageait de lourdes responsabilités avec l'homme de confiance de son père, Harold Arthur Sanderson. Ensemble, ils étudièrent l'opportunité d'ouvrir de nouvelles lignes, vers la Nouvelle-Zélande en particulier.

Quand, en 1902, John Pierpont Morgan engagea la White Star Line à rejoindre le Trust de l'Océan, Joseph Bruce continua de la diriger, tandis que Clement Griscom en obtenait la présidence. Un titre qui devait revenir à Joseph Ismay deux ans plus tard. Telle était sa position en 1907, au moment de sa rencontre avec le baron William Pirrie dans sa propriété londonienne de Downshire House.

---

1. Source : *The Times*, 28 novembre 1899. Traduction libre de B. Alvergne.

Quant au chantier naval de Belfast, dont les infrastructures devaient être modernisées pour accueillir la construction de l'*Olympic*, du *Titanic* et du *Gigantic*[1], il était situé dans le quartier de Queen's Island, sur la rive droite du fleuve Lagan. Racheté en 1858 par Edward Harland, l'ancien chantier Hickson prit un nouvel essor en 1861 grâce à la participation financière de Wilhelm Wolff. Devenu Harland & Wolff, le chantier ne cessa de s'enrichir de nouvelles techniques de construction, souvent révolutionnaires, afin de fournir les meilleures prestations d'Europe.

Mais c'est son alliance avec la White Star Line qui lui donna ses véritables lettres de noblesse. Grâce à cette opportunité, le chantier pouvait à tout moment tester ses compétences et se lancer dans la construction de nouvelles unités, toujours plus sophistiquées, à la pointe du progrès et de la modernité. Parallèlement, la compagnie de Liverpool bénéficiait des infrastructures les plus modernes et pouvait ainsi tenir tête à ses concurrents.

Mais cet équilibre tenait davantage de la combativité de son patron, William James Pirrie, que de Joseph Bruce Ismay. « Harland & Wolff pouvait construire un paquebot sans regarder à la dépense », rappellent Robin Gardiner et Dan Van der Vat[2]. Il suffisait que le chantier consulte formellement la White Star sur son projet et qu'ils en arrêtent ensemble le programme de construction et d'exploitation.

Des navires de haute technologie

Pour assurer la construction de paquebots toujours plus importants, le chantier de Belfast s'était doté de deux

---

1. Mis sur cale le 30 novembre 1911, le *Gigantic* fut lancé le 26 février 1914 sous le nom de *Britannic* – deuxième du nom sur les registres de la White Star Line –, en raison du naufrage du *Titanic* survenu dans l'intervalle : ce rappel de la mythologie des Géants et des Titans pesait trop lourdement sur les consciences.
2. *L'Énigme du* Titanic, *mystères et dissimulations...*, Paris, Michel Lafon, 1998.

nouvelles cales de lancement, situées en bordure du fleuve Lagan, sur l'emplacement de trois aires de construction plus petites. Durant l'automne 1907, on y érigea un immense portique enjambant deux cales, d'une superficie de deux hectares. Quatorze mille ouvriers étaient alors employés sur le site, faisant de cette entreprise privée la société de construction navale la plus importante de Grande-Bretagne – et probablement la plus performante.

Depuis 1869, date à laquelle Harland & Wolff et la White Star Line avaient fait front commun, les bureaux d'études de Queen's Island n'avaient cessé de se développer. La fin du XIXe siècle anticipait sur le génie de la modernité. En lançant l'*Oceanic*, la Star avait donné le ton et mis la Cunard et les compagnies allemandes, Hamburg Amerika Linie et Norddeutscher Lloyd, au défi de relever la performance. L'*Oceanic* était en mesure d'embarquer cent soixante-six passagers de cabines et mille émigrants. Flirtant avec les 150 mètres, cette classe de paquebot avait pourtant une jauge inférieure à celles de ses devanciers. Mais elle avait ouvert la voie du progrès aux ingénieurs qui, trente ans plus tard, multiplieraient par dix la jauge des navires lancés sur l'Atlantique Nord et pulvériseraient ainsi la barre symbolique des 25 000 tonnes de déplacement, inaugurée par l'*Atlantic* en 1907 – dernier-né d'une série de quatre unités, livré à la White Star tandis que la Cunard inaugurait la première traversée du *Lusitania*. Et le directeur de la Compagnie générale transatlantique de confirmer[1] que ce paquebot, de toutes les catégories de bateaux, était celui qui avait subi les plus grandes et les plus profondes transformations depuis son apparition dans la première décennie du XIXe siècle.

Il avait fallu moins de cent ans pour en arriver là. Depuis le premier navire à aubes, les nobles coursiers d'antan, « fiers de leurs voiles immaculées, de leur gréement huilé

---

1. Conférence donnée par Dal Piaz à l'Institut maritime de Paris, le 11 février 1911, *op. cit.*

et verni et de leur pont gratté à blanc, [avaie]nt souffert de l'intrusion du charbon, de la graisse, des escarbilles et de la suie », note Albert Brenet[1].

En même temps, les aménagements de ces *liners* se sont rapidement transformés afin de répondre aux contingences des armateurs en matière de transport de passagers, mais également sous les effets de la mode. « Que l'on songe, enchérit Brenet, aux cabines minuscules, sombres, sans confort, aux salons et salles à manger écrasés de dorure, encombrés de plantes vertes dans des cache-pots enrubannés, aux tentures rouges à pompons, aux fauteuils tournants capitonnés, aux lampes à huile suspendues à des cardans, et que l'on compare avec les transatlantiques modernes dont nous connaissons tous les immenses halls, les luxueux aménagements, les salles de sport, les piscines[2]… » Jusqu'à leurs superstructures toujours plus volumineuses, dominées par des cheminées en nombre croissant censées conférer à ces navires une impression de force et d'invulnérabilité.

En quelques décennies, on avait vu la propulsion mixte céder la place à des machines à expansion toujours plus performantes, le fer et l'acier l'emporter sur le bois et le confort des passagers s'étendre des cabines à l'entrepont.

Les premiers paquebots à traverser l'Atlantique sans l'aide d'aucune voile d'appoint avaient été le *Sirius* et le *Great Western*. Rivalisant d'efforts pour convaincre leur clientèle de leur fiabilité, les deux navires s'étaient engagés, au printemps 1838, à rejoindre New York en moins de vingt jours au départ de l'Angleterre. Moins confiants que les passagers, les deux équipages se seraient peut-être révoltés si les commandants ne les avaient contraints, sous la menace d'une arme, à poursuivre leur route. Pour accomplir ce premier exploit, il avait fallu consommer plus de 450 tonnes de combustible… et brûler des barils

---

1. *Le Navire à travers les temps*, Paris, Éditions de Varenne, 1951.
2. *Ibid.*

de résine emportés dans les soutes, les mâts et les ver-
gues de rechange, ainsi que la plupart des équipements
du bord. Tel avait été le prix de cette aventure, mais elle
avait scellé le pari de l'Atlantique à toute vapeur. Quand
le *Sirius*, moins long de vingt mètres, avait mis dix-huit
jours, son concurrent s'était acquitté du voyage en à peine
plus de deux semaines.

En 1853, une étude expliquait l'avantage du fer, puis
de l'acier sur le bois dans la construction navale, en termes
d'économie sur le prix de revient, l'amortissement et les
primes d'assurance, ainsi que sur la capacité de chargement, qui lui était supérieure de l'ordre de 20 %. Cette
démonstration déchaîna un tel engouement que tous les
armements destinés au transport de passagers abandonnèrent définitivement le bois, qu'ils réservèrent au fret
pour quelque temps encore[1]. Malgré ses qualités, l'usage
du fer ne perdura pas. Vite remplacé par l'acier, plus léger
et moins coûteux, il perdit tout intérêt pour les constructeurs quelques décennies plus tard.

Un ingénieur civil anglais spécialisé dans la construction navale lançait alors le *Great Eastern*. Jamais aucun
chantier n'avait osé mettre sur cale pareil monstre des
mers. Son concepteur s'appelait Isambard Kingdom Brunel
et son but était de prouver que l'acier répondait aux exigences les plus extrêmes. Aussi s'appliqua-t-il à concevoir
un navire comme on n'en avait encore jamais imaginé :
jaugeant plus de 22 000 tonnes, il était long de 210 mètres
et ses soutes étaient si vastes qu'elles pouvaient contenir
12 000 tonnes de combustible… De quoi faire le tour du
monde sans ravitailler ! Ce navire, qui pouvait potentiellement transporter quatre mille passagers, effectua son
premier voyage en 1859. En dépit d'une carrière transatlantique écourtée par les mauvaises critiques et les assauts
répétés de ses détracteurs, il fit la preuve de sa fiabilité.
« Comme paquebot, écrivait la *Revue maritime et coloniale*

---

1. *Cf.* E. V. Lewis et R. O'Brien, *op. cit.*

en 1866, on peut le louer sans réserve[1]. » Quant à Jules Verne, qui s'en inspira pour écrire *Une ville flottante*, il lui parut énorme au regard des autres navires et il confia dans une lettre à son éditeur, Pierre-Jules Hetzel : « Quel échantillon de l'industrie humaine ! Jamais le génie industriel de l'homme n'a été poussé plus loin. C'est une huitième merveille du monde que ce navire[2] ! »

À la suite du naufrage à deux ans d'intervalle de deux de ses plus prestigieux *steamers*, l'*Arctic* et le *Pacific*, la compagnie américaine Collins Line déposa son bilan en 1858. Pourtant, son armateur allait rester dans l'Histoire comme le précurseur d'un style nouveau de paquebots où le confort l'emportait sur les innovations purement nautiques. De ce fait, il avait poussé la concurrence à faire des efforts en matière de bien-être et de commodité à bord de ses bateaux. Une philosophie dont s'inspireraient notamment William Pirrie et Joseph Bruce Ismay.

Le rêve de Collins était « un peu fou », raconte Melvin Maddocks, car il pensait qu'un paquebot n'était autre qu'un hôtel flottant et qu'à ce titre il lui fallait correspondre aux attentes de plus en plus exigeantes de la clientèle. « Après Collins, le paquebot ne pouvait plus être un ferry-boat besogneux : reliant si rapidement deux mondes, il allait constituer un troisième monde à lui tout seul[3]. »

C'est la conjonction de ces éléments de modernité qu'en 1908 et 1909 la White Star Line et le chantier de Belfast allaient concrétiser ensemble. En mettant sur cale l'*Olympic* et le *Titanic*, ils se posaient en leaders sur l'échiquier du transport transatlantique.

Aux commandes du bureau d'études se trouvaient l'ingénieur en chef Alexander Carlisle et son bras droit Thomas

---

1. Citée par Léon Renard, *Les Merveilles de l'art naval*, Paris, Hachette, 1866.
2. Lettre du 9 avril 1867, publiée par la *Revue Jules Verne* en 1996. Citée par Rosine Lagier, *Il y a un siècle… les paquebots transatlantiques : rêves et tragédies*, Rennes, Éditions Ouest-France, 2002.
3. M. Maddocks, *Le Règne du paquebot*, *op. cit.*

Andrews. Ce dernier, qui avait débuté comme apprenti chez Harland & Wolff, avait tout à gagner à faire valoir son talent. Non seulement il était le successeur désigné de Carlisle, qui approchait de l'âge de la retraite, mais il était également le neveu de lord Pirrie, son mentor et son chaperon.

Dans l'opinion publique, en ce début du xxe siècle, la modernité avait pour corollaire la sécurité. La réclame que faisaient les armateurs auprès de leur clientèle mettait l'accent sur cette nouvelle règle dont ils soulignaient désormais l'importance. C'était devenu un argument publicitaire majeur, presque un dogme, une garantie dont ils se disaient personnellement responsables. Et la White Star Line, plus que toute autre, allait mettre un point d'honneur à démontrer que ses navires étaient construits selon les normes les plus strictes et qu'en bien des points elle ne se contentait pas des règles en vigueur.

Cette politique, dont le père de Joseph Ismay s'était fait le garant, prenait tout son sens en cette période de grand chantier maritime. Tout particulièrement en ce début d'année 1909, où l'un de ses paquebots fut malencontreusement accidenté à 250 milles de New York, cinq semaines seulement après la pose de la quille de l'*Olympic* sur la cale numéro 2. Naviguant au milieu d'un épais brouillard, le *Republic* fut violemment abordé par le vapeur italien *Florida*. Heureusement équipé d'un poste de TSF, le paquebot de la White Star lança des messages de détresse durant quinze heures, jusqu'à ce que la station télégraphique de Susconsett parvienne à les relayer auprès des navires qui se trouvaient dans la zone du drame. Le *Baltic*, ainsi que *La Lorraine* et deux garde-côtes américains parvinrent à rejoindre à temps le navire endommagé, qui sombra quelques heures plus tard. La rapidité de leur intervention permit de sauver d'une mort certaine ses huit cents passagers et membres d'équipage. Quatre personnes avaient perdu la vie au moment de la collision.

Le navire était perdu pour la White Star, mais le sauvetage de toutes ces vies humaines dont elle avait la responsabilité lui fit une heureuse publicité. Une réputation de sécurité qu'elle mit à profit pour vanter sa bonne fortune dans la grande transhumance de l'Atlantique.

Sur les quais de Queen's Island

Un navire, dans le langage commun, désigne un bateau de grandes dimensions. Définition suffisamment floue pour embrasser l'ensemble des vapeurs de toutes tailles qui sillonnaient l'Atlantique Nord depuis le début du XIXe siècle.

Les trois unités de la classe « Olympic[1] », dont la longueur était de 270 mètres environ pour un déplacement de plus de 52 000 tonnes, donnèrent à cette notion sa qualification la plus aboutie. Lorsque les ingénieurs de Belfast commencèrent à les concevoir, ils furent confrontés, comme tous les architectes, à des contraintes d'ordre géographique et climatique, ainsi qu'aux « conditions de vie du navire » déterminant les paramètres de sa construction : la ligne de l'Atlantique Nord et le service des passagers. La sécurité en dépendait.

Pour ce qui est des qualités nautiques, les conditions fondamentales de tous les navires répondent à des critères de flottabilité et d'étanchéité, de robustesse et de solidité, de puissance et de vitesse. Le navire qui sortira des chantiers devra garantir la grande expérience de ses concepteurs, compte tenu des exigences de l'armateur et de la révolution technologique du siècle. « Tout navire est un compromis », écrit à cet égard Pierre Célérier[2], un arbitrage entre la tradition et l'innovation que l'ère de la vapeur à mise en exergue dans les bureaux d'études.

---

1. Ainsi baptisée parce que l'*Olympic* était le premier navire de la série, le *Titanic* ayant été mis sur cale dans un deuxième temps, suivi du *Gigantic* (rebaptisé *Britannic*).
2. Pierre Célérier, *Les Navires*, Paris, PUF, coll. « Que sais-je ? » (n° 411), 1966.

Après la finalisation des plans et la construction sur cale, le lancement signera l'acte de naissance du navire, avant ses finitions à flot et ses premiers essais en mer, pour en vérifier l'état de service. Alors seulement, le navire existera tel qu'en lui-même, unique, indépendant de tout autre par son incarnation. Avec son âme et sa destinée.

Unités de mesure de leur époque, les « Big Three[1] » de la White Star Line feront l'admiration des spécialistes, de la presse et de l'opinion publique aussitôt qu'ils leur seront dévoilés, au cours de l'année 1909. À voix basse, on évoquera bien sûr l'arrogance des architectes et l'excès de confiance des ingénieurs, mais au regard des unités concurrentes récemment sorties des chantiers de Liverpool ou de Brême, l'*Olympic* et le *Titanic* n'étaient pas aussi extravagants qu'on voulait bien le dire, et surtout moins rapides que leurs concurrents. Ce qui n'empêcha pas les esprits chagrins de monter au créneau pour quelques dizaines de mètres de plus et 500 tonnes de mieux que les paquebots mis en service quelques années plus tôt. L'avenir leur donnera tort, même si l'Histoire est capricieuse et prête à se compromettre avec l'adversité.

Pour l'heure, ces navires étaient les ambassadeurs du siècle naissant : le résultat de cent ans de progrès et l'annonce d'un quart de siècle de perspectives innovantes. Ils avaient donc évolué en s'inspirant des connaissances acquises, pour les enrichir chaque fois davantage.

Chaque génération n'apportait pas systématiquement des innovations révolutionnaires. Seuls la longueur et le tonnage augmentaient sans cesse, la puissance des moteurs s'accroissait, mais rien qui contestât vraiment les grandes découvertes du XIXe siècle. En fait, tout était dans l'art d'annoncer une ère nouvelle. Et d'en persuader l'opinion. C'est dans cette logique qu'avaient travaillé les ingénieurs de l'*Olympic*, du *Titanic* et du *Gigantic* : en s'inspirant des plans des anciens navires de la ligne, notamment de l'*Oceanic*.

---

1. Les « trois grands ».

Aussitôt que John Pierpont Morgan eut perçu les fonds levés pour le financement de son projet, William Pirrie ordonna de mettre sur la cale numéro 2 les premiers éléments de la quille de l'*Olympic*. Le 16 décembre 1908, le navire prenait naissance sur les bords du fleuve Lagan en présence de ses concepteurs. Il portait le numéro de construction 4-0-0[1].

Pendant ce temps, la White Star Line déplaçait physiquement son port d'attache à Southampton en raison de la taille de ses futures unités, que ne pouvait plus accueillir Liverpool, tête de ligne de toutes les compagnies britanniques vers l'Amérique du Nord depuis le XIXe siècle. En outre, l'absence de grandes cales sèches et la présence d'une barre que les paquebots de la nouvelle génération ne pouvaient franchir qu'à marée haute réduisaient la desserte de cette ville, que seuls les anciens navires fréquenteraient dorénavant.

Chez Harland & Wolff, les ouvriers mettaient un point d'honneur à maintenir le calendrier de construction. C'est ainsi que le 31 mars 1909, sur la grande cale numéro 3, d'autres équipes effectuaient la pose d'une seconde quille sous le portique géant. Une implicite compétition commençait entre ces hommes dont la fierté n'avait d'égale que la réputation de leur chantier, qui dominait Belfast et s'imposait dans leur vie comme dans le paysage. Le nouveau géant portant le numéro 4-0-1 n'était encore qu'un amas de tôles, mais c'était déjà le *Titanic*...

Au mois de février 1910, John Pierpont Morgan se rendit à Belfast afin de constater l'avancement des travaux. Il faut dire que le *Lusitania* de la Cunard venait de défrayer la chronique en enlevant le Ruban bleu à son jumeau, le *Mauretania*.

---

1. La White Star Line avait prévu de baptiser *Olympic* l'un de ses navires dès 1899. Il s'agissait du dernier de la série « Oceanic », dont la construction avait été reportée, puis annulée par la compagnie après le décès de son directeur, Thomas Henry Ismay. Il était resté sans affectation depuis lors, jusqu'à ce que James Pirrie le soumette à son fils, Joseph Bruce, en 1907.

Sa présence sur le chantier devait marquer les esprits. Elle fut prise comme un avertissement à la concurrence. Sur une photographie, on le voit arpenter les ateliers et les abords des cales en compagnie de William James Pirrie. À l'arrière-plan, le quai flanqué de son gigantesque portique étend son ombre sur l'aire de construction que Harland & Wolff avait entièrement consacrée à cette entreprise. La quasi-totalité de sa main-d'œuvre y était affectée, dans les ateliers de tôlerie et des fontes, des turbines et des chaudières, jusqu'à l'usinage et la réalisation des ponts que l'on anticipait pour gagner du temps sur le calendrier.

En avril, les œuvres vives[1] de l'*Olympic* donnaient une idée de sa force et de sa puissance, de sa taille encore jamais atteinte par aucun de ses rivaux. Recouverte de plaques d'acier pesant trois tonnes chacune et mesurant près de vingt mètres sur une épaisseur de vingt-cinq centimètres, sa charpente faisait la fierté du chantier. Et comme le *Titanic* prenait lentement forme à ses côtés, on décida qu'une fois achevée la coque du premier serait peinte en blanc, de manière à distinguer les deux unités sur leurs cales. Cette opération devait servir à donner plus de relief encore à leur construction, que l'on pouvait apercevoir très loin à la ronde, de la terre et de la mer, ainsi que deux cathédrales de gloire.

Gardiner et Van der Vat écrivent : « À cette époque, les habitants de Belfast s'étaient habitués à voir leur horizon barré par les deux colosses s'élevant à plus de trente mètres au-dessus des cales sèches. Hors de leur vue, mais non de leurs tympans, se façonnaient les passerelles d'acier, les infrastructures faites des plus précieux matériaux et prêtes à être montées[2]. » Six mois encore et le lancement pourrait avoir lieu.

---

1. Il s'agit de la carène, partie qui se trouve immergée lorsque le navire est à flot. Par opposition, les œuvres mortes d'un navire sont constituées par l'accastillage, ou partie émergée.
2. R. Gardiner, D. Van der Vat, *L'Énigme du* Titanic…, *op. cit.*

La construction des deux géants ayant nécessité la délocalisation du site d'embarquement à Southampton, la navette qui transportait les passagers, leurs bagages et le courrier à l'escale de Cherbourg n'était plus adaptée, elle non plus, à la nouvelle situation. Les infrastructures du port français n'ayant jamais permis aux grands vapeurs d'y accoster, un transbordeur de la White Star Line était en effet spécialement affecté à cette opération, entre la gare maritime et les navires mouillés en eaux profondes.

C'était le *Gallic*, entre 1907 et 1911, qui faisait office de transbordeur. Construit en 1894, il mesurait moins de 50 mètres et ne fournirait plus désormais le service attendu par la clientèle des nouveaux *liners*. Pirrie et Ismay en étaient convenus dès le lancement de leur grand projet. Aussi, à partir de l'été 1910, furent mis sur cale ses deux successeurs, conçus en tôles d'acier rivetées comme les paquebots mères, vastes et luxueusement décorés pour que les passagers fussent agréablement préparés à ce qui les attendrait durant la traversée.

Le 25 juin 1910, la White Star et le chantier signèrent les contrats de construction du *Nomadic*[1] et du *Traffic*, dont la mise en service devait être effective avant un an. Le premier, qui mesurerait 70 mètres, assurerait le transbordement des passagers de la première et de la deuxième classe, tandis que le second, plus court d'une quinzaine de mètres, serait affecté aux troisième classe ainsi qu'au chargement des bagages et du courrier.

Le 20 octobre suivant fut un grand jour pour la White Star Line autant que pour le chantier Harland & Wolff : à 11 heures précises, avec les honneurs de la presse, l'*Olympic* était prêt à être lancé.

---

1. Le transbordeur a récemment été racheté par la communauté de Belfast afin d'être restauré. Il est désormais le dernier représentant de la construction navale des années 1900, en tous points identique à celle de l'*Olympic* et du *Titanic*.

3

MYSTIQUE D'UN GÉANT

Les ouvriers, qu'on avait soigneusement sélectionnés, chassèrent à coups de masse les béquilles de bois qui retenaient le berceau du navire. Sur la cale inclinée, la coque du paquebot s'ébranla, d'abord imperceptiblement. Une rumeur s'éleva de l'estrade qui accueillait les invités. Puis les 24 600 tonnes d'acier de sa structure encore inachevée se mirent à glisser jusqu'au fleuve salé.

Soixante-deux secondes plus tard, l'*Olympic* était à flot, freiné dans sa course par six ancres et huit tonnes de câbles. Il était midi, le 20 octobre 1910. La promesse de 1907 avait été tenue.

William James Pirrie et Joseph Bruce Ismay se serrèrent de nouveau la main. « La presse abusa du superlatif », rapporte Bernard Crochet[1]. Mais en parlant de « miracle », elle inscrivait l'événement dans les mémoires.

Un jour historique

Du haut des tribunes officielles, personne ne s'avisa que la coque avait poursuivi sa course au-delà de toute prévision. Lancée à 12 nœuds dans l'étroit chenal séparant Queen's Island de la rive opposée, elle avait heurté

---

1. « Les Trois Géants de la White Star », *Marines*, Nantes, février 1998, numéro hors-série.

un dock de carénage. Thomas Andrews expliquera qu'une rafale de vent l'avait malencontreusement déportée. L'incident n'éveilla nul soupçon, mais le monstre venait pour la première fois d'échapper à la vigilance de ses démiurges.

Pour l'heure, une seule chose importait en cette journée festive : bientôt, cette coque vide emporterait à elle seule, chaque semaine, quelque deux mille cinq cents passagers vers le Nouveau Monde. Et les dignitaires qui avaient fait le voyage de Belfast à bord d'un navire spécialement affrété par la compagnie se félicitaient de cette prouesse industrielle.

Le bateau fut ensuite remorqué jusqu'au quai d'armement Alexandra Wharf, dans le prolongement des cales, pour y être presque entièrement aménagé pendant quelques mois, d'abord par les mécaniciens, ensuite par les charpentiers qui élèveront ses ponts jusqu'à la pose des cheminées.

Comme il ne se trouvait plus sur cales au côté du *Titanic*, sa coque fut repeinte en noir car il n'avait plus à se distinguer de son jumeau.

Durant cette période, l'un des événements les plus photographiés fut l'acheminement de ses ancres, dont la principale pesait quinze tonnes. Sur l'un de ces clichés, on peut la voir tirée par un attelage de vingt chevaux.

Au terme de ses aménagements, l'*Olympic* jaugeait 45 324 tonneaux. Pourvu de ses deux machines à vapeur encadrant une turbine à basse pression, il était prévu qu'il marche à 22 nœuds avec ses vingt-neuf chaudières en activité.

Enfin, le paquebot fit un ultime séjour dans la cale Thomson, un bassin de radoub[1] situé sur la même rive de l'estuaire, en face des pompes destinées à l'assèchement de la cale. Au cours de cette ultime phase furent

---

1. Cale pourvue d'un sas, destinée à mettre momentanément un navire au sec dans le but de réparer ses œuvres vives.

posées les trois hélices en bronze dont le poids total était de 98 tonnes.

Le 2 mai 1911, de retour au quai d'armement, les machines furent mises en route pour la première fois. Satisfaits de son fonctionnement, les techniciens cédèrent la place aux artisans qui s'apprêtaient à lui donner son apparence définitive. À l'extérieur comme à l'intérieur, ses aménagements seraient à la mesure des ambitions affichées par la publicité.

Le 29, soit deux jours avant le lancement de son jumeau, l'*Olympic* était prêt pour son premier voyage. La haute mer l'attendait, avec sa part de mystère. Il restait à effectuer deux jours d'essais à la mer, afin d'obtenir la validation du Board of Trade, le ministère britannique du Commerce dont dépendait la marine marchande. On testa la maniabilité du navire, on vérifia les compas et la bonne marche de la TSF, mais on ne fit aucun essai de vitesse. Les dés étaient jetés.

Tout avait été mis en œuvre pour que rien ne vînt compromettre une longue carrière. Contrairement à l'habitude, afin d'éviter un faux pas du destin qui eût déclenché la rumeur sur un navire « mal né », le chantier, d'entente avec l'armateur, ne procéda pas au baptême traditionnel du navire lors de son lancement[1]. Une simple bénédiction sans champagne suffit à lui donner le blanc-seing nécessaire. Les discours rassurants s'étaient substitués aux superstitions.

Et, le 31 mai, Belfast pavoisait à nouveau. Tandis que l'*Olympic* patientait pour quitter l'estuaire à destination de l'Amérique, on n'avait d'yeux que pour le *Titanic*. Sa coque d'acier attendait fièrement sur le ber[2] de la cale numéro 3 qu'on la libérât de son berceau de bois. Les deux plus grands navires du monde rivalisaient déjà dans l'esprit du

---

1. Dans le cas où la bouteille ne se serait pas brisée sur l'étrave, on aurait prédit une destinée malheureuse au navire.
2. Le ber est le lit formé de fortes pièces de bois, sur lequel repose la coque d'un navire jusqu'à son lancement.

public, à la grande satisfaction du patron de la White Star Line dont les atermoiements et les doutes semblaient n'être plus qu'un souvenir.

Toute la matinée, les tramways et les navettes fluviales déversèrent leurs passagers sur les rives de Queen's Island. Car seuls pouvaient accéder au chantier les ouvriers chargés du lancement et les invités porteurs d'une accréditation. Tous les autres s'installèrent un peu partout, derrière les grilles, sur les berges du fleuve Lagan et les promontoires qui la surplombent. Ils étaient des milliers.

Sept mois seulement après le lancement de l'*Olympic*, un événement plus fastueux encore se préparait : deux navires géants, deux mythes en train de naître se partageaient maintenant les faveurs de la foule.

Les ouvriers du chantier se passionnaient pour ces jumeaux sur lesquels ils ne navigueraient jamais. Mais ils leur appartenaient pour ce qu'ils leur avaient donné, pour les souffrances qu'ils leur avaient offertes, comme des stigmates qu'ils exhibaient avec orgueil. Ces paquebots sortis de leurs mains étaient irlandais comme eux. Et cela suffisait pour qu'ils s'y attachent à jamais. En ce début de siècle, ils avaient laissé de la sueur et du sang dans l'Histoire.

Cent ans après, leurs descendants s'en prévalent comme d'un honneur. Telle cette arrière-petite-fille d'ouvrier, rencontrée fortuitement lors de notre visite à Belfast, et que rien ne laissait distraire de l'orgueil familial qui la reliait à la construction de l'*Olympic* et du *Titanic*. Car l'Ulster en a fait l'un des mythes fondateurs de l'Irlande du Nord. « On pensait jusqu'ici, peut-on lire sous la plume de Derek Booker, de la Lagan Boat Company, que c'était la faute des chantiers et des travailleurs du *Titanic* si le paquebot s'en était allé par le fond… Or, depuis la découverte de l'épave en 1985, tout a changé : on a recommencé à croire que c'était le meilleur bateau jamais construit depuis l'Arche de Noé[1] ! »

---

1. Publication distribuée au cours de la visite de l'estuaire et du chantier naval de Belfast. Traduction de B. Alvergne.

Nous avons interrogé de nombreuses personnalités pour asseoir cette certitude et demander à l'Histoire de rendre compte, sans *a priori*, de la vérité d'une époque. Aujourd'hui, nous pouvons assurer que les navires de la classe « Olympic » furent sans doute les meilleurs du monde. Le point de vue de l'ingénieur maritime David McVeigh[1] est sans équivoque, bien loin de l'idée répandue dans l'opinion : « La conception de cette classe de navires fut une réussite », dit-il, avant de préciser qu'on ne peut estimer la valeur d'une chose qu'en l'analysant dans son contexte historique. « Des paquebots comme l'*Olympic* ou le *Titanic* étaient conçus à partir des connaissances techniques de leur époque. Or il ne se faisait rien de mieux dans les années 1910. » Selon Terry Madill, fondateur du Titanic Schools de Belfast – dont le but est d'expliquer le poids historique de l'ère « Titanic » sur la société contemporaine –, s'il ne faut pas éluder l'importance du naufrage du 15 avril 1912, « il est primordial de célébrer l'ingéniosité des artisans de cette incomparable réalisation que fut la construction des géants de la White Star ». Parce qu'ils ont fait mieux que mener leur projet à bien : ils ont inspiré les générations futures. « Nous sommes les enfants de ceux qui ont construit ces icônes du XXᵉ siècle, conclut-il, et l'Irlande du Nord peut être fière de leur travail[2]. » Ce ciment, qui a réuni tout un peuple autour d'un chantier forge aujourd'hui le socle d'une fraternité nouvelle dans l'Irlande en reconstruction.

Ce 31 mai 1911, des drapeaux aux couleurs de la Grande-Bretagne et des États-Unis claquaient au vent, tandis que l'étoile blanche de la White Star Line était hissée en fanfare au-dessus de la tribune officielle. La cérémonie du deuxième lancement de la série des géants pouvait commencer.

---

1. Directeur des ventes et du marketing chez Harland & Wolff Heavy Industries Limited, à Belfast. Lettre à l'auteur du 9 novembre 2010. Archives de l'auteur. Bibliothèque cantonale et universitaire de Fribourg (Suisse), fonds Gérard A. Jaeger, cote LD 64. Traduction de B. Alvergne.
2. Lettre à l'auteur, *ibid.* Traduction de B. Alvergne.

John Pierpont Morgan se tenait au côté de lord Pirrie. La White Star avait organisé l'événement de telle sorte que la presse internationale s'était déplacée en nombre : plus d'une centaine de journalistes allaient rendre compte de ce lancement qu'on avait voulu spectaculaire, avec en toile de fond le pavois de l'*Olympic* dont le départ pour Southampton était imminent.

Pirrie portait pour l'occasion une casquette de yacht-man, raconte Walter Lord, « histoire d'ajouter une note de gaîté, car ce jour solennel, celui de la mise à flot du plus grand bateau du monde[1], était aussi son anniversaire de mariage[2] ».

Il était un peu plus de midi, comme lors de la précédente cérémonie. Le nom du *Titanic* n'apparaissait pas encore sur l'étrave[3] ni sur la plaque de poupe qui serait fixée juste avant sa mise en service. Le drapeau rouge fut hissé à l'étambot[4] pour signifier à toutes les embarcations de s'écarter de la trajectoire du lancement. Les cinq remorqueurs devant le haler à son quai se tenaient prêts à intervenir, afin d'éviter que la longue coque d'acier ne fût entraînée par son élan dans le chenal. L'incident survenu lors de la mise à flot de l'*Olympic* avait servi de leçon. Puis Thomas Andrews, qui avait la responsabilité du lancement, fit tirer la fusée rouge qui entamait le compte à rebours.

Moins de cinq minutes. Les derniers coups de marteau retentirent sous la carène, puis un silence impressionnant s'établit sur tout le chantier. Jusqu'à la première secousse.

Walter Lord retranscrit ainsi la scène : « Les ouvriers présents sur le pont furent les premiers à le sentir bouger et se mirent à pousser des hourras, imités par leurs camarades

---

1. Le *Titanic* était en effet plus long de quelques mètres que son prédécesseur et sa jauge légèrement plus imposante.
2. Walter Lord, *La Nuit du* Titanic, Paris, L'Archipel, 1998.
3. On le rajoutera plus tard sur certaines photographies retouchées, notamment après le naufrage.
4. Pièce de construction prolongeant la quille jusqu'à l'extrémité de la poupe, destinée à soutenir le gouvernail.

restés à terre, tandis que s'élevait un concert de sifflets, au milieu du craquement des morceaux de bois et du cliquetis des chaînes destinées à ralentir le navire lorsqu'il serait en eau. Prenant peu à peu de la vitesse, le paquebot glissa sur les couettes lubrifiées par trois tonnes de savon, quinze tonnes de suif et cinq tonnes d'un mélange de suif et d'huile de baleine. À 12 h 15, soixante-deux secondes exactement après qu'il eut commencé à s'ébranler, le *Titanic* était à flot[1]. »

Sans marraine, sans champagne et sans incident, il avait fait mieux que son aîné le 20 octobre 1910, le long duquel il glissait maintenant, retenu par vingt-trois chaînes de 80 tonnes. Les remorqueurs le prirent ensuite en charge et le halèrent à son quai d'armement.

Il n'y avait plus qu'à laisser l'Histoire suivre son cours.

Comme à chaque lancement, William Pirrie convia John Pierpont Morgan, Joseph Bruce Ismay et Thomas Andrews à sa table. Quant aux cadres du chantier, ils étaient réunis à l'hôtel Grand Central de Belfast pour une grande réception. En outre, afin de marquer durablement les esprits, la compagnie offrit un grand banquet aux journalistes venus couvrir l'événement. Au cours du déjeuner leur furent distribuées toutes les informations relatives au nouveau fleuron de la compagnie. L'écrivain Frank Bullen évoquera une journée « tout à fait dans la tradition britannique[2] ».

Aussitôt après son lancement, le *Titanic* fut amarré au quai Thomson. C'est là que, pendant près de huit mois, techniciens, ouvriers et artisans finiraient de l'armer, de l'aménager et de le décorer, comme ils l'avaient fait pour l'*Olympic*. Pour l'instant, tronqué du pont A et de ses superstructures, il ne donnait pas l'impression de l'emporter sur son jumeau flambant neuf, dont le pavillon claquait dans la brise irlandaise en attendant de prendre la mer.

---

1. Walter Lord, *Les Secrets d'un naufrage*, Paris, L'Archipel, 1998.
2. Cité par W. Lord, *La Nuit du* Titanic, *op. cit.*

À 16 h 30, les sirènes de l'*Olympic* retentirent pour la première fois. Cent mille personnes le saluèrent en agitant des mouchoirs blancs sur les deux rives de l'estuaire. C'était un peu comme une répétition générale car bientôt le *Titanic* s'approprierait cette cérémonie des adieux, toujours teintée de nostalgie malgré les flonflons de la fête.

Dans le sillage de l'*Olympic*, le *Nomadic* et le *Traffic*, fraîchement armés pour le service des passagers, prenaient également la mer à destination de Cherbourg. Sur le transatlantique noir aux cheminées chamois, les personnalités officielles venues pour le lancement du *Titanic* s'en retournaient en Angleterre. John Pierpont Morgan et le baron Pirrie descendraient à l'escale de Southampton, tandis que Joseph Ismay et Thomas Andrews poursuivraient jusqu'à New York. Andrews serait accompagné par une petite équipe d'entretien, appelée *guaranteed group*, dont la mission était de prendre le pouls du navire pour prévenir les problèmes susceptibles de se présenter au cours du voyage inaugural.

Après avoir avitaillé puis complété son équipage, l'*Olympic* gagnerait Cherbourg et enfin Queenstown[1], dernière escale avant la grande traversée.

Confort, luxe et volupté

Sur le *Titanic*, on poursuivait sereinement les aménagements qui feraient de ce paquebot un navire hors normes, inclassable parmi ses pairs.

Progressivement, chaudières et machines furent mises en place à l'intérieur de la coque au moyen d'une grue conçue spécialement en Allemagne. Le gros œuvre achevé,

---

1. Nommée Cobh jusqu'en 1849, la ville fut rebaptisée Queenstown après la visite de la reine Victoria. Le grand port irlandais reprit ensuite son nom de Cobh (Cove, en anglais) à la suite de la souveraineté de l'Irlande du Sud en 1922.

des centaines d'ouvriers vinrent tirer d'interminables gaines et des kilomètres de conduits au milieu d'un enchevêtrement de câbles et de fils en tout genre.

Les semaines passèrent et ce fut au tour des ébénistes, des sculpteurs et des doreurs à la feuille d'investir l'espace où les maîtres verriers, les ferronniers d'art, les peintres et les tapissiers se mettraient bientôt à l'ouvrage, afin d'en décorer l'intérieur. « Il sera le plus beau, note Gérard Piouffre, plus encore que l'*Olympic*, et loin devant les *Lusitania* et *Mauretania* de la Cunard. Le luxe de ses installations sera digne des plus grands palaces avec, en première et en deuxième classe, des salles à manger dont le décor forcera l'imagination[1]. »

Quant à l'élégance de sa coque, dont la ligne noire effilée serait subtilement rehaussée d'un liseré d'or, elle devait faire l'unanimité de la critique. Philippe Masson ne tarit pas d'éloges sur les qualités esthétiques de sa silhouette, qu'il estime particulièrement soignée. « Les superstructures limitées à trois étages apparaissent équilibrées et n'écrasent pas l'ensemble du navire, écrit-il. Les couleurs ont fait l'objet d'une étude particulière et les ponts supérieurs peints en blanc se détachent avec bonheur de la coque[2]. » Quant aux cheminées chamois, elles seront surmontées de la bande noire traditionnelle qui caractérise toutes les unités de la White Star Line. Le soin apporté aux géants de la compagnie de Liverpool allait faire école dans le milieu du transport maritime.

On avait parié sur la perfection. La technologie, l'élégance et le raffinement en seraient les ambassadeurs.

Naturellement, si les logements et les parties communes réservés aux passagers de troisième classe étaient moins sophistiqués, sans dorures ni fioritures, ils se distinguaient par un confort que la presse reconnut comme une innovation majeure.

---

1. G. Piouffre, *Le* Titanic *ne répond plus*, Paris, Larousse, 2009.
2. P. Masson, Titanic, *le dossier du naufrage*, Paris, Tallandier, 1987.

Contrairement à ce qui se faisait encore couramment sur les paquebots de cette époque, le *Titanic* ne comportait qu'un seul dortoir situé à l'avant, où l'on installait les hommes qui voyageaient seuls. Les femmes dans la même situation avaient leur logement à l'arrière. Les familles, quant à elles, se voyaient proposer deux cent vingt cabines très bien aménagées, situées sur trois ponts, à l'avant et à l'arrière, dont une partie disposait d'un espace modulable.

De vastes pièces intérieures étaient en outre attribuées à cette classe de voyageurs modestes, dont une salle commune aux parois recouvertes de panneaux de pin moulurés et laqués de blanc, meublée de bancs ouvragés, de tables et de chaises en teck. Ils s'y réuniraient pour chanter, danser, parler de l'avenir ou se réconforter lorsque la nostalgie du pays viendrait les envahir. Un fumoir aux lambris de chêne et un bar adjacent étaient à la disposition des hommes sur le modèle des première et deuxième classe. Enfin, une élégante salle à manger était prévue sur le pont F où la compagnie, sur des tables nappées de blanc, servirait le breakfast, le repas de midi composé de trois plats, ainsi qu'une copieuse collation en début de soirée.

De l'avis général, l'offre faite aux émigrants par la White Star était digne d'une deuxième classe à bord des compagnies concurrentes. Sur *La Provence*, par exemple, que la Compagnie générale transatlantique avait mise en service en 1906, l'entrepont servait encore de dortoir commun et de cantine où s'entassaient des centaines de personnes. À titre de comparaison, ce n'était qu'un fond de cale spartiate où s'alignaient des bannettes superposées, au pied desquelles étaient disposés de longues tables et des bancs de bois brut. « Il n'y avait pas de drap dans les couchettes, racontent Jacques Borgé et Nicolas Viasnoff, les gens dormaient tout habillés, il y avait très peu de vaisselle, on piochait avec les doigts dans les gamelles[1]. »

---

1. Jacques Borgé, Nicolas Viasnoff, *Les Transatlantiques*, Paris, Balland, 1977.

Sur l'*Olympic* et le *Titanic*, les passagers de troisième classe pouvaient prendre l'air et se distraire sur la vaste plage arrière surplombant l'océan. Selon Joseph Ismay, le confort atténuait la peur du voyage. Car tous ces gens n'avaient jamais quitté leurs villes et leurs villages avant d'affronter cette épreuve. Pour eux, la traversée de l'Atlantique constituait une obligation qu'ils vivaient plus ou moins bien, selon leurs situations personnelles. Aussi le confort inespéré qui leur était offert adoucissait-il un peu l'amertume du destin qui les frappait. Une cabine double coûtait en moyenne 40 dollars, soit l'équivalent de deux mois de salaire d'un ouvrier irlandais.

Les espaces communs réservés aux passagers de la deuxième classe étaient quant à eux situés à l'arrière. Répartis sur les ponts B et C, c'est-à-dire dans les hauts du navire, au niveau des superstructures, « ils rivalisaient avec les salons de première classe sur la plupart des paquebots de l'époque[1] ». Dans cette catégorie comme en troisième classe, tout était mis en œuvre pour surprendre le voyageur et le fidéliser. Le fumoir était joliment garni de boiseries de chêne et la bibliothèque, un pont plus bas, de panneaux de sycomore. Des tentures de soie verte en décoraient les fenêtres. Au pont D, la grande salle à manger qui occupait toute la largeur du navire était composée d'un mobilier d'acajou dont les chaises étaient recouvertes de cuir rouge. Les tables de deux, quatre ou six passagers permettaient à ceux qui le souhaitaient de prendre leurs repas en tête à tête ou de se joindre à d'autres voyageurs. La carte prévoyait des prestations de qualité avec, tous les jours, une entrée, deux plats au choix et de nombreux desserts accompagnés d'un café. Chaque déjeuner, chaque dîner devait asseoir la célébrité de la compagnie.

La qualité des cabines fera par ailleurs la réputation de cette classe intermédiaire fréquentée par la bourgeoisie. Elles étaient situées sur trois ponts, un peu à l'arrière de

---

1. J. Eaton, C. Haas, *op. cit.*

la quatrième cheminée. On les atteignait par un ascenseur conduisant à des coursives recouvertes de moquettes, et leurs dimensions variaient en fonction du nombre de lits que l'on avait substitués aux anciennes couchettes. Bien éclairées, peintes en blanc et soigneusement agencées, elles étaient meublées avec goût, souvent agrémentées d'un canapé d'acajou, et nombre d'entre elles étaient ouvertes sur l'extérieur.

On était bien loin du temps où Dickens, passager de deuxième classe à bord du *Britannia* en janvier 1842, qualifiait ses cabines de « boîtes inconfortables d'apparence profondément repoussante », de « box à chevaux » ou d'« antres impraticables à peine imaginables[1] ». Et comme il ne fallait débourser en moyenne que 65 dollars pour une cabine classique, les voyageurs seront nombreux à prendre leur billet pour New York à bord de l'*Olympic*, puis, dès l'annonce de la mise en servie du *Titanic*, à vouloir profiter de l'offre avantageuse de la White Star Line.

Contrairement aux émigrants, la population qui voyageait en deuxième classe était animée par l'envie de prendre passage à bord des grands *liners*. La traversée n'était pas pour eux une obligation mais un plaisir, une villégiature. Les agréments de quelques jours de mer les mettaient en joie. Bien installés, jouissant d'une bonne table, ils vivaient agréablement le temps passé dans leur cabine, au restaurant ou sur le pont-promenade qui leur était dévolu, tout à côté de la passerelle de navigation. De là, ils bénéficiaient d'une vue sans limite sur l'océan.

« La différence de tarifs entre la deuxième et la première classe ne se reflétait pas seulement dans la taille, les aménagements et les équipements des cabines et des salons, écrivent Eaton et Haas, mais aussi dans le nombre de commodités mises à disposition des premières[2]. » Les élus pour

---

1. Charles Dickens, *American Notes for General Circulation*, Chapman & Hall, 1842, cité par P. Masson, *Le Drame du* Titanic, *op. cit.*
2. J. Eaton, C. Haas, *op. cit.*

lesquels la White Star avait consenti le plus d'efforts en fait de luxe et de loisirs avaient encore une autre philosophie du voyage. Pour ces milliardaires que rien ne surprenait plus, la compagnie n'avait pas été sans ressources. Pour eux, elle avait voulu reproduire sur l'eau l'atmosphère des palaces qu'ils avaient l'habitude de fréquenter, afin qu'ils y trouvent les repères familiers à leurs privilèges.

Pour une cabine dont le premier prix était de 125 dollars, on avait droit à toutes les prestations réservées à cette classe : accès au gymnase, à la piscine avec plongeoir, au bain turc, aux jardins d'hiver agrémentés de palmiers en pot, aux cafés et au fumoir, aux ponts-promenades abrités, de même qu'à la grande salle à manger de quelque mille mètres carrés desservie par deux ascenseurs. Située au centre du paquebot, au pied du monumental escalier à double révolution, elle était le cœur du navire.

Un grand nombre d'autres cabines, rivalisant d'espace et de raffinement, seront vendues jusqu'à 2 500 dollars à des clients recherchant un maximum de luxe et de modernité. Certaines suites, pour lesquelles il fallait s'acquitter de 4 500 dollars, regroupaient même plusieurs chambres, salons et dressings, ainsi qu'une salle de bains individuelle. Des cabines adjacentes étaient prévues pour les domestiques. Deux de ces suites situées de chaque côté du navire, dont celle de l'armateur, disposaient d'un pont privatif. Ainsi pouvait-on lire, dans le magazine *Shipbuilder*[1] : « Tout a été fait en matière de mobilier et d'équipement pour que les appartements de première classe surpassent ceux des plus grands hôtels. »

Depuis un peu plus de vingt-cinq ans, les grandes fortunes se donnaient rendez-vous dans les palaces des stations balnéaires et des principales capitales d'Europe. Le Savoy à Londres, le Ritz à Paris, le Carlton à Cannes les accueillaient une partie de l'année ou pour de brefs séjours

---

1. Édition de 1912 citée par Simon Adams, *La Tragédie du* Titanic, Paris, Gallimard, 1999.

au cours desquels ils y traitaient leurs affaires. Ce goût de plus en plus prononcé pour les établissements de luxe avait encouragé la politique de la compagnie. Pour ne pas être en reste avec la gastronomie de ces prestigieux établissements, la Star avait voulu sur ses bateaux des chefs de cuisine de la réputation du grand Auguste Escoffier, qui présidait aux destinées de quelques-uns de ces palaces à la mode. Rick Archbold et Dana McCauley[1] confirment que, sur le *Titanic*, le restaurant À la carte égalait en effet les meilleures tables d'Europe.

Le contenu du garde-manger du *Titanic* était à la mesure de sa réputation. Pour donner une idée de la quantité de vivres nécessaires à son approvisionnement, il suffira de citer ses 250 tonnes de viande et de poisson embarquées, ses trente-cinq mille œufs, ses trois mille caisses de pommes de terre, ses vingt-huit mille bouteilles de lait, d'eau minérale, de vin et d'alcools divers… ou encore ses huit mille cigares[2]. Des chiffres qui parlent d'eux-mêmes.

Des défaillances et des doutes

À Belfast, les travaux d'armement du *Titanic* avançaient au rythme fixé par le calendrier de mise en service, si bien que la date du voyage inaugural fut officiellement annoncée pour le 20 mars 1912. Les programmes furent imprimés et les places mises en vente auprès d'un public avide de participer à l'événement.

Cependant, tout n'allait pas se dérouler comme prévu.

Le 3 juin 1911, l'*Olympic* se présentait devant Southampton où l'attendait une foule enthousiaste. Il y resta dix jours à quai, durant lesquels la compagnie procéda comme prévu à la préparation de la traversée. Les derniers membres de l'équipage y furent également recrutés sous le

---

1. *Last Dinner on the* Titanic, Toronto, The Madison Press Books, 1997.
2. *Cf.* P. Masson, Titanic, *le dossier du naufrage, op. cit.*

regard avisé du capitaine Edward John Smith, que l'armement avait nommé commandant de la flotte de la White Star Line. Réputé pour entretenir d'excellentes relations avec la haute société internationale, il prêterait toute son aura à cette croisière inaugurale. Celui qu'on nommait « le capitaine des milliardaires » profita de cette longue escale pour inviter quelques personnalités à visiter les aménagements de son nouveau paquebot. Le roi d'Espagne Alphonse XIII et son épouse, qui furent notamment ses hôtes, le couvriront d'éloges et concourront à son succès.

Le 14 juin, sous les acclamations, le navire quittait l'Angleterre avec mille trois cent treize passagers. Or un malencontreux incident vint ternir le voyage. À son arrivée à New York après seulement cinq jours, seize heures et quarante-deux minutes d'une traversée sans histoire, le paquebot heurta malencontreusement l'un des remorqueurs qui le halaient vers son appontement. Le *Halanbeck* subit d'importants dommages que ses propriétaires estimèrent à plus de 10 000 livres, mais si la White Star n'eut pas à s'acquitter de cette facture faute de preuves sur sa responsabilité, elle en subit tout de même une certaine humiliation. Car la presse américaine, notamment, ne manqua pas d'ironiser sur les défaillances du monstre britannique et de son équipage.

L'*Olympic* rentra en Angleterre avec quelques froissements de tôle à l'étrave, presque invisibles à l'œil nu. Mais sa renommée risquait d'être entamée par un mauvais procès. C'est ainsi que, dès le mois de juillet, une étude du *Scientific American* émettait un doute sur la capacité de résistance des derniers-nés de la White Star. L'occasion était trop belle pour que les États-Unis se privent de lancer une attaque en règle contre le pavillon britannique en ces temps de guerre économique et commerciale dans le transport maritime. Il n'y avait évidemment pas lieu de faire une telle publicité à l'événement, somme toute mineur, qui avait par ailleurs prouvé la solidité des tôles d'acier utilisées par le constructeur, mais le doute s'était insinué dans les esprits sur la capacité des hommes à dompter ce nouveau géant des mers.

À bord de l'*Olympic*, le *guaranteed group*, conduit par l'ingénieur Thomas Andrews, avait noté scrupuleusement tout ce qui pouvait être amélioré, tant sur le plan technique que d'un simple point de vue esthétique. Leur but était de corriger les défauts de jeunesse susceptibles de nuire à la bonne marche du navire et de compromettre le bien-être des passagers. L'écrivain Max Allan Collins ironisera sur l'assurance des concepteurs en faisant dire à Joseph Ismay, à propos des modifications à apporter au paquebot, que les patères des cabines de première classe étant trop solidement fixées, la compagnie aurait pu faire des économies sur les vis[1]... Le romancier caricaturait à peine car le patron de la White Star ne releva que des insuffisances mineures, telles que l'absence en cuisine d'une presse à pommes de terre et le manque de cendriers dans les salles de bains ! Pour être exact, quelques améliorations plus substantielles seront portées à la connaissance du chantier par Thomas Andrews, afin que le *Titanic* bénéficie de cabines plus vastes à destination de la clientèle de première classe, d'un restaurant français susceptible d'accueillir un plus grand nombre de convives et, surtout, d'une fermeture partielle du pont-promenade supérieur, jugé trop exposé au vent. Cette structure extérieure serait le seul moyen, pour le public, de différencier les deux navires.

Durant tout l'été, l'*Olympic* effectua des traversées qui firent oublier l'incident du remorqueur. Les passagers étaient au rendez-vous et la White Star Line pouvait légitimement s'enorgueillir de ce succès. Lors de la troisième desserte, un observateur de la Cunard, qui travaillait à la conception de l'*Aquitania*, fit le voyage afin de mesurer ce qui faisait la réussite des paquebots de son concurrent. Jusqu'au jour où un nouveau revers vint le mettre à mal pour la seconde fois.

---

1. M. A. Collins, *op. cit.*

Le 20 septembre 1911, au départ de Southampton pour sa cinquième traversée, l'*Olympic*, déjà retardé par un mouvement de grève des chauffeurs, fut victime d'une collision avec le croiseur *Hawke* de la Royal Navy dans le canal de Spithead. Certains témoignages affirmèrent que le capitaine de frégate Blunt avait imprudemment navigué sur le tribord de l'*Olympic* en tentant de le rattraper. D'autres infirmaient cette assertion en assurant que le paquebot avait littéralement aspiré le croiseur en naviguant à trop grande vitesse et beaucoup trop près de lui : les trois hélices du paquebot avaient provoqué un tel effet de succion que le vieux bâtiment de guerre n'avait pu s'en dégager…

Walter Lord rapporte que les deux navires filaient tous deux à plus de 15 nœuds lorsque le croiseur avait décidé de doubler le paquebot. Ensuite, pour une raison indéterminée, le commandant de la Navy aurait viré de bord et foncé sur l'*Olympic* pour le percuter de plein fouet sur l'arrière. « Le *Hawke*, à n'en pas douter, était en tort[1] », affirme l'auteur de *La Nuit du Titanic*. John Eaton et Charles Haas, qui reprennent à leur compte les attendus de l'Amirauté, plaident en revanche pour le phénomène de succion, inhérent aux forces hydrodynamiques occasionnées par le déplacement de l'eau contre « la coque d'un navire en marche dans des eaux resserrées[2] », ces remous provoquant une forte attraction sur la coque d'un bâtiment de plus faible tonnage naviguant à proximité.

Toujours est-il qu'une forte collision avait manqué faire des victimes parmi les passagers du transatlantique et l'équipage du croiseur, six fois moins lourd. Les marins du *Hawke* eurent tout juste le temps de fermer les cloisons étanches, mais une voie d'eau s'étant déclarée, le navire de guerre prit tout de suite une forte inclinaison. Un seul compartiment ayant été envahi par les eaux, il put néanmoins se maintenir à flot.

---

1. W. Lord, *Les Secrets d'un naufrage, op. cit.*
2. J. Eaton, C. Haas, *op. cit.*

Il fut officiellement reconnu que si la maniabilité du géant de la White Star manquait de réactivité, sa masse était à prendre en compte à l'avenir, lors des manœuvres portuaires notamment.

Le croiseur, dont l'étrave était fortement endommagée, fut mis sur cale. Quant à l'*Olympic*, il avait le flanc droit défoncé. Un trou béant s'ouvrait à l'arrière de la quatrième cheminée, sur une longueur de plus de quatre mètres, au-dessus de la ligne de flottaison. Si cette brèche ne menaçait pas de le faire sombrer, elle exigeait une réparation immédiate car deux compartiments avaient été endommagés en même temps qu'une partie des machines. L'arbre de transmission et les pales de l'hélice tribord avaient subi des dégâts qui imposaient de le ramener au chantier naval.

La traversée fut annulée. Tous les passagers furent conduits en train jusqu'à Londres, où certains décidèrent de gagner Liverpool afin d'embarquer à bord de l'*Adriatic*.

Dans l'incapacité de se mouvoir seul, l'*Olympic* fut remorqué jusqu'à Belfast après que sa coque eut été provisoirement colmatée. La nouvelle de l'accident inquiéta la compagnie. La direction craignait de nouvelles attaques de la concurrence et, partant, la suspicion de la clientèle au moment où l'on enregistrait les premières réservations sur le *Titanic*.

Chez Harland & Wolff, c'était l'incrédulité. Lord Pirrie avait consulté ses directeurs, et Thomas Andrews, à la vue des dégâts occasionnés sur l'*Olympic*, dut convenir qu'il ne pouvait être réparé à flot. Or dans la cale Thomson qu'il fallait immédiatement libérer, le *Titanic* était encore en pleins travaux. Il fallut donc surseoir à ses aménagements et le remettre à quai. Le 6 octobre, les métallurgistes se remettaient à l'œuvre sur la coque de son jumeau malchanceux. Le 1er décembre, l'*Olympic* pouvait enfin reprendre son service, ayant subi quelques modifications mineures en plus de ses réparations, et les ouvriers retournaient à bord du *Titanic* avec pour consigne d'accélérer la cadence. Du fait du retard accumulé, la date du voyage inaugural fut reportée du 20 mars au 10 avril 1912.

Du côté de la compagnie, tout serait fait pour expliquer que l'accident de Southampton prouvait l'insubmersibilité de ses navires. Malheureusement, un doute s'était insinué dans l'opinion, qui ne mettait pas en cause leur qualité intrinsèque mais une malchance tenace. Quelque chose comme le mauvais œil s'était-il abattu sur eux? Depuis l'accident de Southampton, cette question tracassait Joseph Ismay. D'autant plus que l'on venait de poser les premiers éléments de la quille du *Gigantic*[1] sur la cale numéro 2, pour lequel on avait prévu de porter la longueur à 305 mètres et la jauge à 50 000 tonneaux.

Dans les métiers de la mer, ce genre d'avertissement ne laisse jamais indifférent. C'est probablement à cette époque que naquirent les premiers soupçons à l'encontre de la White Star Line, accusée de n'être que l'ambassadeur du grand capital et de sous-évaluer les risques courus par ses passagers. Cette lecture marxiste du transport maritime était injuste et ne répondait pas à la réalité. Mais elle s'ancrait progressivement dans les esprits. Certains voient même dans cette manifestation du destin, cette année-là, une des raisons qui conduisirent Ismay à notifier sa démission à la tête de l'International Mercantile Marine Company, avec effet au 31 décembre 1912. Demande restée sans réponse...

---

1. Son numéro de construction était le 4-3-3.

4

LE *TITANIC* SIFFLERA TROIS FOIS

Le 4 janvier 1912, l'*Olympic* avait repris ses traversées. Ce jour-là, tandis qu'il était au large de toute côte, une terrible tempête croisa sa route atlantique. Mais elle ne mit pas le navire en péril. Chahuté par les éléments déchaînés, il tint parfaitement la mer, assurant à ses passagers la sécurité promise par son armateur.

À Belfast, pendant ce temps, les ouvriers du chantier naval mettaient les bouchées doubles afin que le *Titanic* fût au rendez-vous de son premier voyage. À la fin du mois de janvier, ses cheminées étaient posées. C'était le signe de son prochain achèvement car, même à sec sur ses plots, il avait déjà l'allure d'un navire en partance. Une fourmilière d'ouvriers et d'artisans l'envahissait chaque matin, se croisant jusqu'au soir dans un labyrinthe de coursives.

Il restait encore à disposer les embarcations de sauvetage sur le pont supérieur : seize chaloupes en bois et quatre radeaux pliables. Or ce choix n'avait fait l'unanimité ni au sein du chantier, ni parmi les dirigeants de la compagnie.

Le syndrome du naufrage

En 1894, le ministère britannique du Commerce avait imposé qu'au-dessus de 10 000 tonneaux de jauge un bateau devait emporter un minimum de seize embarcations. Ce qui était parfaitement suffisant, puisque, à cette époque, les navires acheminaient plus de fret que de passagers. Cependant la tendance s'était rapidement inversée, sans que l'administration modifiât son règlement. Bien des voix s'étaient élevées pour dénoncer cette loi obsolète, mais à chaque fois l'inertie législative et le poids de la tradition l'avaient emporté sur la raison.

Walter J. Horwell, alors sous-secrétaire au Board of Trade, avait été l'un des artisans de cet immobilisme, au motif que les progrès de l'ingénierie palliaient le risque d'accidents. Au cours des dix premières années du XXe siècle, le transport maritime ne fit effectivement que neuf victimes sur neuf millions de passagers transportés, contre soixante-treize durant la décennie précédente. De plus, on estimait généralement que les canots de sauvetage n'étaient destinés qu'à transborder les passagers d'un navire en détresse vers celui qui se serait porté à son secours, et qu'il ne servait donc à rien de débarquer tous les passagers à la fois. En dépit des voix discordantes, on maintint le *statu quo* en invoquant le slogan des constructeurs, qui minimisaient la possibilité d'un naufrage de leurs nouveaux paquebots. Mais les autorités compétentes confondaient les réalités de l'océan et la publicité des sociétés d'armement. L'insubmersibilité promise de l'*Olympic* et du *Titanic* plaidait en faveur de cette thèse.

Quand, le 1er novembre 1911, Horwell fut remplacé par le capitaine de première classe Alfred Young, une commission fut toutefois nommée dans le but de réévaluer la fameuse barre des 10 000 tonneaux. Le 18 février suivant, le rapport concluait à la nécessité d'élever cette échelle par paliers de 5 000 tonneaux jusqu'à 50 000, qui était le tonnage prévu du *Britannic*. Mais ses recommandations restèrent sans suite.

À Belfast, l'ingénieur en chef Alexander Carlisle avait longuement insisté pour que l'on augmentât le nombre d'embarcations sur les géants de la classe « Olympic ». Avant de céder sa place à Thomas Andrews, il en avait prévu soixante-quatorze réparties sous seize paires de bossoirs[1]. Or lui non plus ne fut pas écouté, preuve que les habitudes se substituent aisément à la réflexion. Et la confiance au doute.

Ce furent donc seize embarcations réglementaires d'une capacité totale de neuf cent soixante-deux personnes qui furent disposées sur le pont, auxquelles on ajouta quatre radeaux pliants totalisant deux cent seize places. Les mille cent soixante-dix-huit passagers et membres d'équipage qui pouvaient théoriquement y embarquer ne représentaient donc que le tiers de la capacité totale prévue sur chacun des trois paquebots. Et Walter Lord de conclure que toutes les compagnies maritimes pratiquaient la même politique de l'autruche, arguant du fait que « si l'on avait attribué suffisamment de canots de sauvetage à deux ou trois paquebots, les autres vapeurs sillonnant l'Atlantique Nord y auraient vu la preuve d'une concurrence déloyale[2] » en matière de sécurité... Ce qui tend à démontrer que, dans leur for intérieur, les armateurs ne niaient pas la nécessité objective de réformer la loi.

En ce printemps 1912, l'auteur anglais Mayn Clew Garnett[3] terminait la rédaction d'une nouvelle maritime intitulée *The White Ghost of Disaster*[4], que *The Popular Magazine* fit paraître le 1er mai. L'histoire raconte le naufrage d'un paquebot dans les eaux froides de l'Atlantique Nord, après une collision avec un iceberg. Dans ce récit, les passagers meurent noyés faute de canots de sauvetage!

---

1. Bras articulés pivotants situés sur les ponts, supportant notamment les embarcations de sauvetage qu'ils font descendre le long de la coque du navire.
2. W. Lord, *La Nuit du* Titanic, *op. cit.*
3. Auteur populaire américain (1866-1953), Thornton Jenkins Hains de son vrai nom, dont la famille fut mêlée à un assassinat qui défraya la chronique mondaine en 1909. C'est alors qu'il prit le pseudonyme de « capitaine Mayn Clew Garnett ».
4. Que l'on peut traduire en substance par : « Le Pressentiment d'une catastrophe. »

Cette tragédie, considérée comme un fantasme littéraire par les experts maritimes, venait souligner les préoccupations de nombreux voyageurs, que la polémique suscitée par les atermoiements du Board of Trade ne rassurait pas. Comme à la fin du siècle précédent, les journaux, qui en faisaient volontiers leurs titres, braquaient à nouveau leurs projecteurs sur les fortunes de mer que le passé récent offrait en exemple. Dans ce terreau, les enchères de l'angoisse avaient toutes les chances de croître et de se développer. La grande peur de l'océan revenait hanter l'esprit des terriens.

C'est ainsi que furent remis à la mode les récits prétendument prémonitoires d'anciens auteurs à succès, tel le nouvelliste britannique William Thomas Stead[1]. Bien que sa réputation de médium en fît un chroniqueur improbable, il avait acquis suffisamment d'audience pour interpeller l'opinion. Une de ses nouvelles, parue dans la *Pall Mall Gazette*[2] en 1886, intitulée *How the Mail Steamer went down in Mid Atlantic*[3], avait soulevé des questions qui préoccupaient déjà le public. Il y relatait le destin dramatique d'un grand navire, dont bien des détails faisaient dorénavant penser aux paquebots géants de la White Star Line. La cinquième nuit de la traversée qui le conduit à New York, le héros de Stead monte prendre l'air sur le pont des embarcations. Là, il fait le compte des chaloupes et conclut que, leur nombre étant insuffisant, elles ne pourront en cas de malheur emporter que la moitié des passagers... Peu de temps après, un grand voilier heurte le

---

1. S'en prenant à tous les démons de la société britannique, Stead (1849-1912) se fit essentiellement connaître pour son combat contre la prostitution des enfants, puis par ses prises de position contre les atrocités perpétrées par les Turcs dans la guerre contre les Bulgares (1876). C'est en 1883 qu'il devint rédacteur en chef de la *Pall Mall Gazette*, puis de la *Review of Reviews* en 1890. Il mourra en 1912... dans le naufrage du *Titanic*.
2. Revue du parti libéral britannique, proche des milieux populaires.
3. Littéralement : « Comment le vapeur sombra au milieu de l'Atlantique. »

navire en plein brouillard, déchire sa coque et le fait rapidement sombrer. Aussitôt, la panique s'empare de l'équipage et des passagers, et l'on assiste à des scènes d'hystérie autour des canots que l'on tente de mettre à flot. On se bat pour les places disponibles et le capitaine est contraint de sortir son revolver et d'abattre plusieurs excités pour qu'on puisse mettre les embarcations à la mer. Et le romancier de conclure : « C'est exactement ce qui pourrait se produire, et ce qui se produira effectivement, si les transatlantiques sont envoyés en mer sans canots de sauvetage[1]. »

Fort de son succès, William Stead récupéra le thème en 1893 en publiant un nouveau récit dans la *Review of Reviews*, intitulé *From the Old World to the New*[2]. Sept ans s'étaient écoulés, mais le sujet était devenu d'une actualité brûlante. Cette fois, l'auteur embarquait ses personnages sur le *Majestic* de la White Star Line et non plus, comme en 1886, à bord d'un navire imaginaire. Or, bien qu'il se défendît de mettre directement en cause la compagnie de Joseph Bruce Ismay, l'auteur jetait un pavé dans la mare aux inquiétudes. Si la White Star n'en prit pas ombrage à l'époque de sa publication, elle fulminait désormais contre la récupération de cette littérature bon marché qui se nourrissait des névroses populaires. La presse et l'édition l'ayant remise au goût du jour, la psychose du naufrage dans les eaux glacées de l'Atlantique devenait un véritable phénomène de société qui nuisait par ailleurs à l'ensemble des compagnies maritimes.

On peut se demander pourquoi Joseph Ismay, que la notion de sécurité préoccupait, ne voulut pas prendre en compte cet avertissement, qui occupait de plus en plus l'espace public. Était-ce en raison des garanties que lui donnèrent les responsables du chantier naval, et plus particulièrement Thomas Andrews, ou pour ne pas entrer en conflit avec James Pirrie dont il redoutait l'autorité ?

---

1. Cité par B. Méheust, *op. cit.*
2. « De l'Ancien Monde au Nouveau ».

Pour autant, l'armateur n'était pas dupe des conséquences économiques de cette polémique sur la confiance de la clientèle. D'autant que le *Titanic* était nommément la cible des critiques, après les mésaventures de son jumeau et le report de son voyage inaugural.

Le 24 février, comme en écho à cette littérature supposément prémonitoire, une nouvelle mésaventure à bord de l'*Olympic* influençait directement le destin du *Titanic*. À deux mois de sa mise en service, et pour la seconde fois, voilà qu'il lui fallait d'urgence céder sa place dans la cale Thomson : l'*Olympic* venait de perdre une pale d'hélice à son retour de New York !

La White Star Line accusa ce nouveau coup du sort, mais elle n'avait pas encore bu la coupe jusqu'à la lie. Le 1ᵉʳ mars 1912, tous les mécaniciens furent donc une fois encore affectés au paquebot endommagé. Certaines pièces destinées au *Titanic* furent même réquisitionnées ou démontées pour les placer sur son jumeau. Cette parenthèse dura huit jours et perturba considérablement l'organigramme de la compagnie.

De l'exaltation à l'anxiété

Le 7 mars 1912, l'*Olympic* fut remis en service sur la ligne Southampton-New York et, le 30, Edward John Smith cédait son commandement au capitaine Herbert Haddock.

À Belfast, on s'apprêtait à fêter enfin l'issue de trois années de travail dont les derniers mois s'étaient déroulés dans la fièvre et la précipitation. Il ne restait plus qu'à valider officiellement la conformité du navire et sa capacité à naviguer. Or les essais en mer, programmés sur deux jours, furent reportés de vingt-quatre heures en raison du vent de force huit qui soufflait en rafales et des creux de neuf mètres qui s'étaient formés au large de Belfast. Aussi, sur l'insistance de la compagnie, les experts du ministère acceptèrent d'effectuer une seule sortie, de manière à ne pas perdre une nouvelle journée.

Le 2 avril, à 5 h 30, les chaudières étaient déjà sous pression depuis une demi-heure lorsque le capitaine Smith prit son poste sur la passerelle du nouveau bâtiment. Il était accompagné du représentant du Board of Trade, Francis Carruthers.

Cinq remorqueurs halèrent le mastodonte jusqu'à la sortie de l'estuaire et les aussières furent larguées. À la drisse du mât de misaine, les pavillons du code international claquaient au vent pour signaler que le navire procédait à des exercices et qu'il fallait rester à distance.

Familier de l'*Olympic*, auquel le *Titanic* ressemblait en tous points sur le plan technique, le plus célèbre commandant de la White Star Line n'eut aucune difficulté à dompter le colosse. Les machines furent d'abord mises en avant lente, puis il fut procédé au premier essai de vitesse. Avec vingt chaudières allumées, le *Titanic* prit rapidement 20 nœuds. C'était mieux que les performances de son jumeau lors de ses propres essais, et Thomas Andrews, à bord aux côtés du vice-président de la compagnie, Harold Sanderson, s'en félicita.

Les nombreux virements exécutés ensuite se révélèrent satisfaisants et ni la stabilité du navire ni la gîte[1] ne s'en trouvèrent affectées aux plus grands angles de barre. Il fut souligné que son rayon de giration était inférieur à 1 000 mètres, ce qui, pour un bâtiment de ce déplacement, était néanmoins tout à fait acceptable.

Des critiques s'étaient élevées quant à la taille du safran[2] de l'*Olympic*, jugée trop petite et donc insuffisamment efficace en cas de virement précipité. Thomas Andrews avait fait répondre que, pour tourner au plus court avec un navire muni de trois hélices, il fallait non seulement jouer avec les

---

1. Inclinaison d'un navire sur l'un de ses bords.
2. Partie principale du gouvernail. On utilise parfois ce mot pour indiquer sa largeur.

propulsions latérales, mais surtout maintenir une vitesse maximale sur l'arbre central, dont le filet d'eau projeté sur le safran augmentait l'efficacité, tout en compensant la surface du safran. Aussi, lorsque la manœuvre fut tentée, le *Titanic* répondit-il pleinement à ce qui lui était demandé.

Il fallait maintenant vérifier l'arrêt d'urgence à pleine vitesse, que Francis Carruthers ordonna en début d'après-midi. Mesurée au télémètre à partir d'une bouée jetée à la mer, la distance parcourue par le géant fut estimée à un demi-mille. Compte tenu de sa taille et de son poids, le *Titanic* se montra digne, une nouvelle fois, de ce que l'expert en attendait.

Lorsque Thomas Andrews, Harold Sanderson et le commandant Smith comparèrent leurs impressions générales avec celles du représentant de l'administration, celles-ci furent « optimistes et enthousiastes », selon l'expression de John Eaton et Charles Haas[1]. Le navire fonctionnait parfaitement et répondait aux normes en vigueur.

Un détail contrariait cependant le chef mécanicien Joseph Bell. Une vétille selon les ingénieurs, mais qu'il avait déjà soulevée à propos de l'*Olympic* et qu'il constatait maintenant sur le *Titanic*. Andrews lui signifia qu'il était trop tard pour installer l'inverseur de marche qu'il réclamait, seul capable d'arrêter la rotation de l'arbre d'hélice en moins de vingt secondes. Le chef en faisait son obsession, sachant que ce système réduisait considérablement le risque de collision. Bell n'avait pas de prémonition, il n'était pas superstitieux, mais en mécanicien responsable il ne pouvait taire son point de vue. Il insista et fit remarquer que les Français ne l'avaient pas installé par hasard sur leurs transatlantiques. Mais il était avant tout discipliné, respectueux de sa hiérarchie et cette fin de non-recevoir eut momentanément raison de son entêtement. Pour autant, il se jura d'en reparler à son ingénieur en chef aussitôt que le navire serait revenu de New York.

---

1. Titanic : *destination désastre, op. cit.*

On procéda ensuite à la vérification des ancres. L'expertise touchait à sa fin. Là encore, il n'y eut aucune remarque à formuler. Pas plus que sur le fonctionnement des bossoirs et l'approvisionnement des chaloupes de sauvetage. Si bien qu'on abrégea l'exercice.

Les experts avaient eu la journée pour évaluer le bon fonctionnement des instruments de route et procéder aux manœuvres principales exigées par le règlement. De toute évidence, il ne leur en fallut pas davantage pour rendre un verdict favorable.

L'*Olympic* ayant déjà fait la preuve de sa fiabilité en dépit de quelques malencontreux incidents, le *Titanic* bénéficia de sa bonne réputation et d'un crédit technique total auprès du ministère. Mettant le cap au sud de la mer d'Irlande, le navire fit une route rectiligne pendant deux heures encore à la moyenne de 18 nœuds, puis il rebroussa chemin. Aucune vibration ne fut constatée.

La nuit commençait à tomber sur l'estuaire de Belfast. Il était plus de 18 heures lorsque le contrôleur apposa sa signature sur le document de certification, valable un an à dater du 2 avril 1912. Il fit simplement remarquer une légère gîte sur bâbord, certainement due à la répartition provisoire du stock de charbon dans les soutes. Puis Andrews et Sanderson signèrent le transfert du *liner*, du constructeur à son propriétaire.

Le plus grand navire de tous les temps était déclaré apte à naviguer en toute sécurité.

Francis Carruthers fut débarqué, puis le *Titanic* quitta Belfast à 20 heures, direction Southampton. C'est là qu'il devait embaucher le reste de son équipage, avitailler en vivres et en eau et faire le plein de charbon que la compagnie avait pris soin de réquisitionner sur ses diverses unités, en raison de la grève des mineurs qui affectait l'approvisionnement depuis plusieurs semaines.

Moins d'une heure plus tard, Joseph Bell revenait discrètement vers Thomas Andrews, mais ce n'était pas pour lui reparler de l'arbre d'hélice. Dans la soute numéro 10, un incendie venait de se déclarer! Probablement une combustion spontanée, comme cela se produisait fréquemment dans les compartiments chargés de poussière de coke. Andrews lui ordonna de taire l'incident et de surveiller la progression du feu jusqu'à ce que le navire soit à quai. Là, une équipe viendrait vider la soute afin que la chaleur ne déforme pas la cloison étanche numéro 5, mitoyenne du foyer. Si cela se produisait, il serait impossible de prendre la mer et le voyage serait annulé!

Le *Titanic* se présenta devant Southampton le 2 avril à 23 heures, après avoir filé 23 nœuds durant les 40 milles de la traversée. Le commandant Smith fit réduire à 10 nœuds lorsque la vedette du pilote George Bowyer se présenta dans le Solent. Cinq remorqueurs de la Red Funnel Line l'assistèrent pour entrer dans le cercle d'évitement des docks, où il se positionna par l'arrière pour l'accostage au poste 44. Il y restera une semaine, au cours de laquelle des milliers de badauds viendront le contempler. Un journaliste écrira : « La vision de ce paquebot géant reste un souvenir impérissable. Il semble si colossal, si majestueux[1]. » Le spectacle était *a priori* banal : tout le monde connaissait l'*Olympic*, depuis neuf mois qu'il faisait escale à Southampton. Mais il émanait un parfum différent de ce navire-là, une émotion très particulière que personne n'était en mesure de définir : le sentiment d'une exaltation contenue qu'un indicible malaise rendait presque indécent.

Chaque jour, un nouveau public était au rendez-vous, passant parfois des heures entières à considérer le grand navire à son appontement. Solide, inaltérable, indestructible… mais déjà victime des suspicions les plus folles et de commentaires chagrins.

Le *Titanic* faisait peur. Des indiscrétions couraient sur le désistement d'une cinquantaine de voyageurs, principalement issus des première et deuxième classes, dont celui du

---

1. Cité par Don Lynch, Titanic : *la grande histoire illustrée*, Grenoble, Glénat/The Madison Press Books, 1996.

président du trust propriétaire de la White Star Line, John Pierpont Morgan. Si elles n'avaient rien de prémonitoires, ces annulations alimentèrent le trouble qui régnait en ville et sur le port à propos de la traversée qui se préparait. On affirmait que de nombreuses personnes, durant la semaine, avaient cherché à reporter la date de leur voyage. Certaines furent contraintes d'ignorer la petite voix intérieure qui les poussait à renoncer, tel ce producteur de Broadway qui finit tout de même par prendre passage avec son épouse[1]. D'autres, tenaillées par la même appréhension, tentèrent de dissuader leurs proches d'embarquer. Plus concrètement, le second capitaine Henry Wilde écrivait à sa sœur, à propos du *Titanic* que visiblement il n'aimait pas : « J'éprouve à son égard une sensation bizarre[2]. » La White Star Line, qui l'avait débarqué de l'*Olympic* à la demande expresse du commandant Smith, venait de l'affecter sur le *Titanic*.

Méheust rapporte bien d'autres témoignages plus ou moins crédibles, dont certains confirment les précognitions d'Henry Wilde. Ainsi, à peine vingt-quatre heures avant le départ de Southampton, un jeune garçon nommé Bertram Slade rêva que le *Titanic* ferait naufrage. Or, comme il devait embarquer en tant que soutier avec ses frères Tom et Alfred, il raconta ce cauchemar à sa mère, qui s'était réjouie de cette embauche. « Ce rêve inquiétant, écrit Méheust, a quelque peu refroidi l'enthousiasme des trois frères, qui se dirigeront vers l'embarquement en traînant les pieds[3]. »

Contrariés sans raison apparente, peut-être angoissés à l'idée de monter à bord d'un navire tout juste sorti du chantier, tous ces gens véhiculaient une anxiété incontrôlable. Il n'en fallut pas davantage, au-delà de ces craintes éthérées, pour que d'autres rumeurs, totalement infondées,

---

1. *Cf.* Beau Riffenburgh, *Toute l'histoire du* Titanic : *la légende du paquebot insubmersible*, Bagneux, Sélection du Reader's Digest, 2008.
2. *Cf.* François Codet, Olivier Mendez, Alain Dufief, Franck Gavard-Perret, *Les Français du* Titanic, Rennes, Marines Éditions, 2010.
3. B. Méheust, *op. cit.*

vinssent entraver la belle humeur que réclamait l'événement. On se mit ainsi à raconter, sous le sceau de la confidence, qu'à l'intérieur de la double coque du géant se trouvait le corps d'un homme emprisonné par mégarde pendant la construction... Ces bavardages furent pris au sérieux par beaucoup, car une légende voulait que la direction d'un chantier naval admît comme une fatalité ordinaire de perdre 1 % de ses ouvriers pour 100 000 livres dépensées lors de la construction d'un navire !

Joseph Bruce Ismay était-il au courant de toutes ces fadaises ? La chronique n'en dit rien, mais on est en droit de supposer qu'elles ne le laissèrent pas indifférent. Peut-être, en ces jours difficiles, songeait-il qu'il n'aurait pas dû laisser baptiser son navire de ce nom-là, porteur de toutes les suspicions.

Le faible taux de remplissage de son paquebot, en revanche, lui créait un vrai souci comptable. Certes, il savait qu'un voyage inaugural retient souvent une partie de la clientèle, par prudence ou par superstition, mais une pareille désaffection lui faisait craindre pour le bilan de la compagnie. Si la troisième classe était occupée à 70 %, les première et deuxième n'étaient qu'à moitié remplies. Et le fait que le public continuât de plébisciter le *Mauretania* de la Cunard, dont les performances nautiques continuaient de défrayer la chronique, le rendait nerveux. Dans les milieux autorisés, on commençait même à se demander si l'*Olympic* et, dans l'avenir, le *Titanic* tiendraient les promesses qu'on avait mises en eux.

Ismay, dont on disait de plus en plus ouvertement qu'il n'arrivait pas à la cheville de son père, jouait sa réputation et celle de sa famille. Il était donc contraint de prouver qu'il avait eu raison de suivre William Pirrie dans son projet. Que la conception de ses *liners* n'était pas de l'esbroufe, une opération de déstabilisation de la concurrence, mais une véritable réussite technologique et commerciale.

Ultimes préparatifs

La veille du départ, on puisa dans les stocks de charbon de cinq bâtiments réquisitionnés par l'International Mercantile Marine Company. Puis on ajouta ce qui restait du dernier ravitaillement de l'*Olympic*. Au total, on put en charger 5 892 tonnes. Il en manquait tout de même pour que le voyage de retour pût se faire sans se réapprovisionner à New York. Une semaine passée à Southampton en avait nécessité 415 tonnes pour la seule alimentation du navire en chauffage et en électricité.

Le 10 avril, le *Titanic* était prêt pour le grand voyage.

À bord, le personnel était au complet. Tous les officiers de pont avaient embarqué à Belfast en même temps que le commandant pour les essais en mer, de même que les officiers mécaniciens. C'était également le cas de quelques membres de l'équipage et des chauffeurs. Les deux radiotélégraphistes de la compagnie privée Marconi, Jack Phillips et Harold Bride, avaient également pris place à bord ce jour-là, afin de régler leurs appareils de transmission.

Mais c'est à Southampton que l'on avait recruté la plus grande partie du personnel et dans tous les domaines de compétence, de la cale aux cabines. Il faut préciser toutefois que certains d'entre eux n'étaient pas des employés permanents de la White Star Line, mais sous contrat pour le temps d'une rotation, à l'instar des opérateurs radio cédés par Marconi. Considérés comme de simples auxiliaires par l'armateur, ils étaient souvent mal vus par les titulaires permanents. Parmi les employés les moins respectés se trouvaient les serveurs du restaurant À la carte, de nationalité française ou italienne. Recrutés dans deux établissements londoniens, ils n'en devaient pas moins signer le rôle d'équipage. Tel n'était pas le cas des huit musiciens vacataires de l'orchestre, qui embarquèrent en qualité de passagers de deuxième classe.

Le *Titanic* était affecté au service postal, la raison pour laquelle il portait les initiales « R.M.S. » signifiant « Royal

Mail Steamer[1] ». De fait, cinq fonctionnaires lui étaient affectés, trois Américains et deux Anglais. Une partie du courrier pour les États-Unis, qui comptera près de trois mille quatre cents sacs de lettres et huit cents colis, fut chargée à Southampton, le reste aux escales de Cherbourg et de Queenstown.

Matelots, mécaniciens, graisseurs, chauffeurs et soutiers, garçons de cuisine ou de cabine, stewards, hôtesses et femmes de chambre s'étaient présentés par milliers le jour de l'embauche. Près de neuf cents d'entre eux avaient signé leur engagement, parmi lesquels, selon le témoignage du colonel Gracie[2], se trouvait un homme qui proposa de payer son passage en travaillant gratuitement à bord.

En ce qui concerne les officiers, la nomination imprévue de Henry Wilde au poste de second capitaine bouleversa l'ordre établi depuis Belfast. La veille du départ, à la demande expresse du commandant, la compagnie le lui avait envoyé pour l'assister pendant le voyage inaugural, en lieu et place de William Murdoch, rétrogradé au rang de premier officier. Smith et Wilde, qui se connaissaient depuis longtemps, avaient toujours conduit l'*Olympic* à bon port depuis sa mise en service, en dépit de quelques incidents de parcours dont la White Star Line ne les avait pas rendus responsables. Leur complicité, leurs automatismes et leur sens partagé des responsabilités rassuraient l'armateur, qui avait répondu favorablement à cette initiative – au grand dam de Wilde, toutefois, qui eût préféré un commandement sur une plus petite unité. Mais il avait gardé pour ses proches ses réticences larvées envers le *Titanic*. Pour l'armement, sa présence aux côtés du capitaine Smith apparaissait comme une valeur ajoutée que la clientèle apprécierait.

---

1. Littéralement : navire à vapeur pour le service royal des postes.
2. Archibald Gracie, *Rescapé du* Titanic, Paris, Ramsay, 1998. Suivi de *Le Naufrage du* Titanic, par John B. Thayer.

Cette nomination eut pour conséquence de bouleverser l'organigramme du commandement. Les deux premiers officiers perdirent ainsi leur rang, tandis que le deuxième lieutenant David Blair était débarqué[1]. Il nous est impossible de l'attester.

L'expérience du commandant était sans égale dans la compagnie, qui en répondait totalement. Entré à l'âge de treize ans dans la marine à voile, Edward John Smith avait rejoint la White Star Line au temps de Thomas Ismay. Il y fit dès lors toute sa carrière et commanda dix-sept des plus prestigieuses unités de la compagnie, notamment pour leurs voyages inauguraux. Après le *Majestic* en 1895, le *Germanic* en 1899, le *Baltic* en 1906, l'*Adriatic* en 1908, c'est encore lui qui commanda l'*Olympic* lors de sa mise en service. Mobilisé pour transporter les troupes britanniques en Afrique du Sud pendant la guerre des Boers, de 1899 à 1902, il fut décoré de la Transport Medal. En tant que capitaine honoraire dans la Royal Navy, « E. J. », comme on l'appelait familièrement, pouvait arborer le pavillon de la Réserve à la poupe des bateaux marchands qu'il commandait. C'est ainsi que, le 10 avril 1912, on vit le Blue Ensign claquer au vent de Southampton, à la poupe du *Titanic*.

Plusieurs auteurs critiquent néanmoins une certaine insouciance de la part de Smith. Certes, il échoua trois navires[2] durant sa carrière, et plusieurs accidents étaient venus ponctuer ses innombrables traversées. Si sa réputation n'en fut pas entachée, c'est parce qu'il était un homme du monde qui savait recevoir à son bord. Et cet atout continuait d'attirer les personnalités les plus en vue du monde de la politique, des arts et de la finance à bord des paquebots de la White Star. Cet entregent palliait ses éventuels défauts professionnels. À soixante-deux ans, en

---

1. Le nouvel organigramme était composé comme suit : Smith, commandant ; Wilde, second capitaine ; Murdoch, premier officier ; Lightholler, deuxième officier ; Pitman, troisième officier ; Boxhall, quatrième officier ; Lowe, cinquième officier ; Moody, sixième officier.
2. Le *Republic* en 1889, le *Coptic* en 1890 et l'*Adriatic* en 1909.

parfaite harmonie avec l'image de luxe et de confort que la Star désirait conférer à ses traversées inaugurales, il répondait à l'événement. Walter Lord ne voyageait jamais sous un autre commandement lorsqu'il devait se rendre aux États-Unis, car cet homme « de grande stature et de forte corpulence » avait le regard impérieux « de qui a l'habitude de se faire obéir, rapporte l'auteur de *La Nuit du* Titanic[1] ». Il ne haussait presque jamais le ton et souriait facilement. Quant au romancier Max Allan Collins, il confirme que Smith était « la coqueluche des habitués de la ligne[2] », faiseur et mondain peut-être plus que marin. Mais, physiquement, la caricature même du capitaine au long cours, posé, rassurant, avec sa barbe blanche et sa ronde bonhomie.

Il était 8 heures, ce mercredi matin 10 avril 1912, lorsque l'équipage fut rassemblé sur le pont. Le capitaine d'armement de la White Star, Benjamin Steel, prit connaissance de la liste qu'il devait remettre au commandant pour accord. Vingt-deux hommes n'avaient pas répondu à l'appel. La plupart occupaient des postes aux machines. De telles absences n'avaient rien d'inhabituel : à chaque embarquement, plusieurs d'entre eux s'oubliaient dans les vapeurs d'alcool ou la désertion. Le capitaine Steel fit donc en urgence recruter de nouveaux candidats dont il examinerait sommairement les compétences avant de signer leur enrôlement. Lorsque le navire larguerait les amarres, seuls treize d'entre eux auraient été retenus, les autres ayant été priés de regagner Southampton à bord des remorqueurs.

À 9 h 30, le train spécial emmenant les passagers de troisième et de deuxième classe arrivait au terminus de la gare maritime. Quatre cent quatre-vingt-dix-sept voyageurs en descendirent. Subjugués, hagards, ils contemplèrent tantôt avec inquiétude, tantôt avec émerveillement la muraille du *Titanic* dressée devant eux. Mais toujours avec humilité,

---

1. W. Lord, *Les Secrets d'un naufrage, op. cit.*
2. M. A. Collins, *op. cit.*

tant elle les impressionnait. Ils avaient depuis si longtemps songé à cette traversée, par nécessité ou par plaisir, qu'ils n'en croyaient pas leurs yeux. La plupart n'avaient pas de mots pour expliquer leurs sentiments.

Une porte était ouverte dans la coque du navire pour accueillir les émigrants, au bout d'une étroite passerelle enjambant le quai. C'est par là, chargés de bagages mal ficelés, d'objets hétéroclites et d'enfants traînés par la main, qu'ils pénétrèrent dans le ventre du monstre. À l'entrée, des hommes en uniforme leur demandaient leur titre de passage, tandis que d'autres les conduisaient dans les méandres des coursives aveugles, un dédale de corridors et d'escaliers qu'ils auront le plus grand mal à mémoriser pour se déplacer durant leur séjour à bord, notamment lorsqu'ils voudront se rendre sur le pont-promenade situé à la poupe, en surplomb du gouvernail, là où le sillage s'efface au milieu des souvenirs.

L'embarquement des deuxième classe provoqua moins de confusion. Les secteurs qui leur étaient attribués étaient d'accès plus facile et moins dispersés dans le navire. Ils furent deux cent trente-deux à franchir à leur tour la passerelle avant de s'installer dans leurs cabines et de partir à la découverte des salons pour se les approprier au plus vite et faire de ce bateau le repaire d'une vie à nulle autre pareille, hors du temps, qui ne durerait que quelques jours, mais au cours desquels ils mettraient leur existence entre parenthèses.

Pendant ce temps, le capitaine Maurice Clark, représentant la Marine commerciale, procédait à une ultime inspection des embarcations de sauvetage. Il en inspecta l'armement, fit descendre puis remonter les chaloupes numéros 11 et 15 aux bossoirs tribord, c'est-à-dire à l'abri du quai, loin des regards des passagers que cette manœuvre aurait pu rendre soupçonneux.

Le commandant Smith lui remit ensuite le certificat de navigation signé au terme des essais, les papiers du navire et son rapport à la compagnie. « Je rends compte que le navire est chargé et prêt pour la mer, avait-il inscrit dans ce document. Les machines et les chaudières sont en bon ordre de fonctionnement et toutes les cartes et instructions nautiques sont à jour[1]. » Il omit volontairement d'évoquer le feu qui couvait encore dans la soute numéro 10, certain que le chef Bell en viendrait à bout lorsque le navire serait en mer.

C'est alors que Thomas Andrews et Joseph Bruce Ismay rejoignirent le bord.

À 11 h 45 précises, les cent quatre-vingt-treize passagers de première classe auxquels on allait prêter une attention toute particulière descendirent à leur tour du train spécial qui les avait amenés de Londres. Sur le quai, des badauds se pressaient pour les dévisager. Le personnel de la compagnie accompagna ses hôtes de marque jusqu'à la passerelle qui conduisait au pont principal, où le commissaire[2] Herbert McElroy leur souhaita individuellement la bienvenue. Puis un steward les conduisit jusqu'à leur cabine où les attendaient leurs malles et leurs valises. On leur remit enfin une documentation contenant toutes les informations nécessaires à leur confort. Il leur fut demandé de ne pas se rendre dans les espaces réservés aux passagers de troisième classe.

Une grande agitation envahit tout le navire, jusqu'à ce que trois coups de sirène retentissent dans le ciel de Southampton. Pressés de remettre leurs articles, les reporters enfourchèrent leur bicyclette afin de se rendre au marbre, tandis que l'équipage larguait les aussières[3].

Lentement, les remorqueurs halant le monstre d'acier le détachèrent du quai. On vit alors fleurir au milieu de la foule, comme de jolis bouquets de mariées, des centaines de mouchoirs blancs agités dans le vent.

---

1. Cité par J. Eaton et C. Haas, *op. cit.*
2. Le commissaire de bord est chargé de la gestion administrative du paquebot et du bien-être des passagers.
3. Les amarres.

À l'entrée du dock, le *Titanic* fut entraîné vers l'aval de la rivière Test. Cela prit quelques minutes. Puis il fut livré à son destin.

Le paquebot, en avant lente, longea les navires à quai dans l'étroit passage qui menait à la mer libre. Attirés par le spectacle, les passagers avaient envahi les ponts-promenades et faisaient de grands gestes pour attirer l'attention du public.

5

LEVER DE RIDEAU

Dans les bas-fonds du navire, à l'écart des manifestations d'allégresse, les acteurs d'une pièce invisible jouaient une tout autre représentation. Aux portes de l'enfer, dans les ruelles hurlantes de la chauffe, la température dépasserait bientôt 50 °C. Les hommes affectés à ce travail constituaient « une race à part d'individus frustes et brutaux », souligne Philippe Masson. Ils remontaient rarement à l'air libre et, confinés dans la poussière et la chaleur, alimentaient les histoires effrayantes qui se colportaient sur eux. Les altercations entre chauffeurs, officiers mariniers et mécaniciens étaient réglées de manière expéditive : « Un coup de pelle derrière la nuque et le malheureux disparaissait dans un foyer chauffé à blanc[1] ! »

Ces contes avaient certainement perdu de leur actualité. Il n'en demeurait pas moins que leur métier continuait d'être l'un des plus terribles qui fût. Car ces hommes-là n'avaient pas d'avenir. Ils mouraient jeunes, de maladies ou d'accidents. Ils étaient la lie du navire et c'était eux pourtant qui lui donnaient vie. Mais leur sacrifice ne leur procurait aucune estime. Forçats des temps modernes, esclaves de la révolution industrielle, ils formaient une caste dont on préférait taire les conditions de travail et de « parcage » à bord des transatlantiques d'avant-guerre – d'avant l'usage du mazout.

---

1. Titanic : *le dossier du naufrage, op. cit.*

97

Jacques Borgé et Nicolas Viasnoff ont évoqué cette classe de galériens oubliés. Leur description est édifiante : « Les chauffeurs et les soutiers étaient logés dans des postes d'équipage munis de couchettes superposées, à côté de la chaufferie, au pont inférieur près de la ligne de flottaison. À la mer, il était impossible d'ouvrir les hublots. Par gros temps, les contre-hublots étaient en place. Les cloisons en tôle n'étaient pas isolées contre la chaleur venant de la chaufferie. Seule une ventilation plus ou moins défectueuse assurait, en partie, le renouvellement de l'air. Mais, la plupart du temps, les conduits d'aspiration des ventilateurs se trouvaient à proximité des cheminées. Aussi les gaz et les suies, résidus de la combustion, s'y engouffraient. Enfin, souvent, ces postes d'équipage faisaient usage de réfectoire[1]. »

Mais les chauffeurs avaient encore au-dessous d'eux les soutiers, qui charriaient le charbon par d'étroits boyaux surchauffés, de la cale des stocks aux chaudières. Intoxiqués par les vapeurs de coke, ils transportaient des tonnes de houille quatre heures durant sans récriminer ni faiblir, au risque de se faire ensevelir à tout instant sous les éboulis. Nombre d'entre eux étaient alcooliques, et c'est parmi les chauffeurs et les soutiers que se trouvaient la plupart des retardataires qui manquèrent le départ du *Titanic*. Réveillés par les sirènes, ils n'avaient pas eu le temps de quitter les pubs où ils avaient passé la nuit à boire avant l'appareillage. Ils s'étaient alors retrouvés sur le quai, sans embarquement, sans solde et sans travail, car leurs noms étaient aussitôt connus des recruteurs. Or, pour la première fois ce jour-là, l'Histoire leur donnait raison.

Dernières escales

C'était le 10 avril à midi. Le grand paquebot longeait les quais, en avant lente. Accoudés au bastingage, les passagers virent soudain les aussières d'un paquebot, à quai dans le

---

1. J. Borgé, N. Viasnoff, *op. cit.*

chenal de sortie, céder sous la violence du roulis provoqué par le remous des hélices. Les six câbles qui le retenaient claquèrent tout à coup les uns après les autres, provoquant une série de détonations qui semèrent la panique parmi les badauds. Il s'agissait du *New York*, amarré à couple de l'*Oceanic*. Ce dernier, heureusement, résista à la formidable aspiration déclenchée par les hélices du géant transatlantique. Le même phénomène s'était produit avec l'*Olympic* quelques mois plus tôt, dans le sillage duquel le croiseur *Hawke* avait été littéralement aspiré.

Sur la passerelle, le commandant Smith vivait pour la seconde fois cette malheureuse expérience. Il n'en croyait pas ses yeux : le *New York*, sur lequel avaient pris place de très nombreux visiteurs, s'était mis à pivoter sur lui-même, de telle sorte que sa poupe s'approcha dangereusement du flan du *Titanic*. À bord du *liner* de la White Star, les passagers eurent un mouvement de recul.

Le révérend père Frank Browne, passager de deuxième classe, témoigna de l'incident pour le *Belvederian* après avoir débarqué à l'escale de Queenstown : « Le remous l'entraînait dans le chenal. Des sonneries retentirent à la passerelle et, loin à l'arrière, le bouillonnement des hélices cessa. Mais le *New York*, désemparé, se mit à dériver. Les remorqueurs, en donnant des coups de sirène, s'élancèrent à son aide, mais il continuait d'approcher. À côté de moi, une voix dit : "Et maintenant, c'est la collision !", tandis que je photographiais la scène[1]. Puis nous nous précipitâmes sur l'arrière pour voir ce qui allait arriver. […] La coque noire du *New York* ne fit que glisser lentement le long du bord, vers l'espace libre où s'était trouvée quelques secondes auparavant l'arrière du *Titanic*[2] ! »

À bord du transatlantique en partance, on se félicita de cette heureuse conclusion. Enfin, le départ pouvait avoir

---

1. Lawrence Beesley, passager de deuxième classe, rapporte dans *The Loss of the SS* Titanic… (Boston/New York, Houghton Mifflin, [juin] 1912) qu'il se souvient avoir vu un passager filmer la scène.
2. L'article du R. P. Frank Browne (1880-1960) parut en 1912. L'extrait que nous citons ici a été publié par les Éditions MDV, Le Touvet, 1998.

lieu. C'était compter sans quelques ouvriers retardataires venus effectuer divers travaux de finition dans les aménagements. N'ayant pas réussi à quitter le navire à temps, ils s'étaient présentés au capitaine Wilde, qui avait aussitôt rappelé le remorqueur le plus proche pour les faire débarquer. Le *Titanic* ayant dû stopper sa marche, il quitta le port de Southampton avec une demi-heure de retard sur l'horaire prévu.

La pleine mer s'ouvrait maintenant devant l'étrave. Il restait à procéder aux ultimes vérifications de compas. Virant plusieurs fois de bord, le *Titanic* dessina dans son sillage un long ruban d'écume flottant comme une flamme au vent du large. L'air sifflait dans les haubans.

Lorsque le *Titanic* fit appel au pilote en vue des côtes françaises, le train parti de Paris arrivait à son terminus maritime. Le paquebot avait mis six heures pour gagner Cherbourg, où il était attendu pour son escale française. Il n'y resterait que deux heures, le temps d'embarquer deux cent soixante-quatorze nouveaux passagers, pour plus de la moitié des voyageurs de première classe venus de la gare Saint-Lazare par convoi spécial.

Si depuis 1907 le port de Cherbourg recevait à quai les navires de la White Star Line en partance pour l'Amérique, ses plus gros *liners* mouillaient dans les eaux profondes de la rade, à l'écart du port, en raison de leur trop fort tirant d'eau. C'était notamment le cas de l'*Olympic* et du *Titanic*.

À bord, l'après-midi avait été radieux. Les passagers étaient pour la plupart accoudés au bastingage pour admirer la côte à la tombée du jour. Il était 18 h 30 lorsque la chaîne d'ancre se dévida dans l'écubier. « Le soleil brillait encore, un vent léger venait coucher la fumée surgissant en hautes volutes noires des cheminées beige et noir aux couleurs de la White Star[1]. » Une célèbre photographie montre le *Titanic* à son mouillage, constellé de lumières. Ce cliché, qui constitue l'avant-dernière photographie du *Titanic*, fut

---

1. F. Codet *et al.*, *op. cit.*

considérablement retouché pour faire impression sur les cartes postales. On peut aisément s'en assurer en observant la fumée qui sort par erreur de sa quatrième cheminée postiche... Sa toute dernière représentation date du lendemain, au départ de Queenstown.

Les deux navettes nouvellement construites par la compagnie pour assurer le transbordement des voyageurs attendaient à quai. Les cent trois émigrants arrivés à la gare de Cherbourg, principalement venus d'Europe de l'Est et du Moyen-Orient, avaient le cœur serré lorsque la première navette les emmena vers le *Titanic*. Pesamment chargé de bagages et de sacs postaux, le *Traffic* s'approchait maintenant de la haute coque noire du paquebot. Et ce que ces passagers étaient en train de vivre ne leur tirait que des larmes d'appréhension et d'angoisse car ils entraient dans l'inconnu, muets, blottis les uns contre les autres.

Lorsque le *Nomadic* quitta le port à son tour, les passagers des première et deuxième classe, exaltés par le spectacle, exprimèrent quant à eux leur plaisir et leur impatience. Sur le pont E, qui avait ouvert sa grande porte sur bâbord au niveau de la ligne de flottaison, les nouveaux arrivants furent accueillis au son de la *White Star March*, interprétée par l'orchestre du bord. Puis ils furent dirigés vers les cabines par les stewards, avec tous les égards dus à la couleur de leur ticket d'embarquement correspondant à leur rang, à leur notoriété, ou plus simplement à la somme qu'ils avaient déboursée pour cette traversée historique.

Dans les coursives des ponts supérieurs, on pouvait apercevoir John Jacob Astor, considéré comme l'un des hommes les plus riches du monde, Benjamin Guggenheim, capitaine d'industrie qui avait fait fortune dans les mines et les fonderies, ou encore sir Cosmo, un aristocrate écossais dont l'épouse, lady Duff Gordon, dirigeait une célèbre maison de mode. Des épouses légitimes et des maîtresses en titre y croisaient des femmes du monde telles que Charlotte Cardeza, voire quelques demi-mondaines comme Margaret Tobbin, dite Molly Brown.

En regagnant le port, le *Nomadic* emporta vingt-quatre voyageurs dont la courte traversée s'achevait à Cherbourg. Et, tandis qu'il accostait, le *Titanic* s'apprêtait à lever l'ancre. Sur la passerelle, le commandant Edward John Smith attendait que le commissaire McElroy lui confirmât que tout le monde était à bord et la porte du pont E soigneusement verrouillée. Il était 20 heures lorsque les trois coups de sirène retentirent de nouveau.

Le pilote, qui assurait le mouillage, n'avait pas quitté le bord. Son bateau, qui se trouvait sous le vent du paquebot, attendait qu'il eût guidé le bâtiment vers la sortie, entre la digue de Querqueville à bâbord et le fort de l'Ouest à tribord. Il viendrait alors à couple pour le récupérer, puis s'en irait attendre l'arrivée d'un autre navire. Il s'appelait Louis Castel et était particulièrement apprécié des officiers de la White Star, dont le port de Cherbourg était devenu l'escale de luxe de la ligne. « Un homme qui tient entre ses mains la fortune d'un armateur et la vie d'un équipage doit présenter de puissantes garanties de science et d'expérience », écrivait l'abbé Albert Anthiaume[1] à l'endroit des pilotes, vers lesquels allait toute son admiration. Parmi ceux de Cherbourg, il y avait un dénommé Louis Castel, fort apprécié des officiers de la White Star et du commandant Smith en particulier.

À 20 h 10, tout à poste, le *Titanic* remonta son ancre dans un assourdissant grincement de chaîne dans le guindeau, puis il vira devant le fort central au moyen de ses hélices extérieures. Quelques minutes plus tard, il quittait la grande rade. Le capitaine Wilde commanda : « En avant lente ! » Une sonnerie retentit sur le transmetteur d'ordre de la machine, et le chef mécanicien fit ouvrir les feux.

Dans les cuisines, on s'affairait presque autant qu'à la machine car il y avait des centaines de couverts à servir dans les quatre salles à manger en attendant l'escale de

---

1. Cité par Alain Dubief, « Le Pilote havrais », *Latitude 41*, n° 44-45, été 2010.

Queenstown, que le *Titanic* toucherait le lendemain en fin de matinée.

Bien que la mer fût calme cette nuit-là, peu de passagers réussirent à dormir, taraudés par l'inquiétude ou saisis par l'excitation du voyage.

À 11 heures, le matin du 11 avril, la côte brumeuse du sud de l'Irlande apparut sur tribord. Trente minutes plus tard, le *Titanic* mouillait devant Rocher's Point, à 2 milles du rivage. Le pilote, John Whelan, avait présidé à la manœuvre.

Durant cette ultime relâche, avec l'aide des bateaux à roues *Ireland* et *Amerika*, le paquebot embarquerait sept nouveaux passagers de deuxième classe et cent treize émigrants. Quelques voyageurs en descendraient également, dont le révérend Browne que son supérieur avait rappelé à ses obligations, tandis qu'il avait sollicité la permission de se rendre à New York.

À Queenstown, la tradition voulait que des marchandes de tweeds et de dentelles vinssent à bord des *liners* proposer quelques souvenirs aux passagers, sous la surveillance d'un officier. John Jacob Astor offrit à sa jeune épouse un châle qu'il paya généreusement.

Photographes et reporters profitèrent des *tenders*[1] pour prendre quelques vues du navire et rappeler à l'Irlande, comme le fera le *Cork Examiner* dans son édition du 12 avril 1912, combien ce paquebot lui était redevable. Sur les questions de sécurité, ce journal écrira tout le bien qu'il pensait des chantiers de construction britanniques en général et de la technologie du *Titanic* en particulier : double fond, compartiments étanches, ponts d'acier, tôles d'acier massif… Rien à ses yeux n'avait été laissé au hasard, tous les systèmes mécaniques imaginables ayant été utilisés « pour augmenter l'immunité du navire contre le risque de naufrage et d'incendie » et prévenir tout désastre par suite d'une collision ou d'un échouage.

---

1. Autre nom donné aux transbordeurs, qualifiant aussi les bateaux annexes des paquebots et des yachts.

Il était un peu moins de 13h30 lorsque le commandant donna l'ordre de faire évacuer les visiteurs. Car il était temps de lever l'ancre à nouveau. Pour la dernière fois.

La vie s'organise

Edward John Smith consulta son second sur la route à suivre. En cette saison, il savait qu'il leur faudrait traverser un champ de glaces dérivantes, mais il n'était guère inquiet. Le trafic était important et la mer calme. Peut-être faudrait-il, en cas de danger, descendre plus au sud que prévu pour les éviter, ce qui n'empêcherait nullement le *Titanic* de garantir son temps de traversée. À 20 nœuds de moyenne, il parcourrait plus de 500 milles par vingt-quatre heures et serait en vue de New York dans la matinée du 17 avril pour une escale de trois jours. Avant la fin du mois, le vieux capitaine céderait son commandement pour couler une retraite heureuse.

Pour l'heure, il avait deux mille deux cent huit personnes sous sa responsabilité, dont neuf cent quarante membres d'équipage[1], soit le nombre enregistré sur le « Certificate of Clearance[2] » que venait de signer l'officier de l'immigration. Le chef Bell vint discrètement lui confier que le feu qui couvait depuis plus d'une semaine dans la soute numéro 10 était en passe d'être enfin maîtrisé.

Les trois coups de sirène annonçant le départ imminent du paquebot retentirent, puis, quelques minutes plus tard, alors que les machines venaient d'être lancées, un coup bref jaillit comme un au revoir. « Une note toute

---

1. Il est impossible d'arrêter le nombre exact de passagers embarqués, ni même d'estimer celui des membres d'équipage. Toutes les sources divergent en l'absence de registre fiable et la variante relative aux personnes disparues durant le naufrage augmente cette incertitude. Le nombre de personnes enregistrées varie, selon les auteurs, de près de 10 %.
2. Document douanier certifiant le nombre de personnes et la quantité de marchandises embarqués.

simple pour lancer un dernier adieu[1] », écrira le révérend Browne dans ses souvenirs, à laquelle répondirent les transbordeurs.

Tandis qu'il contemplait la manœuvre du haut du pont des embarcations, le passager de deuxième classe Lawrence Beesley vit la silhouette de la cathédrale St. Colman s'estomper au-dessus de la ville. « Le *Titanic* fit un quart de tour sur lui-même, jusqu'à ce que son étrave pointât vers la sortie de la rade. Et quand il mit toute la vapeur pour s'arracher à la côte, les petites maisons de Queenstown s'effacèrent complètement[2]. »

Les premières heures s'étirèrent lentement, comme si le navire avait voulu laisser à ses passagers le temps de s'organiser. Chacun vaquait au rangement de ses malles dans les cabines ou de ses balluchons dans les entreponts. Puis la plupart partirent explorer le navire.

Sur les ponts supérieurs, la clientèle privilégiée du *Titanic* entrait en représentation. Magnats des chemins de fer ou des mines comme Charles Melville Hays, artistes de renom tel Francis Millet se mêlaient à des hommes politiques aussi influents que le major Archibald Butt, aide de camp du président des États-Unis, William Taft. Au milieu de cet aréopage où s'étaient naturellement immiscés quelques aventuriers à l'affût de proies éventuelles, une jeune divorcée faisait figure d'héroïne. Elle s'appelait Helen Churchill Candee. Belle, disponible, elle était la reine de ce théâtre sur lequel venait de se lever le rideau.

Quand le soleil déclina, la mer était vide de toute part. le *Titanic* semblait naviguer hors du temps. Comme une légende détachée de toute réalité terrestre. Un conte fantastique. Lawrence Beesley écrit à ce sujet : « Du pont supérieur, c'était magnifique d'observer les ondulations de la mer s'écartant du navire, jusqu'à rencontrer la ligne

---

1. R. P. Browne, *op. cit.*
2. Lawrence Beesley, *The Loss of the SS* Titanic, St. Petersburg (Florida), Red and Black Publishers, 2008. Traduction de B. Alvergne.

d'horizon. Et, sur l'arrière, de contempler le sillage de l'écume blanche brassée par les hélices[1]. »

Le commandant Smith avait demandé qu'on ne fît fonctionner que vingt-quatre chaudières. Cinq restèrent ainsi de réserve, ce qui donnait au navire une vitesse de croisière de 21 nœuds, suffisante pour respecter le calendrier sans incommoder les passagers par un bruit superflu.

La première nuit, le *Titanic* glissa sur les eaux noires de l'Atlantique Nord dans lequel il venait de pénétrer. La matinée du lendemain, 12 avril, fut particulièrement fraîche. Rares furent les passagers qui se hasardèrent longtemps à l'extérieur. Dans les coursives, les stewards parlaient d'un champ de glace que le *Titanic* serait amené à traverser dans deux ou trois jours. Dès ce moment, il n'était question que de cette curiosité dans les conversations. Personne ne voulait manquer le spectacle d'une mer gelée, hérissée d'icebergs à la dérive !

En attendant, comme l'océan le long de la coque, le temps s'écoulait fluide et régulier, à peine contrarié par une intrigue amoureuse et deux ou trois joueurs de cartes échauffés aux tables des fumoirs. Les altercations elles-mêmes, dont les passagers des ponts inférieurs étaient les témoins quotidiens, n'eurent aucune conséquence sur le cours des choses.

Dans le grand escalier de première classe, qu'elle descendait avec une désinvolture étudiée, Helen Churchill Candee avait fait la connaissance de deux gentlemen célibataires qui n'eurent aussitôt d'yeux que pour elle. Ils s'appelaient Hugh Woolner et Edward Kent. D'autres prétendants, comme Edward Pomeroy Colley ou Mauritz Hakån Björnström-Steffansson, étaient désireux de partager un peu de son temps et de son attention, mais la jeune femme donna rapidement la préférence au moins entreprenant, voire au plus réservé de ses soupirants.

---

1. L. Beesley, *The Loss of the SS* Titanic, *op. cit*

Le *Titanic* était constitué d'une société complexe, avec ses intrigues et ses retournements, comme dans une pièce de théâtre rythmée par les usages du bord. Les protagonistes qui s'y croisaient plusieurs fois par jour échangeaient leurs répliques où se nouaient cabales et complots. « J'aurais très bien vu, poétise Michel Mohrt, telle passagère que l'on avait surprise au bar, flirtant avec des messieurs différents, tomber sous le coup d'une balle vengeresse, au beau milieu du grand escalier[1] », point central du décor.

Certains observateurs ont comparé les grands paquebots à des villes flottantes. « Mais alors, précisent Michel Mohrt et Guy Feinstein, avec seulement leurs charmes et leurs prestiges, débarrassées des ennuis, des difficultés qui les rendent de moins en moins supportables[2]. »

Comme dans toute pièce de théâtre, la communauté du *Titanic* abritait des individus peu recommandables. Dans les salons de première classe, leur présence était une tradition. Ils y tenaient ouvertement leur rôle. Depuis l'ouverture des lignes transatlantiques, les paquebots avaient toujours attiré les aigrefins de tout poil. Escrocs, filous et rats d'hôtel formaient avec les joueurs professionnels une engeance que les compagnies avaient tout d'abord tenté d'écarter. Mais, plutôt que d'engager leur responsabilité vis-à-vis de la clientèle en leur interdisant le passage, elles avaient préféré fermer les yeux en les considérant comme des passagers ordinaires. Seul un « avis particulier », placardé par le commissaire du bord, mettait en garde les hôtes fortunés du navire contre les agissements indélicats des tricheurs qui s'inviteraient aux tables de bridge. La liberté du client primait sur toute autre considération.

Pour ce voyage inaugural, trois passagers furent identifiés comme étant des joueurs aux antécédents crapuleux. Soupçonnés d'escroquerie, ils avaient pour noms George Bradley, Charles Romaine et Harry Homer, *alias* Brayton,

---

1. M. Mohrt, G. Feinstein, *op. cit.*
2. *Ibid.*

Rolmane et Haven. Un quatrième personnage, dont le nom de scène était Rogers, était entré dans le huis clos du navire. Identifié comme repris de justice, de son vrai nom Jay Yates, il avait fait irruption au départ de Queenstown[1].

En tout état de cause, cette population privilégiée – à la scène comme à la ville – était elle-même sujette à toutes les rumeurs. La fortune suscitant le fantasme et la légende, il se disait volontiers, dans les étages inférieurs du navire et de la société, que tous les Astor, Hayes, Widener et Guggenheim ne profiteraient pas impunément de leurs prérogatives. Que le temps se chargerait de revisiter le cours des choses, demain ou dans dix ans. À leur avis, la fin de l'histoire était annoncée, de la même façon que la guerre était proche, quand bien même les chancelleries en niaient l'évidence.

Mais ce n'était que le début du voyage. À partir de ce vendredi 12 avril 1912, la vie s'était organisée à bord. Après le premier petit déjeuner servi en cabine et composé de thé, de café ou de chocolat, de fruits et de biscuits, une seconde collation matinale était à la disposition des voyageurs de première classe. On y trouvait de la viande froide, du poisson, des légumes et des œufs, ainsi que des pâtisseries chaudes et des sirops. Un peu plus avant dans la matinée, on pouvait se réchauffer en consommant du bouillon proposé par le personnel de pont. À midi, des sandwichs étaient distribués en attendant le déjeuner de 13 heures annoncé par le clairon. Servi dans la grande salle à manger située au centre du navire, il était composé d'un hors-d'œuvre, suivi de trois plats, de légumes et de desserts. Riche et varié, il permettait de se sustenter avant l'après-midi consacré à la lecture et au courrier que les radiotélégraphistes se chargeraient de transmettre lorsque le navire serait en contact avec une station terrestre. On pouvait également flâner sur les ponts-promenades, jouer au palet, manger des glaces ou des douceurs en attendant

---

1. *Cf.* A. Dubief, « Portrait d'un tricheur [...] », *Latitude 41*, n° 22, été 2004.

le cake, le chocolat et le pain grillé de 16 heures, dispensé en guise de goûter. De quoi patienter jusqu'aux compotes, confitures et marmelades de 18 heures! Une heure plus tard, après avoir laissé le temps à ses hôtes de changer de vêtement, un nouveau coup de clairon annonçait le dîner que le commandant Smith partageait avec ses passagers. Chaque soir, il invitait de nouvelles personnalités à sa table en s'assurant de satisfaire la vanité de chacun.

Le premier soir de la traversée, les passagers se présentaient en tenue de ville, ainsi que l'exigeait l'étiquette de la croisière[1]. Le restaurant gastronomique, où l'on pouvait se rendre entre 20 et 23 heures, offrait une carte déclinée par les meilleurs chefs à l'attention des plus fins gourmets. Le reste de la soirée se passait généralement au fumoir, dans la bibliothèque ou les vérandas que fréquentaient plus volontiers les femmes en discourant sur la vie du bord. C'est au Café parisien – spécialement conçu pour le *Titanic* – que Helen Candee recevait ses courtisans et leur coterie. Les stewards y passaient fréquemment chargés de corbeilles de fruits, que l'on accompagnait d'une liqueur, d'un café, ou d'une tisane si l'on avait abusé de la table.

La deuxième classe était moins compassée. Les repas étaient plus simples mais généreux : composés d'un potage, de quatre plats accompagnés de garnitures variées, ils s'achevaient toujours par trois desserts et des fruits. Des collations étaient également servies au cours de la journée sur les ponts qui lui étaient affectés.

Quant aux émigrants de la troisième classe, ils étaient certes moins choyés que les autres passagers, mais la White Star Line, ayant misé sur le confort et le service soigné pour tous à bord de ses navires, ne ménageait pas sa peine pour leur présenter, deux fois par jour, une entrée, un plat

---

1. Il devait en être de même pour le dernier dîner, la veille du débarquement. Tous les autres soirs, la tenue de soirée était de rigueur en première classe.

et deux desserts. Le tout entrecoupé d'un goûter en fin d'après-midi.

Quels que fussent leurs divertissements, c'est autour de 22 heures que les passagers quittaient généralement les tables de jeu, la bibliothèque ou la salle commune des troisième classe, toujours animée par des chants et des danses des quatre coins du monde.

Officiellement, on ne servait plus d'alcool après 23 heures.

Premiers avertissements

Le *Titanic* avait atteint sa vitesse de croisière : 22,5 nœuds à 75 tours par minute. Ce rythme lui permettrait de couvrir une distance de 500 milles en vingt-quatre heures.

Les journées du 12 et du 13 avril ne devaient pas poser de problèmes de sécurité, le navire se trouvant encore loin des premières glaces dérivantes. Annoncées en abondance en raison d'une saison d'hiver particulièrement douce dans les régions arctiques où se forment les icebergs, elles étaient devenues le principal motif d'attention pour les armateurs en ce printemps 1912. Voire d'inquiétude pour quelques-uns. Toutes les compagnies en avaient dûment informé les équipages naviguant sur l'Atlantique Nord et la plus grande prudence était de rigueur. Les mesures de sécurité, qui consistaient à ralentir l'allure et à remplacer les vigies toutes les deux heures, avaient été recommandées pour tous les navires croisant dans la zone par temps de brume.

Sur la passerelle, les commandants ne tenaient pas toujours compte de ces avertissements qu'ils jugeaient bureaucratiques. La plupart y avaient été si souvent confrontés au cours de leur longue carrière qu'ils ne prenaient plus la mesure du danger. Leur expérience et un excès de confiance les conduisaient à minimiser le risque et à baisser la garde. Et puis combien d'accidents causés par la rencontre d'un iceberg avaient défrayé la chronique dans toute l'histoire du transport maritime ? Les souvenirs étaient si flous qu'ils en devenaient inexistants. Le jour du départ de Queenstown, on avait signalé qu'un paquebot français endommagé par les glaces avait demandé assistance. Le *Carmania* s'était rendu sur zone pour l'en dégager. C'était un de ces incidents que l'on jugeait sans gravité.

Pendant que les passagers vaquaient à leurs distractions, Thomas Andrews œuvrait quotidiennement à l'amélioration de son navire. Avec le petit groupe d'experts du chantier Harland & Wolff qu'il avait emmené pour l'aider à dénicher les plus petites imperfections du bateau, il n'avait rien remarqué du côté des machines qui pût donner lieu à quelque modification : tout fonctionnait à la perfection. Et s'il constatait par ailleurs que la décoration générale plaisait à la clientèle, il ne se priva pas de noter sur son carnet de doléances personnelles quelques fautes de goût qu'il faudrait éviter de reproduire sur le *Gigantic*. Ainsi du linoléum recouvrant certains sols, qui lui était insupportable. De même, la couleur du mobilier des ponts couverts, qu'il prévoyait de faire repeindre en vert. Il avait en outre noté que le salon de lecture et de correspondance de la première classe n'était pas aussi fréquenté qu'il l'avait imaginé dans son projet. Quelques cabines supplémentaires étant par ailleurs jugées nécessaires, il pensa transformer cet espace en vue des prochaines rotations. Il en parlerait à Joseph Ismay qui en approuverait certainement l'initiative.

Enfin, Thomas Andrews s'occupa personnellement de reloger certains passagers de deuxième classe qui s'étaient plaints des dysfonctionnements du chauffage dans leurs cabines. C'est à peine s'il prenait le temps de se restaurer.

Né en 1873 à Comber, dans le comté de Down, à quinze kilomètres au sud-est de Belfast, ce perfectionniste avait fréquenté la Royal Academical Institution jusqu'à l'âge de seize ans, avant d'entrer comme apprenti chez Harland & Wolff. Sa famille avait déboursé cent guinées pour qu'il fût formé à tous les métiers de la construction navale. Comme son oncle Pirrie, il fut successivement ébéniste, assembleur, forgeron, puis dessinateur, pour devenir enfin architecte naval en chef et directeur du bureau d'études à l'âge de trente-neuf ans.

Les passagers le considéraient avec déférence et son attitude rassurante était fort appréciée. Extrêmement populaire auprès de tous ceux qui le fréquentaient, écrit Don Lynch, ce bourreau de travail était vu arpentant le chantier « coiffé d'un chapeau melon couvert de taches de peinture, les poches bourrées de plans, de dessins et de croquis[1] ». Son entregent faisait de cet homme discret un ambassadeur de charme, toujours bien mis, portant beau ses quarante ans à peine. Ce n'est donc pas sans raison qu'il entrera dans l'histoire avec un immense capital de sympathie.

Ce 12 avril en début de soirée, le paquebot français *La Touraine*, qui se rendait au Havre en provenance de New York, croisa la route du *Titanic*. Par radiotélégraphie, il lui signala que, deux jours plus tôt, s'étant trouvé à 19 heures GMT[2] par 49° 28' de latitude nord et 50° 40' de longitude ouest, il avait aperçu un énorme champ de glace inhabituel dans cette zone, ainsi que deux gros icebergs par 45° 20' nord et 45° 09' ouest, méridien de Paris. Apprenant le drame du *Titanic* lors de son arrivée au Havre, le capitaine Caussin déclarera à l'agence Presse Nouvelle qu'avant de contacter le commandant Smith il avait dû ralentir sa marche à 12 nœuds pendant plus de six heures pour quitter l'étendue de glace compacte qu'il avait rencontrée sur sa route. Peu de temps après, devait-il confier, « *La Touraine* longea un second champ de glace dans lequel on aperçut deux icebergs[3] ».

La passerelle fut immédiatement informée de la teneur du marconigramme[4] émis par *La Touraine*. Edward John Smith en prit connaissance et demanda qu'on l'informât de l'évolution de la situation. Pour l'heure, il n'envisageait

---

1. D. Lynch, *op. cit.*
2. Greenwich Mean Time, ou temps moyen de Greenwich, qui est la référence du temps universel (TU).
3. Témoignage paru en une de *La Presse*, mercredi 17 avril 1912.
4. Contraction de « télégramme Marconi ».

de modifier ni sa route ni sa vitesse. La nuit était claire et les eaux libres devant l'étrave du *Titanic*. Imperturbablement, il tracerait le même cap toute la nuit de ce vendredi.

À 23 heures, un incident provoqua une nouvelle inquiétude à la passerelle. La radio était subitement tombée en panne. Certes, les opérateurs Jack Phillips et Harold Bride pouvaient recevoir des messages, mais ils n'étaient plus en mesure d'émettre! En cas d'urgence, ce pouvait être dramatique.

Les deux hommes en avertirent aussitôt l'officier de quart et se mirent au travail avec fébrilité, dans l'espoir de remettre leur émetteur en marche. Au bout de six heures, Phillips découvrit que deux fils s'étaient dessoudés. Tout rentrait dans l'ordre.

L'aube du 13 avril n'était pas encore levée. Sur le bureau, une énorme pile de télégrammes entassés depuis la veille attendait d'être transmise aux quatre coins du monde. Mais on était encore trop éloigné de Terre-Neuve pour émettre. Et les messages continuèrent de s'accumuler en attendant d'être adressés à leurs destinataires. Toute la journée du samedi, les passagers ne cesseront d'en déposer au guichet du bureau Marconi, plus « urgents » les uns que les autres.

Il faut dire que cette installation révolutionnaire ne laissait personne indifférent, chacun voulant en user malgré le coût élevé de la transmission, qui pour annoncer son arrivée, qui pour passer des ordres de Bourse ou tout simplement pour adresser quelques mots à des proches. À tel point que les opérateurs ne seront pas trop de deux pour absorber cette avalanche de courriers, au risque de négliger les informations sur la navigation, les avis de danger ou les demandes d'assistance transmis par les navires croisant sur zone. Louant ses services à la White Star Line comme aux autres compagnies, la société Marconi avait toutefois pour obligation de traiter les affaires maritimes en toute priorité. Mais, sur les grands paquebots où la clientèle était payante, ses employés privilégiaient généralement les messages personnels, nombreux et lucratifs.

Tous les matins, le bord distribuait l'*Atlantic Daily Bulletin* à ses passagers de première et de deuxième classe. Imprimée durant la nuit, cette feuille les informait sur la vie du navire, la distance parcourue, la vitesse et le cap, en affinant chaque jour un peu plus la date et l'heure d'arrivée à son quai de destination. On pouvait y découvrir aussi quelques nouvelles internationales captées au passage d'une station terrestre de radiotélégraphie, ainsi que les derniers cours de Londres et de Wall Street.

Il restait un jour et demi de navigation pour que le *Titanic* quittât la route dite du « grand cercle », afin de mettre le cap sur New York. Il se trouverait alors à cet endroit précis de l'Atlantique Nord que les gens de mer appellent familièrement « le coin de la rue ». Il s'agissait du point de virement des navires, officiellement établi en 1899. Ce point était fixé au croisement du 42e degré de latitude nord et du 47e de longitude ouest. Comme les autres bateaux, le *Titanic* avait prévu de mettre le cap au 266 pour venir de 24 degrés sur tribord, de sud 62° ouest à sud 86° ouest. Cette manœuvre permettait de contourner les bancs de *growlers*[1] dérivants qui, entre le mois de mars et le mois de juillet, trouvaient à cet endroit de l'océan des eaux suffisamment chaudes pour les disloquer, puis les disperser.

Mais cette année 1912 était exceptionnelle. La masse de glace qui s'était détachée de la banquise, sur la côte ouest du Groenland, était descendue bien plus bas que d'habitude. Si bien que le samedi 13 avril vers midi, bien avant de passer le point tournant, le commandant Smith, conscient du danger, comprit qu'il faudrait naviguer plus bas dans le sud pour contourner l'obstacle. Dix milles nautiques au moins, avant de prendre le cap de New York.

Au fil des heures, la température baissa considérablement. Dans la soirée du samedi, le thermomètre extérieur

---

1. Débris de glace plus ou moins compacts, flottant à la surface de l'océan. Si leur densité devient trop importante, ils capturent les navires et risquent, au bout d'un certain temps, de les éventrer.

descendit au-dessous de 10 °C. Il n'y avait plus âme qui vive sur les ponts-promenades.

À l'intérieur du fumoir de première classe, des témoins prétendront plus tard avoir vu le directeur de la White Star Line s'entretenir vivement avec le capitaine Smith. Des bribes de discussion leur seraient parvenues. Joseph Bruce Ismay aurait demandé au commandant de forcer les machines afin de donner au navire le maximum de sa puissance, de crainte que l'allongement de la route n'ait pour conséquence de retarder le navire. De prétendus paris sur l'heure d'arrivée du *Titanic* à New York auraient poussé certains passagers à souhaiter une telle performance. Ismay s'en serait-il fait l'interprète inconscient? Rien n'autorise à le croire. Ni même à supposer que, dans le cas contraire, il eût été entendu par son commandant, seul maître à bord.

Il est imaginable, en revanche, qu'Ismay se soit aventuré à demander un essai de vitesse avant l'entrée dans la zone dangereuse des icebergs. Mais il est peu vraisemblable qu'il eût l'oreille du vieux Smith, déjà préoccupé par la situation inédite qui se présentait à lui et qu'il allait devoir affronter le lendemain.

6

L'ICEBERG IMPROBABLE

Le *Titanic* avait entamé la seconde partie de son voyage sous les meilleurs auspices. Le paquebot glissait sur une mer d'huile et rien ne devait plus perturber ce voyage inaugural. Le pari de 1907 paraissait gagné, d'ores et déjà.

Le commandant Smith tenait de plus en plus souvent compagnie à ses passagers, laissant au second capitaine Wilde le soin de gérer la bonne marche du navire. Il suffisait qu'on l'informât régulièrement des conditions de navigation et qu'on l'avertît si quelque danger venait à se présenter.

En ce dimanche matin, il avait pour tâche de présider un service œcuménique. À 10 h 30, il se rendit dans la salle à manger de première classe pour y lire l'Évangile et dire quelques prières traditionnelles destinées à la protection divine du navire et de ses occupants. Le chef d'orchestre Wallace Hartley et quatre de ses musiciens accompagnèrent l'hymne 418 du livre des Cantiques, repris en chœur par l'assistance.

Au même moment, le commissaire adjoint Reginald Baker conduisait un office anglican pour les passagers de deuxième classe, auquel participaient les trois autres musiciens de la formation. Quant aux catholiques des deuxième et troisième classe, ils purent successivement assister à une messe célébrée par le père Thomas Byles.

En route vers le destin

La journée, qu'entrecouperaient les repas, serait ryth-mée par diverses occupations personnelles ou collectives. D'aucuns se rendraient au gymnase installé sur le pont des embarcations, d'autres à la piscine ou, comme le colonel Archibald Gracie, passeraient de longues heures à lire dans leur cabine ou dans les salons, où l'on aurait par ailleurs l'autorisation exceptionnelle de jouer aux cartes. Le jour du Seigneur, en effet, la législation britannique interdisait qu'on s'y adonnât. Mais la compagnie dérogeait réguliè-rement à cette règle que ses passagers tenaient pour une atteinte à leur privilège. Plus tard, quelqu'un émettrait l'idée d'organiser un défilé canin, car le navire accueillait une dizaine de chiens de toutes races que leurs propriétaires ou des domestiques promenaient sur les ponts-prome-nades comme à la ville. L'idée recueillit tous les suffrages et le concours fut décidé pour le lendemain.

Malgré toutes ces initiatives, rapporte Archibald Gracie, « les jours se ressemblaient tellement à bord qu'il était dif-ficile de distinguer tous les détails de la journée ». Après avoir joué au squash avec le moniteur Fred Wright, le colo-nel alla se baigner, puis se rendit au déjeuner. Mais c'est en compagnie d'un couple de passagers américains qu'il devait passer le plus clair de son temps ce dimanche-là : Isidor et Ida Straus, propriétaires du Macy's, magasin new-yorkais qui passait pour être le plus grand du monde. C'est avec émotion qu'il s'en souviendra dans ses mémoires : « Du début à la fin du voyage, nous passâmes de longs moments ensemble, nous retrouvant plusieurs fois par jour[1]. » Ce 14 avril, Isidor Straus termina quant à lui la lecture d'un ouvrage[2] sur la guerre de Sécession dont le colonel, sorti de l'Académie militaire de Westpoint, était

---

1. A. Gracie, *op. cit.*
2. *La Vérité sur Chickamauga* narre la défaite de l'Union lors de cette bataille à laquelle participa le père du colonel Gracie, du 18 au 20 sep-tembre 1863.

l'auteur. Et leur discussion porta tout naturellement sur son contenu historique.

Il était 13 h 45 lorsque les Straus purent entrer en communication avec leur fils et son épouse, qui voyageaient à bord de l'*Amerika*. Le navire, qui croisait non loin du *Titanic*, avait par ailleurs mis en garde le transatlantique de la White Star Line contre les icebergs dérivants qu'il avait rencontrés sur sa route, par 41° 27' nord et 50° 08 ouest, venant de New York. Mais les opérateurs Phillips et Bride ne l'avaient pas fait parvenir à la passerelle, surchargés qu'ils étaient à ce moment-là par la transmission des messages personnels.

La TSF du *Titanic*, avec une puissance de 1,5 kilowatt, était l'appareil le plus performant jamais embarqué. Si de jour il pouvait émettre jusqu'à 1 000 milles, il était possible de doubler sa portée pendant la nuit. Mais cette particularité avait un inconvénient majeur : « La transmission et la réception des messages étaient assurées par des fréquences standard extrêmement voisines, avec deux, trois messages ou plus émis ou reçus en même temps. Une grande partie de l'habileté de l'opérateur consistait donc à être capable de reconnaître et de choisir le message particulier adressé à sa station. Pour l'aider, chacune d'elles avait un indicatif d'appel distinctif sous forme de lettres. À quelques exceptions près, les indicatifs des navires britanniques commençaient généralement par un *M*, ceux des bâtiments allemands par un *D*, et ceux des navires militaires américains par un *N*. Pour le *Titanic*, c'était MGY[1]. »

L'avertissement de l'*Amerika* n'était pas le premier que reçurent les opérateurs Phillips et Bride. À 9 heures, le *Caronia* notifiait à tous les navires, qui faisaient route sur le 43ᵉ parallèle et s'apprêtaient à franchir les 50° de longitude ouest, qu'il venait de traverser une zone particulièrement dangereuse. Curieusement, le *Titanic* attendit près de trois quarts d'heure avant de lui répondre laconiquement

---

1. J. Eaton, C. Haas, *op. cit.*

qu'il avait pris connaissance de son message. Sans autre commentaire. Deux heures plus tard, alors que le paquebot de la Cunard réitérait ses recommandations, le *Noordam* diffusait un message identique en insistant sur le fait qu'il n'avait pas connu pire situation depuis des années.

Il était près de midi. À 13 h 40, le *Baltic* confirma les informations lancées par le *Caronia*. La teneur en était la suivante : « Avons eu des vents modérés variables et du beau temps clair depuis le départ. » Mais il ajoutait : « L'*Athinai*, qui nous a contactés, signale des passages d'icebergs et de grandes quantités de champs de glace, aujourd'hui, sur la latitude 41° 51' nord et la longitude 49° 52' ouest. La nuit dernière, avons communiqué avec le pétrolier *Deutschland* allant de Stettin à Philadelphie, qui ne pouvait plus manœuvrer. Sa latitude était 40° 42' nord, et sa longitude 55° 11' ouest[1]. »

Deux minutes après la réception de ce télégramme, Joseph Ismay croisait le commandant sur le pont-promenade. Lui reparla-t-il de la vitesse de son navire, qu'il souhaitait tester avant la nuit ? Deux passagères de Philadelphie, Emily Ryerson et Marian Thayer, l'affirmeront, précisant que Smith lui présenta le marconigramme reçu du *Baltic* afin de le convaincre du danger qu'il y aurait à pousser les machines dans ces circonstances. D'après les mêmes témoins, Joseph Ismay aurait enfoui le message au fond de sa poche et tenté malgré tout de persuader le capitaine de se conformer à ses vœux…

Ce geste était-il délibéré ou de simple inadvertance ? Le patron de la Star avait-il voulu dissimuler le télégramme ? La question ne sera jamais tranchée car Ismay niera l'existence même de l'incident. On ne peut toutefois imaginer un tel machiavélisme, absurde et criminel, de la part d'un armateur responsable qui étrennait un navire transportant deux mille cinq cents personnes. Toujours est-il, selon les deux passagères, qu'Ismay les aurait entretenues peu de temps après de cette conversation avec le commandant.

---

1. D'après G. Piouffre, *Le* Titanic *ne répond plus, op. cit.*

Quant à Smith, il était reparti vaquer à ses obligations sans réclamer le funeste bout de papier qu'il avait abandonné à son directeur, au mépris du règlement et de l'obligation de prudence qu'exigeait sa fonction. Ce n'est que cinq heures et demie plus tard qu'il viendra le lui réclamer, pour l'afficher enfin à la passerelle. Il sera enregistré dans le journal de bord à 19 h 15 par l'officier de quart William Murdoch. Aussitôt, ce dernier fera fermer l'écoutille du gaillard d'avant pour que la lumière n'éblouisse pas les vigies[1] postées dans le nid-de-pie perché sur le mât de misaine, à douze mètres au-dessus du pont. Le lieutenant Moody, de son côté, leur téléphonera dans leur poste de guet pour leur demander une vigilance particulière. Notamment en cas de brume, si d'aventure ils la voyaient se lever sur l'horizon.

Pour autant, la vitesse fut maintenue jusqu'à nouvel ordre.

En début de soirée, la température extérieure avait encore baissé. Un air glacial renforçait considérablement cette impression. Il n'y avait plus personne sur les ponts-promenades pour affronter ce climat polaire. Tous les passagers s'étaient réfugiés dans la chaleur et la quiétude du navire, où la douceur de la vie du bord les enveloppait d'une imperturbable sérénité.

Craignant d'incommoder les passagers, le commandant avait décidé de ne pas les contraindre à l'entraînement d'évacuation. Cette précaution n'était nullement obligatoire en Grande-Bretagne, mais néanmoins recommandée par les compagnies. Or, faute d'avoir programmé cet exercice au départ de Queenstown, on l'avait définitivement annulé. Certains observateurs verront dans cette négligence les prémices d'un drame.

Le passager Lawrence Beesley écrira plus tard que le commandant, informé des dangers courus ce 14 avril, n'en

---

1. À bord du *Titanic*, elles étaient au nombre de six à se relayer toutes les deux heures, contrairement aux autres membres d'équipage qui avaient une rotation traditionnelle de quatre heures.

avait guère tiré les conclusions qui s'imposaient. Notamment sur le grand nombre d'icebergs que le *Titanic* s'apprêtait à rencontrer sur sa route. Par une nuit sans lune et sans vent. C'est bien là ce qui inquiétait le lieutenant Lightoller, de quart entre 18 et 22 heures. Sans écume à sa base pour avertir de sa présence et être repéré dans la nuit, un iceberg pouvait devenir invisible. Et pour peu qu'il se fût retourné[1], sa masse gorgée d'eau devenue sombre, il disparaîtrait à la vue des veilleurs…

Ce soir-là, le commandant quitta la passerelle à 20 h 30 pour se rendre au dîner des passagers. La tradition voulait que le dimanche soir fût particulièrement mondain, à tout le moins pour les passagers de première classe. Et ce 14 avril n'était pas comme les autres, puisqu'il s'agissait d'un dîner inaugural. Tout avait été mis en œuvre pour que la soirée de gala organisée au restaurant À la carte fût mémorable. Sur le *Titanic*, on appelait cet endroit « le Ritz », par allusion au palace parisien. On y attendait John Jacob et Madeleine Astor, de retour de leur voyage de noces en Europe, sir Cosmo et Lucile Duff Gordon, accompagnés de leur secrétaire Laura Francatelli. On y croisera le couple Douglas, Léontine Aubart et Benjamin Guggenheim, ainsi que les Widener et leur fils Harry, qui avaient convié la famille Thayer à partager avec eux les plaisirs de la table. Joseph Bruce Ismay et Thomas Andrews étaient naturellement présents auprès de leurs hôtes, qu'ils choyaient de tout le « chic continental » déployé par la White Star Line.

La carte offrait ce soir-là ce que l'on pouvait faire de mieux et de plus festif. Œufs de caille et caviar ouvraient le repas, suivis de homards et de tournedos aux morilles. Après un entremets au punch rosé suivaient des cailles aux cerises et des asperges sauce hollandaise. Une macédoine de fruits précédait les cafés et les mignardises. « C'était le

---

1. La partie immergée de l'iceberg, en fondant, déplace son centre de gravité. Aussi, plusieurs fois durant sa dérive, il peut se retourner sur lui-même et perdre sa couleur éclatante si distinctive, jusqu'à ce que l'eau contenue dans la partie émergée se soit évaporée.

summum du luxe, racontera plus tard Mahala Douglas à sa nièce. Les tables étaient joyeusement décorées de roses et de marguerites, les femmes avaient revêtu de ravissantes robes de satin et de soie, les hommes étaient impeccables et tirés à quatre épingles, les violons de l'orchestre interprétaient Puccini et Tchaïkovski[1]. »

La plupart des hommes iraient ensuite fumer le cigare dans les salons voisins, tandis que leurs épouses s'attarderaient devant une tasse de thé. Les passagers qui avaient choisi de dîner au restaurant traditionnel ne furent pas déçus non plus, ni les voyageurs des deuxième et des troisième classe, qui se régalèrent de ce qu'on leur servît.

À 21 heures, le commandant Smith, qui avait honoré le restaurant français de sa présence, s'excusa auprès de ses invités. De retour sur la passerelle, il fit relever la température de l'air : 0 °C. De quoi s'inquiéter pour l'eau potable des réservoirs.

Il était 21 h 40 lorsqu'un nouveau message télégraphique, marqué SG[2], parvint aux oreilles du radio Jack Phillips. Ces initiales signifiaient qu'il avait affaire à un avis prioritaire de navigation et qu'il devait impérativement cesser toute émission privée. C'était un nouveau rapport de glaces envoyé par le *Mesaba*, dont la route était obstruée par d'épais *growlers* flottant entre deux eaux.

L'avis de danger transmis au *Titanic* par le navire de l'Atlantic Transport Line situait maintenant précisément l'obstacle entre 42° et 41° 25' de latitude nord. Par ailleurs, il s'étendait sur un degré et demi, de 49° à 50° 30' de longitude ouest. Le *Mesaba* précisait que de grands icebergs dérivaient aux abords et qu'il attendait un accusé de réception. Or Jack Phillips se contenta de lui répondre sèchement, entre deux messages privés pour le Cape Race, qu'il avait capté son télégramme. Bien que l'opérateur du *Titanic* eût reçu les coordonnées très exactes de la situation,

1. Cité par F. Codet *et al.*, *op. cit.*
2. « Service Gram. »

l'information n'arriva jamais à la passerelle. Pas plus que n'était parvenu jusqu'au commandant cet autre télégramme, capté entre le *Californian* à l'*Antillan*, qui situait la barrière de glace à 19 milles seulement au nord de la route suivie par le *Titanic*.

Contre toute raison, le plus grand navire ayant jamais franchi l'Atlantique allait s'enfermer dans le piège que lui tendait le destin. Sans que personne tentât d'en déjouer les intentions. Par une nuit constellée d'étoiles, sous le ciel pur d'un conte de fées.

Le rendez-vous tragique

Les recommandations faites aux commandants des navires qui transitaient par l'Atlantique Nord durant la saison des glaces dérivantes étaient pourtant sans équivoque : ils devaient impérativement se conformer aux exigences que leur imposait la situation, leur responsabilité étant entièrement engagée en cas de négligence. Mais la notion de danger relevait de leur seule interprétation.

Le lieutenant Joseph Boxhall avait reporté sur la carte les positions successives de la barrière de glace. Son étendue le stupéfia. Les avis de prudence lancés par les différents navires n'avaient pas tort de parler d'une étendue d'au moins 100 kilomètres, hérissée d'une vingtaine d'icebergs dont certains atteignaient plus de vingt-cinq mètres de hauteur émergée[1]. Pour la première fois, les risques de collision étaient bien réels. Boxhall se remémora peut-être l'accident du *Columbia*, de la compagnie Anchor Line, qui s'était produit au large du Cape Race, à l'endroit où se trouvait maintenant le *Titanic*. Un iceberg avait déchiré la proue du navire sur une dizaine de mètres, mais il avait pu regagner la côte. Et les armateurs avaient estimé qu'il n'y

---

1. Compte tenu du fait que les sept huitièmes de la masse d'un iceberg sont immergés, sa hauteur totale peut facilement atteindre plus de 200 mètres sous le niveau de l'eau.

avait pas lieu d'en tirer des conclusions alarmantes! Cela n'était pas de nature à rassurer Boxhall, mais sans doute pensa-t-il que la génération du *Titanic* était capable d'affronter de telles situations.

Le capitaine Smith lui-même avait été confronté à cette situation lorsqu'il commandait le *Majestic*. L'incident remontait à 1902 et le navire avait évité l'iceberg de justesse. Mais pourrait-il se fier longtemps à sa bonne étoile? Dix ans plus tard, en cette journée du 14 avril 1912, difficile d'imaginer qu'il n'en avait pas retenu la leçon, ni qu'aucun souvenir n'était venu lui rappeler qu'il n'aurait pas forcément une seconde chance.

À la décharge des officiers du *Titanic* et de ses opérateurs radio, il est possible que la surenchère d'informations concernant le champ de glace ait relativisé son importance. On ne prête plus à une information banalisée toute l'attention qu'elle mérite. Dès le mercredi suivant, 17 avril, la Compagnie générale transatlantique annoncera d'ailleurs que le *Niagara* venait à son tour de donner ce dimanche-là« dans un banc de glace ». La collision fut si forte, commentera *L'Indépendance belge*[1], « que le commandant fit aussitôt envoyer par télégraphie sans fil le message de détresse SOS ». Le brouillard était intense. Le transatlantique marchait à une vitesse réduite. Il frôlait depuis quelque temps des glaces éparses, lorsque se produisit un choc très violent qui projeta sur le parquet les passagers réunis pour dîner et les commis du bord, au milieu des verres et des assiettes. Toute la population du paquebot se précipita aussitôt sur le pont. Le commandant fit rapidement une inspection du navire, puis il envoya par voie de télégraphie sans fil un nouveau radiogramme disant qu'il pouvait continuer sa route vers New York par ses propres moyens. Le naufrage, une nouvelle fois, avait été évité de justesse.

L'iceberg qui dérivait sur la route du *Titanic*, dans la région des Grands Bancs de Terre-Neuve, était de ceux qui

---

1. Édition du 18 avril 1912.

ont une histoire. Ce « n'était pas qu'un morceau de banquise à la dérive », suggère Henry Lang dans sa mise en perspective des ingrédients qui allaient coûter la vie au plus grand bateau du monde, mais « la représentation de bien des incohérences[1] ». Devant pareille ironie, David Brunat ne peut que s'exclamer : « Que le sort d'un navire et de ses occupants soit finalement suspendu à cette incroyable anomalie climatique laisse quelque peu rêveur[2] ! »

L'aventure des icebergs commence à l'ouest du Groenland[3]. Chaque année, entre dix et quinze mille blocs de glace de toutes tailles se détachent de la banquise avant d'errer dans les mers froides et de se disperser dans l'Atlantique Nord. Les courants marins les poussent ensuite vers le sud jusqu'à leur fonte complète, généralement aux alentours du mois de juillet.

C'est dans la mythique baie de Disko que le destin a mis en place les ingrédients du drame qui va se jouer le 14 avril

---

1. Henry Lang, *Le Management du* Titanic : *les leçons d'un naufrage,* Paris, Éditions d'Organisation, 1999.

2. David Brunat, *Tragic Atlantic, ou les métamorphoses du* Titanic, Paris, Flammarion, 1998.

3. La glace produite par la banquise peut revêtir plusieurs formes. Les icebergs sont les plus gros éléments qui s'en détachent. Les plus importants dépassent 75 mètres de hauteur émergée. Le plus grand jamais observé, numéroté B-15, a été découvert par satellite en 2000 au moment de son vêlage (détachement de la banquise). Après s'être fragmenté en 2005, il a continué à dériver autour de l'Antarctique, où il errait encore en 2011. À l'origine, il mesurait 295 kilomètres de long sur 37 de large. Les icebergs sont classés selon leur hauteur émergée. Les *growlers* sont les plus petits et mesurent moins d'un mètre émergé. Viennent ensuite les fragments, pouvant atteindre jusqu'à 5 mètres, les petits icebergs (jusqu'à 15 mètres), les icebergs moyens (jusqu'à 45 mètres) et les gros (jusqu'à 75 mètres). Le banc de glace est à distinguer du champ de glace par une plus grande épaisseur de ses couches d'eau de mer gelée, éparses et dérivantes. Ces deux étendues, qui peuvent dépasser les 250 kilomètres, sont constituées de morceaux plus ou moins grands, regroupés et entraînés par le vent et le courant, pour ne former parfois qu'une surface uniforme et dense capable de bloquer la navigation et d'emprisonner des navires.

1912, à 6 000 kilomètres au sud du détroit de Davis où la montagne de glace et de roche a glissé dans l'océan plusieurs mois auparavant. Le village le plus proche s'appelle Illulisat. L'endroit respire le « mystère des glaces », notent Djana et Michel Pascal[1], qui se sont interrogés sur la dérive et le parcours des icebergs. Celui qui devait entraver la route du *Titanic* et susciter la stupeur universelle avait sa propre légende.

Pour les Inuits, le site d'où s'est détaché cet iceberg était empreint de malédiction. Cette croyance remonterait à plusieurs siècles, au temps où la nourriture se faisait rare et que la seule façon de survivre était de sacrifier une partie du groupe afin de préserver la survie du clan. Les femmes les plus âgées étaient généralement désignées pour accomplir cet acte de renoncement, geste d'offrande et d'abnégation pour la perpétuation de l'espèce. Un rite s'était institué, qui conduisait invariablement ces femmes au sommet d'une falaise d'où elles se jetaient dans le vide. « En arrière-plan, on aperçoit la banquise, immense magma. Au premier plan, des blocs, énormes, taillés par les fissures, puis d'autres, de dimensions inférieures, jusqu'aux plus petits. Tous, impeccablement polis, attendent sagement leur tour pour s'élancer en direction de l'Atlantique Nord, comme a dû le faire l'iceberg du *Titanic* », écrivent Djana et Michel Pascal avant d'ajouter, sans doute saisis d'admiration et d'effroi : « Les icebergs évoquent des monstres voraces sortant du ventre de la banquise en forme d'estuaire. On devine toute leur sauvagerie, leur force prédatrice, leur pouvoir de se fissurer d'une seconde à l'autre. Leur comportement s'annonce aussi imprévisible que dévastateur[2]. »

Pour les Inuits, ces blocs de glace sur lesquels sont venus se fracasser les corps sacrifiés de leurs ancêtres sont animés d'une vie propre et sont considérés comme des esprits doués de conscience et d'une évidente capacité d'intervention. En vertu de cette notion primitive de la

---

1. Titanic : *au-delà d'une malédiction, op. cit.*
2. *Ibid.*

transfiguration, les éléments auraient un rôle à jouer dans l'histoire de la terre et dans celle des hommes.

L'adhésion à cette philosophie animiste permet aux auteurs de ce voyage au cœur de la malédiction du *Titanic* d'affirmer, à la suite de leurs hôtes des hautes latitudes épris de chamanisme, qu'il est dangereux de provoquer la nature. Ils en concluent que l'iceberg du 14 avril 1912 ne s'est pas trouvé par hasard sur la route du plus grand transatlantique du monde et en viennent tout naturellement à se demander si le fait de se mesurer aux éléments ne constituait pas une provocation, une offense capable d'entraîner d'effroyables conséquences. Auquel cas, la catastrophe du *Titanic* apparaîtrait comme une réponse divine à la vanité des hommes. Une malédiction, un châtiment.

Si cette « thèse » ne fait certes pas l'unanimité parmi les historiens – elle inviterait même à sourire –, elle n'en rejoint pas moins la théorie du « mythe de l'iceberg » développée par l'épistémologiste et psychiatre Jacques-Émile Bertrand, qui développe, dans *Psychanalyse et Création*[1], l'idée selon laquelle on peut reconnaître dans la partie visible de toute chose les signes plus profonds d'une réalité latente. L'iceberg de toutes les rumeurs est donc à ses yeux une matière « vivante » scientifiquement définie et démontrée : une énergie compactée mue par une onde, un flux baptisé mécanique quantique.

Si l'on en croit Richard Brown[2], spécialiste en biologie marine, l'iceberg dont il est question à propos du drame du *Titanic* aurait suivi un itinéraire moins pervers que scientifique. Après avoir pris naissance pendant l'automne 1910 au cœur des glaciers de Jakobshavn, sur la côte occidentale du Groenland, il aurait flotté quelque temps vers le nord, du côté de la baie de Baffin, où les courants l'auraient fait redescendre en direction du détroit de Hudson. Puis il

---

1. Voir le développement de sa thèse sur www.sciences-arts.org/recherche/psychanalyse.html
2. *Voyage of the Iceberg*, New York, Beaufort Books, 1983.

aurait dérivé le long de la côte du Labrador pour atteindre ensuite l'ouest de Terre-Neuve, jusque sur les Grands Bancs. C'est là que les retours de courant du Gulf Stream l'auraient entraîné vers le sud, en suivant des routes inhabituelles vers les Bermudes et les Açores en raison de sa taille et du champ de glace qui l'accompagnait, avant d'être progressivement amené à disparaître dans la mer des Sargasses.

Au moment de son invraisemblable rendez-vous avec le *Titanic*, explique Richard Brown, l'iceberg montrait sa face immergée au départ du fjord de Jakobshavn : celle qui se trouvait à sa base au moment de son vêlage. En se détachant de son glacier d'origine, il avait certainement arraché à la montagne une masse considérable de charbon. Après plusieurs chavirages et retournements, il dut présenter sa face la plus sombre dans la triste nuit du 14 au 15 avril : raison supplémentaire de croire les témoins qui le décriront comme une masse noire à peine visible sur l'horizon.

Depuis dix-huit mois, il dérivait au gré des courants, toujours menaçant à la lisière des Grands Bancs. Il ne pesait plus que 100 000 ou 150 000 tonnes, mais c'était tout de même trois fois plus que le plus grand navire construit par les hommes. Après s'être sans doute échoué quelque temps, disloqué peut-être sur des hauts fonds, il n'en avait pas moins repris son errance meurtrière. Alors un nouveau voyage s'était engagé, avec une opiniâtreté diabolique, une détermination cruelle qui ne devait rien aux chamans, mais seulement à l'hiver capricieux de cette année-là, qui sévissait autour du 41e parallèle.

Quelles qu'en fussent les raisons, une chronique inhumaine était en train de s'écrire.

L'heure de vérité

« La perspective d'arriver dans les deux jours, avec un temps calme jusqu'à New York, suscitait une excitation générale à bord[1]. » Lawrence Beesley traduit à n'en pas douter ce que pensait l'ensemble des passagers, ce dimanche soir. « La présence à bord d'un grand nombre de beautés très à leur avantage était un sujet de conversation dont nous ne nous lassions pas[2] », renchérit le colonel Gracie dans ses mémoires. Pour peu de temps encore, en vérité.

Le lieutenant William Murdoch, de quart depuis 20 heures, fit réduire l'allure de 22 à 20,5 nœuds en raison d'une légère brume. En suspension au-dessus de l'océan, elle masquait presque entièrement l'horizon. La mer était calme « comme un étang au pied d'un moulin », écrira John B. Thayer[3]. Quand il s'en fit la remarque, il était 22 h 30.

Au fumoir, Benjamin Guggenheim songeait à son épouse qu'il allait bientôt revoir à New York. Au même moment, alors que le soleil était à peine couché sur Manhattan, l'une de ses trois filles, Benita, confiait à sa mère qu'elle craignait pour la vie de son père : « Je sens qu'il arrivera malheur à ce bateau[4] », lui aurait-elle dit sous l'emprise d'une vive angoisse. Cette sourde inquiétude, qui avait tant serré de gorges depuis le lancement du *Titanic*, interpellait à nouveau des personnes que rien ne rapprochait.

Plus l'heure de la rencontre historique approchait, plus il y eut de révélations étranges. Moins d'une heure avant le drame, en France, en Écosse, des hommes et des femmes faisaient le même cauchemar : qui dans ses rêves torturés par la vision d'un naufrage, qui sur son lit de mort. Mais c'est à bord même du paquebot que les terribles intuitions se précisèrent, pour un certain nombre de passagères notamment. Mrs Bucknell eut « le pressentiment d'un désastre imminent », Mrs Hart refusa de dormir « par crainte qu'une catastrophe ne se produisît pendant son sommeil »,

---

1. L. Beesley, *op. cit.*
2. A. Gracie, *op. cit.*
3. *Ibid.*
4. Cité par B. Méheust, *op. cit.*

et Mlle Mulvihill souffla à quelques-unes de ses amies qu'elle était certaine « que c'était pour cette nuit[1] »...

Enfin, le célèbre chroniqueur visionnaire William Stead, qui malgré ses intuitions et ses écrits prémonitoires avait embarqué pour cette croisière inaugurale, fut en proie lui aussi à de terribles égarements qui le décidèrent à s'isoler dans sa cabine, pétrifié par une peur indicible.

Dans l'est de la position du paquebot tout pavoisé de lumières, l'iceberg, dressé comme un hachoir en bordure du champ de glace, trônait en sentinelle. L'iceberg de la baie de Disko. À l'heure exacte au rendez-vous du *Titanic* qui taillait obstinément sa route sur le cap de New York.

Il était 23 heures et la plupart des passagers étaient allés se coucher. La température extérieure était tombée en dessous de 0 °C. Dans le nid-de-pie, les sentinelles Jewell et Symons avaient été remplacées par Frederick Fleet et Reginald Lee, dont les yeux embués clignaient en raison de l'air vif de la nuit. La boîte aux jumelles était vide et leur absence, à jamais inexplicable, ne laissera pas d'alimenter les commentaires. Bien qu'à moitié engourdis par le froid, ils restaient plus que jamais en alerte. Par deux fois en moins d'une heure, ils avaient signalé par téléphone à la passerelle que de la glace flottait sur la trajectoire du navire. Mais ce n'était encore que des morceaux disloqués dérivant au gré du courant. Murdoch n'était pas inquiet, pensant qu'il s'agissait du reliquat du champ de glace annoncé, que l'on était en train de contourner.

Mais un nouveau message venait de parvenir au bureau de la TSF. Il provenait du *Californian* de la Leyland Line. Par télégraphie, son capitaine Stanley Lord lui faisait savoir que, par mesure de sécurité, son cargo venait de stopper au milieu d'un banc de *growlers* dont l'étendue couvrait la mer à perte de vue. Lorsqu'il avait coupé ses machines pour la nuit, le *Californian* se trouvait à environ deux heures de navigation du *Titanic*, à 20 milles dans le nord-nord-ouest

_____

1. *Cf.* B. Méheust, *op. cit.*

131

de sa position. Le radio Cyril Evans insista pour obtenir un accusé de réception de Jack Phillips, qui le rembarra sous prétexte qu'il brouillait la ligne sur laquelle, depuis le début de la soirée, il continuait d'émettre les télégrammes des passagers. Las, l'opérateur du *Californian* éteignit ses appareils et partit se coucher à 23 h 30.

Au même moment, un steward du *Titanic* se présentait au fumoir pour annoncer aux joueurs de cartes qu'il allait devoir fermer le salon pour la nuit. Durant les neuf minutes qui suivirent, on n'entendit que le sifflement du vent dans les étais des cheminées. C'est à peine si le bruit de l'eau fendue par l'énorme étrave en lame de couteau parvint jusqu'aux oreilles des vigies.

Puis, soudain, Frederick Fleet écarquilla les yeux.

De sa main tendue, il désigna dans un halo de brume diaphane une masse sombre surgie de nulle part. Exactement sur la trajectoire du navire. Sans réfléchir, il saisit le téléphone et tourna désespérément la manivelle, jusqu'à ce que la passerelle décrochât. En même temps, Lee agita trois fois la cloche d'alerte qui tinta comme à l'intérieur d'une cathédrale, avec ce son cristallin qui glace le sang comme un tocsin.

Dans le cornet du téléphone, Fleet hurla :

— Iceberg droit devant !

Le paquebot fonçait sur l'obstacle en franchissant sept cents mètres à la minute. S'il ne réussissait pas à contourner le bloc de glace et de pierre qui lui faisait barrage dans la nuit, le désastre serait consommé.

Vingt secondes plus tard, le lieutenant Murdoch avait donné l'ordre de renverser la vapeur et de virer de bord dans un geste désespéré. 23 heures, 39 minutes et 20 secondes : il restait dix-sept secondes avant l'impact... Le calcul était trop simple pour ne pas être effrayant.

William Murdoch et son timonier, le quartier-maître Robert Hichens, dont les mains s'étaient crispées sur la barre à roue, n'étaient pas dupes. Ils savaient que le *Tita-nic*, malgré l'ordre de barre, ne réussirait pas à contourner l'obstacle à temps. Mais il était trop tard pour changer d'option : le destin avait pris le commandement du navire. Il s'en était emparé chaque jour un peu plus, imperceptiblement, et ne le lâcherait plus désormais.

Comme les trois autres officiers présents sur la passerelle, le regard rivé sur l'iceberg dont le sommet culminait à mi-hauteur du mât de misaine, le premier lieutenant comptait les secondes comme un métronome. On pouvait l'entendre murmurer : « Trente-quatre, trente-cinq, trente-six... »

L'étrave commençait à venir lentement sur bâbord, mais il était trop tard. À 23 h 39 et 37 secondes, Murdoch ressentit une vibration sur le plancher. Comme un étrange frottement, sourd et caverneux, qui dura bien trop longtemps pour ne pas alarmer toute la passerelle.

Dix longues secondes d'éternité, sans qu'un mot fût prononcé. Un silence oppressant les avait bâillonnés.

Se ressaisissant, Murdoch fit aussitôt mettre la barre à tribord toute, afin de dégager la poupe du navire. Mais il craignait que l'iceberg eût gravement endommagé la coque sur le flanc droit. « Certainement au-dessous de la ligne de flottaison », se dit-il. Mais dans quelles proportions ? En même temps, il fit coulisser les portes étanches censées fermer hermétiquement les caissons.

Durant trente-sept secondes, l'Histoire avait hésité sur le cours de sa marche. Elle était restée comme suspendue. Pendant deux heures, les officiers, l'équipage et les passagers du *Titanic* vont tenter de croire qu'un miracle était possible.

Pétrifié, Frederick Fleet avait regardé l'iceberg défiler sur tribord et le grand paquebot s'enrouler autour de lui. Les machines avaient été remises en avant lente. De tout le bord, les vigies furent certainement ceux, de leur observatoire, qui virent le mieux la montagne tueuse. « Au début, dira Fleet, cet iceberg n'avait pas l'air très important, de la taille de deux tables posées côte à côte, mais il est devenu de plus en plus gros au fur et à mesure que nous nous

en approchions. Quand nous l'avons longé, il était un peu plus haut que le gaillard d'avant, qui se trouvait à environ quinze mètres au-dessus du niveau de la mer. » Pour Lee, l'iceberg était une masse sombre qui traversa la brume, une haute silhouette dont une face était noire et l'autre blanche[1].

Le matelot Joseph Scarrott fumait une cigarette sur le pont lorsque Reginald Lee fit retentir la cloche. Il témoignera que beaucoup de glace brisée fut répandue sur le pont, du côté droit du navire, au moment où celui-ci défilait le long de l'iceberg. Tentant de le dessiner par la suite, il déclarera : « Ce qui m'a frappé, c'est qu'il ressemblait au rocher de Gibraltar lorsqu'on le regarde de la pointe de l'Europe. Il semblait avoir exactement la même forme, en beaucoup plus petit[2]. »

D'autres membres d'équipage confirmeront sa taille et sa hauteur par rapport au pont supérieur du *Titanic*, lui-même situé à mi-hauteur entre l'ancrage du mât de misaine et le nid-de-pie, c'est-à-dire à plus de vingt mètres au-dessus de l'eau.

Le passager de première classe Jack Thayer, âgé de dix-sept ans, qui voyageait avec ses parents, laissera des croquis du naufrage sur lesquels on distingue les deux pointes de l'iceberg, si souvent décrites par les témoins. Ils affirmeront le reconnaître sur la photographie prise à partir du pont du *Bremen*, arrivé sur zone après le drame. « Oui, c'était bien celui-là, confirmera pour sa part le matelot Frank Osman. Il était rond avec une grande pointe qui dépassait sur le côté. Il était apparemment sombre, comme de la glace sale. J'étais à environ cent mètres de lui. C'était le plus gros des icebergs qui se trouvaient là, les autres n'auraient pas pu faire autant de dégâts, je crois[3]... » Le peintre Colin Campbell Cooper, voyageant à bord du *Carpathia*, le représentera le lendemain matin, lorsque le paquebot de la Cunard hissera les naufragés à son bord. Sa gouache est une vue

---

1. *Cf. R.* Brown, *op. cit.*, et « L'Iceberg tueur » (http://titanic.pagesperso-orange.fr/page56.htm).
2. *Ibid.*
3. *Ibid.*

d'artiste, mais elle semble lui donner la même silhouette à deux pointes, dont l'une aurait mesuré plus de 75 mètres, selon certains observateurs !

L'iceberg meurtrier venait d'entrer dans la légende.

La veille à 23 h 40, alors que l'accident venait d'être porté sur le livre de bord, personne sur le géant des mers n'avait pris la véritable mesure du drame. Hormis les chauffeurs et les soutiers qui travaillaient dans l'enfer du navire, et qui furent les premiers à mourir.

7
INDÉCISE DESTINÉE

Tout de suite après le choc, le capitaine Smith arriva sur la passerelle. Relevant William Murdoch, il reprit aussitôt le commandement du navire.

Le premier ordre qu'il donna fut de stopper les machines. Puis il ordonna au lieutenant Joseph Boxhall d'inspecter les cales, afin de mesurer l'impact de la collision et l'importance des dégâts provoqués par l'iceberg. Thomas Andrews fut appelé pour qu'il se joignît à lui. Sa connaissance du *Titanic* serait précieuse pour diagnostiquer les avaries.

Un quart d'heure plus tard, selon certains témoignages, l'hélice principale était remise en route, en avant lente, pendant une dizaine de minutes. En apparence, rien ne se produisit d'inquiétant. Mais à minuit moins cinq, on sentit le bateau s'incliner légèrement sur bâbord avant de prendre une gîte d'environ cinq degrés sur le bord opposé. Le commandant, constatant cet inquiétant apiquage[1] vers l'avant, fit battre en arrière doucement, puis, comme la manœuvre ne rétablissait pas l'équilibre du navire, il fit à nouveau stopper les machines.

L'irréversible agonie

De la passerelle, on distinguait un champ de glace constellé de petits icebergs, dont certains miroitaient sous

---

1. Angle d'inclinaison d'un navire.

les étoiles. Lorsqu'on se penchait au-dessus de l'aileron tribord, on pouvait encore apercevoir, à peu de distance, une vague masse noire hérissée de deux pointes dont l'une paraissait brisée. Quelqu'un fit simplement remarquer qu'il ne pouvait plus être visible, en raison du temps qu'avait mis le bateau à s'arrêter. Des passagers, sortis pour voir ce qui se passait, ramassaient joyeusement de gros débris de glace jonchant le pont-promenade. Mais, dans l'antre du *Titanic*, le tragique scénario du naufrage avait déjà commencé.

Dans le local de la poste situé dans les ponts inférieurs, les employés avaient de l'eau jusqu'à mi-jambe. Fébrilement, ils s'affairaient à déplacer les sacs de courrier dont beaucoup flottaient jusque dans les coursives.

Plus bas, dans la chauffe, les soutiers luttaient furieusement contre l'océan qui se déversait dans les cales, à flots continus, par une brèche qu'ils estimèrent mesurer près de cent mètres de long! En vérité, la déchirure était bien moins importante, mais suffisamment pour laisser des milliers de mètres cubes d'eau s'engouffrer rapidement dans les entrailles du navire[1]. Or, si l'on avait effectivement prévu des compartiments étanches, leurs cloisons perpendiculaires à la coque ne montaient pas au-delà du pont E. Si bien que l'eau se déverserait bientôt par-dessus, pour envahir la totalité du bateau et l'entraîner vers l'abîme.

Au cours de leur inspection, Andrews et Boxhall virent le charpentier Robert Hutchinson qui remontait haletant

---

1. Les thèses les plus récentes estiment que l'iceberg, en faisant exploser les rivets, disloqua la coque en maints endroits plutôt qu'il ne la déchira sur une longueur continue de plusieurs dizaines de mètres. On a calculé que, pour laisser pénétrer 450 tonnes d'eau en moins de trois quarts d'heure, il aurait fallu qu'une entaille de 70 mètres de long eût une hauteur ne dépassant pas 25 millimètres. Cette thèse, longtemps colportée, semble désormais caduque. Néanmoins, l'épave du *Titanic* étant profondément enfoncée dans le sédiment, elle ne laisse pas apparaître l'impact de sa collision. On est donc contraint à la spéculation en l'état actuel des recherches.

vers la passerelle. En passant, tout ce qu'il put leur dire fut : « Nous faisons eau de toute part ! » Effrayés par la vision de cet homme ruisselant d'eau de mer, ils poursuivirent leur descente. Arrivés au niveau de la ligne de flottaison, ils prirent conscience de l'importance des dommages causés par l'iceberg. Ils pensèrent alors aux hommes de la machine, mécaniciens, chauffeurs et soutiers dont certains avaient dû se faire piéger par la fermeture des portes étanches. L'angoisse les étreignit.

Le pire était à craindre maintenant pour l'ensemble des passagers. Si la carène avait été cisaillée par la glace, combien de temps résisterait-elle au naufrage ? Ils espéraient que les rivets n'avaient pas cédé sous le choc, mais l'océan qui s'engouffrait dans les œuvres vives ne les rassurait pas sur l'état de la coque.

Au niveau des ponts supérieurs, on ne pouvait imaginer l'ampleur du désastre. Sur la passerelle, tandis que Joseph Boxhall terminait son rapport, Thomas Andrews avait déployé les plans du navire sur la table à cartes. Le regard du commandant Smith se posa sur l'architecte avec l'ingénuité de l'espoir. Andrews prit sa respiration et, sans lever les yeux, parcourut lentement le flanc du *Titanic* avec le doigt, sur un tiers de sa longueur. Ce geste parut interminable. Il s'arrêta finalement sur le cinquième compartiment. Puis, s'adressant à Joseph Ismay qui les avait rejoints :

— Et l'eau continue de se répandre.

Il avait la voix cassée par l'émotion. Car tout le monde savait ici que le paquebot, décrit comme insubmersible, ne pouvait pas flotter avec plus de quatre compartiments inondés.

En outre, Andrews leur rappela que la gîte allait rapidement s'accentuer lorsque l'océan se déverserait dans les caissons, au fur et à mesure de l'inclinaison de la coque.

— Jusqu'à faire se dresser le navire tout entier vers le ciel…

Il ne termina pas sa phrase. Au large des Grands Bancs de Terre-Neuve, il y avait près de 4 000 mètres de fond.

Tout le monde avait compris que les pompes seraient inutiles car l'envahissement des cales était trop rapide. Elles permettraient seulement de ralentir la mise à mort.

Le silence submergea quelques instants la passerelle, puis le commandant Smith demanda : « Combien de temps pourrons-nous tenir ? », avant de donner ses premiers ordres. Thomas Andrews répondit d'une voix calme qu'ils avaient deux heures devant eux. Il avait l'expression d'un homme abandonné par ses certitudes.

Le navire, que plus rien ne pouvait détourner de son destin, semblait figé dans le temps comme un ex-voto. Immobile et silencieux, comme étranger au cours de l'Histoire qui allait désormais s'écrire sans lui.

Aucun mouvement de panique ne s'était encore manifesté parmi les passagers, dont la plupart n'étaient pas réveillés. Seule une poignée d'entre eux tentait de se renseigner sur la raison de l'immobilisation soudaine du navire. Quelques-uns pensaient qu'une pale d'hélice avait été perdue, ou que l'ancre s'était détachée pendant la nuit. Un incident mineur de toute façon, comme il en arrivait à chaque voyage. Ceux qui avaient vu l'iceberg se briser sur le pont se réjouirent du tour que prenait la traversée. Ce voyage inaugural était décidément bien romanesque...

Helen Churchill Candee avait pris un bain chaud, puis elle était allée se coucher. Dans le récit qu'elle fera de la nuit du 14 au 15 avril, elle racontera avoir craint, après le choc, que le navire ne se fût échoué « sur le sommet d'une montagne maritime, une montagne jamais découverte jusque-là[1] » ! Soucieuse de connaître l'infortune dont était victime cette nouvelle Arche de Noé, elle quitta sa cabine en quête d'informations. Mais elle ne rencontra personne dans les coursives ni dans les salons. « Où étaient les gens ? » Surprise, elle dut admettre qu'il n'y avait personne pour donner à l'événement le relief habituel de la tragédie : pas d'attroupement, pas le moindre cri de panique ne lui parvenait d'un quelconque

---

1. *Le Manuscrit du* Titanic, Paris, Aristophil/Scriptura (s.d.).

endroit du navire. Elle avait le sentiment de vivre un rêve éveillé. Enfin, elle croisa tout de même un steward qui lui recommanda de regagner sa cabine.

— Les autres pourraient vous voir et s'inquiéter, ne put-il se retenir de déclarer.

La jeune femme, que cette recommandation n'avait pas rassurée, décida de s'habiller pour aller marcher sur le pont. C'est alors que deux de ses amis vinrent frapper à sa porte pour lui demander comment elle avait « supporté l'impact ». Quelque chose s'était donc passé, que d'autres passagers avaient également ressenti.

Si l'on plaisantait encore sur le pont-promenade, où des passagers de première et de deuxième classe se distribuaient des morceaux de glace « en souvenir », les immigrants dont les logements se trouvaient à l'avant du navire n'avaient plus de doute sur ce qui s'était produit. Allumant la lumière après le choc qu'il avait ressenti dans son sommeil, un certain Carl Johnson constata que de l'eau jaillissait sous la porte. Il déclarera s'être rapidement retrouvé les pieds dans l'eau jusqu'aux chevilles.

Cinq minutes après minuit, le lundi 15 avril, le rapport définitif d'avaries était sans appel : la brèche, telle une plaie béante, vomissait les eaux glacées de l'océan dans le grand corps blessé du *Titanic*. Elle représentait au total un peu plus d'un mètre carré d'ouverture à la mer. Et comme l'eau pénétrait également dans la chaufferie numéro 4, sans qu'elle eût encore débordé du compartiment voisin, cela signifiait qu'une seconde brèche avait été ouverte. L'agonie commençait. Elle était désormais irréversible.

La vapeur des chaudières, libérée dès que les machines avaient été stoppées, s'échappait sans discontinuer par les trois cheminées dont les sifflements devenaient une plainte lancinante. Le vacarme était tel que Lawrence Beesley parlera d'un bruit comparable à celui de vingt locomotives actionnant en même temps leurs sifflets.

Il y avait moins d'une demi-heure que la collision s'était produite, et déjà l'eau montait à dix mètres au-dessus de la quille. Elle avait atteint le court de squash et menaçait maintenant la salle à manger des troisième classe.

Le commandant Smith n'avait plus d'autre choix que d'accepter cette inconcevable réalité : le plus grand navire de tous les temps était en passe de sombrer dans les profondeurs abyssales de l'Atlantique Nord. Devant l'adversité, il fallait agir sans tarder. Prendre les bonnes décisions et donner ses ordres avec toute la rigueur que la situation réclamait à son autorité. La prédestination n'offre pas d'alternative. Le temps était compté.

Smith confia donc au second capitaine Wilde le soin de faire immédiatement décapeler[1] tous les canots de sauvetage car il savait que la manœuvre consistant à les déhaler[2] le long de la coque serait longue et périlleuse. Tout à la fois, il se rendit compte qu'il ne pourrait y faire monter tout le monde. Pour la première fois, la cruelle réalité si souvent prédite, toujours niée, le saisit d'une angoisse qui le tétanisa.

Craignant toutefois que son navire ne restât pas à flot suffisamment longtemps pour qu'un transbordement total puisse avoir lieu, il chargea ses officiers d'affecter au mieux les passagers aux chaloupes et radeaux disponibles. Encore fallait-il qu'un navire providentiel pût rapidement leur porter secours.

Pour cela, les télégraphistes allaient devoir lancer au plus vite un appel de détresse. En se fondant sur le dernier point astronomique calculé par le deuxième officier Charles Lightoller, le lieutenant Boxhall calcula la position du navire sur un morceau de papier qu'il tendit au commandant. Rapidement, il avait griffonné : 41° 44' nord, 50° 24' ouest. Lors de la découverte de l'épave en 1985, on apprendra que le *Titanic* gisait en réalité par 41° 46' de latitude nord et 50° 14' de longitude ouest, soit à plus de 13 milles au sud-sud-est de l'endroit déterminé par Boxhall ce soir-là ! Ce qui l'éloignait

---

1. Retirer les bâches recouvrant les canots et mettre en position d'usage.
2. Faire descendre les canots en dehors du navire au moyen des filins et des poulies qui les suspendent à leur bossoir.

un peu plus des deux vapeurs les plus proches qui croisaient alors dans la zone du naufrage, le *Californian* et le *Carpathia*. L'erreur provenait-elle de la précipitation avec laquelle Joseph Boxhall effectua ses calculs, d'une erreur de transmission due au stress du télégraphiste ou d'une mauvaise réception du message à Terre-Neuve? Le mystère demeure.

C'est à 0h10, à 300 milles dans le sud-est du Cap Race, que Jack Phillips lança le premier message de détresse. Inlassablement, il répéta l'appel: un CQD[1] suivi de l'indicatif du *Titanic*. Ce qui signifiait une demande d'assistance urgente.

Si, depuis une dizaine d'années, la télégraphie sans fil avait été progressivement installée sur les paquebots des grandes compagnies, elle n'était pas entièrement généralisée. En outre, de nombreux dysfonctionnements la rendaient parfois inefficace et les procédures internationales n'étaient pas totalement codifiées. Pour autant, elle offrait une assurance non négligeable à la navigation, qui s'en était servie pour la première fois en 1903. En 1906, la Convention de Berlin proposait trois autres initiales: SOS[2], plus faciles à émettre et plus aisément identifiables dans le code morse utilisé par la radiotélégraphie. Le SOS remplaça officiellement l'ancien CQD en 1908, mais il faudrait patienter quelques années pour que le nouvel indicatif soit pris en compte et se généralise.

En donnant l'ordre à Jack Phillips de lancer le CQD, le commandant Smith dut certainement se remémorer le sauvetage du *Republic*, le 23 janvier 1909, après une collision

---

1. Lorsque les lettres CQ étaient émises sur les ondes, il fallait immédiatement cesser d'émettre pour écouter ce qui allait suivre. Le D, pour « danger », informait sur l'urgence de secourir le navire qui lançait l'appel. Par la suite, on eut coutume de faire correspondre ces trois initiales à la formule « Come Quick Danger », littéralement: « Venez vite, nous sommes en danger. »
2. Dans l'alphabet morse, les lettres SOS se traduisent par trois points, trois traits, trois points. D'un point de vue mnémotechnique, SOS se traduit généralement par l'expression « Save Our Souls » (« Sauvez nos âmes »).

avec le *Florida*. Cette nuit-là, grâce à la TSF, le *Baltic* avait pu se rendre sur les lieux du naufrage et transborder les sept cent trente-sept passagers et membres d'équipage du *Republic*, ainsi que les mille six cent cinquante émigrants qui se trouvaient sur le vapeur italien. C'était le père de Joseph Ismay qui avait fait installer la TSF à bord du paquebot.

Ce souvenir n'était qu'une pathétique espérance. Et, dans cette nuit d'avril, rien n'annonçait la proximité d'un navire secourable, susceptible de prendre à son bord l'équipage et les passagers du navire en perdition.

À minuit et quart, le commandant ordonna d'abandonner le navire.

Les vaisseaux fantômes

Pendant ce temps, la station du Cap Race répercutait le message de détresse lancé par le *Titanic*.

Le premier vapeur qui prit connaissance du drame fut probablement le *Mount Temple*, qui croisait à 50 milles de la position du navire naufragé. Mais il se trouvait de l'autre côté de la barrière de glace. Si son capitaine, James Henry Moore, avait instinctivement pris l'initiative de secourir le *liner* de la White Star Line en mettant le cap au nord-est, il fut rapidement arrêté par l'obstacle qui l'en séparait. À bord, on avait pourtant mis en œuvre les préparatifs de sauvetage et des cabines avaient été réquisitionnées pour les rescapés. Mais, craignant sans doute pour sa propre sécurité, ou pensant parvenir trop tard sur les lieux du drame, il renonça et mit en panne. Ayant repris sa route au lever du jour, le *Mount Temple* devait parvenir sur zone après la disparition du *Titanic*.

La veille, si l'on en croit ses passagers, le capitaine Moore avait fait stopper les machines beaucoup plus près du drame qu'il ne l'avait prétendu : à 10 ou 15 milles seulement du paquebot[1] ! Étonnamment, le rapport d'enquête

---

1. *Cf.* R. Gardiner et D. Van der Vat, *op. cit.*

ne tiendra pas compte de leurs témoignages et conclura que James Henry Moore et son équipage n'avaient jamais été en situation de secourir le navire en détresse. Cet excès de prudence – que certains historiens traduiront par de la couardise – aurait dû soulever protestations et réprobations, car il ne s'agissait pas d'une simple trahison morale, mais d'une décision prise en connaissance de cause et contre toutes les lois de la mer. Elle entache aujourd'hui encore le nom de ce navire de la Canadian Pacific[1].

Une autre énigme marque la tragédie du *Titanic* : celle du *Samson*. Ce vaisseau fantôme se trouvait également à proximité du drame qui se jouait dans son périmètre d'intervention possible, au point que ses marins diront avoir vu les lumières du transatlantique se réfléchir sur le ciel. Peut-être plus près encore, si l'on en croit les témoins oculaires qui, du *Titanic*, diront avoir distingué ses feux de mâts, tandis que les embarcations de sauvetage étaient mises à la mer.

Cette affaire a suscité les commentaires les plus acerbes, même si, pendant un demi-siècle, on a ignoré jusqu'au nom de ce navire. Tout ce qu'on savait de lui, c'est qu'il rôdait non loin du drame, tapi dans la nuit. Comme toujours, les témoignages les plus contradictoires sont venus enrichir le mystère. Il reste incontestable que le commandant Smith lui-même l'avait aperçu à 3 milles dans le sud-est environ, dira le lieutenant Boxhall. Au moyen d'un mégaphone, il avait même donné l'ordre aux chefs de chaloupes de tenter de s'en approcher. Mais le navire avait fini par disparaître.

Les marins du *Mount Temple* ont indirectement accrédité cette présence, puisque nombre d'entre eux certifièrent qu'au petit matin ils avaient aperçu la silhouette d'un trois-mâts carré ou d'un brick goélette aux abords du banc de glace.

Bien d'autres bateaux se trouvaient dans cette région, plus ou moins éloignés du drame, mais on ne signala guère d'autres

---

1. *Cf.* l'essai circonstancié de Senan Molony, Titanic *Scandal: the Trial of the* Mount Temple, Chalford, Amberley Publishing, 2009.

voiliers – hormis peut-être le *Dorothy Baird*, une petite goé-lette de pêche immatriculée dans le Massachusetts. Mais les annales du naufrage ne l'ont pas jugée digne d'attention.

Pendant un demi-siècle, l'énigme des bateaux fantômes, restés à l'écart du paquebot sans lui porter secours, cristal-lisera dans la légende du *Titanic*. Jusqu'à ce qu'en 1962 un capitaine en retraite de la marine marchande norvégienne vienne éclairer la lanterne des historiens. Il s'appelait Henrik Naess et révéla qu'en avril 1912 il servait en tant que second capitaine à bord du *Samson*, un *sealer*[1] norvégien immatriculé à Trondheim. Son capitaine, un certain Carl Johann Ring, l'avait affrété pour la chasse aux phoques. Naess confirma la présence du voilier dans la région du 41e parallèle et de la barrière de glace. Ne possédant pas de radio, les hommes du *Samson* n'étaient au courant ni de la présence du *Titanic* dans ces eaux, ni du drame qui se déroulait à son bord. Tout ce qu'ils avaient vu, c'était les feux d'un navire à quelques milles seulement par le travers. Ring et son équipage, craignant qu'il ne s'agisse d'un navire de l'inspection des pêches, quittèrent rapidement les lieux car leurs cales étaient remplies de peaux de phoques de contrebande. Les fusées blanches qu'ils avaient observées avaient redoublé leurs craintes, car il pouvait s'agir d'un appel à d'autres navires pour tenter de les arraisonner[2].

Était-ce bien le *Samson* que les naufragés du *Titanic* avaient aperçu cette nuit-là? Ce n'est pas absolument cer-tain, mais les déclarations de Henrik Naess apportent de sérieuses présomptions à cette thèse. Ses déclarations tardives ne furent d'abord pas prises au sérieux car, d'après l'administration du port islandais d'Ísafjörður, le *Samson* était à quai le 20 avril 1912. Par conséquent, il ne pouvait se trou-ver sur le lieu du naufrage du *Titanic* cinq jours plus tôt. Le vieux Naess n'était peut-être qu'un affabulateur. La question

---

1. Nom donné aux chasseurs de phoques.
2. À cette époque, les fusées tirées d'un navire n'étaient pas exclusive-ment des signaux de détresse. Elles pouvaient être utilisées notamment pour intimer l'ordre à un autre bateau de mettre en panne.

divisa de nouveau l'opinion pendant trente-sept ans, jusqu'à ce qu'un chercheur américain[1] entreprît de consulter les archives d'Ísafjörður. Il découvrit alors, contrairement à ce qui avait été dit, que le 20 avril était le jour où le *Samson* était attendu en Islande, et non celui de son arrivée, intervenue le 14 mai selon le registre du Lloyd's. Cette marge laissait donc aux contrebandiers le temps nécessaire pour atteindre l'Islande à partir des Grands Bancs.

En dévoilant son histoire, Henrik Naess libérait sa conscience d'une obsession qui l'avait poursuivi toute sa vie. Après avoir comparé la position du *Samson* avec celle du *Titanic* au moment de son naufrage, il s'était rendu compte qu'il avait été l'acteur direct d'un drame dont il ne s'était jusqu'alors cru que le spectateur inconscient[2].

Si les affaires du *Mount Temple* et du *Samson* ne défrayèrent pas tout de suite la chronique, il en fut tout autrement du dossier Stanley Lord.

Le *Californian*, propriété de la compagnie américaine Leyland Line, faisait route vers Boston venant de Liverpool. Le capitaine Lord commandait son équipage. Le 14 avril en début de soirée, les conditions de navigation le contraignirent à modifier son cap. À 18 h 30, l'*Antillan* qui croisait à proximité en fut informé par radio. Moins d'une heure plus tard, le *Californian* butait sur la barrière de glace dérivante. À 22 h 20, craignant de s'y enfermer, il décida de mettre en panne et d'attendre l'aube. Il se trouvait alors par 42° 05' nord et 50° 07' ouest. Le vapeur vira de bord, poursuivit quelques minutes sur son erre puis s'immobilisa.

Plus tard dans la nuit, alors que la veille avait été doublée, les feux d'un navire inconnu furent aperçus à 5 milles environ, dans le sud-sud-est par le plein travers. Le commandant Lord demandant quels bâtiments se trouvaient dans cette zone, le radio Cyril Evans lui répondit qu'à sa

---

1. David Eno, cité par G. Piouffre, *Le Titanic ne répond plus, op. cit.*
2. *Cf.* transcription du manuscrit de Henrik Naess, fac-similé publié par B. Riffenburgh, *op. cit.*

connaissance seul le *Titanic*, qu'il avait tenté de contacter une demi-heure plus tôt, croisait dans leur secteur. Or, dans sa déposition, Lord assurera que le navire qu'il avait entrevu ne pouvait être le géant de la White Star Line, dont il aurait aisément reconnu la silhouette.

À 23 h 30, Evans raccrochait ses écouteurs, puis allait se coucher. Une fois débranché, le détecteur du poste ne pouvait plus capter aucun appel car son mécanisme d'entraînement n'avait pas été remonté. À sa décharge, il faut préciser qu'aucune permanence n'était alors obligatoire. C'est donc le lendemain à l'aube, lorsqu'il reprit son service, que la radio lui annonça le naufrage du paquebot.

Lorsque le *Titanic* avait heurté l'iceberg à 23 h 40, le *Californian* était paisiblement encalminé à 20 milles de la tragédie. Stanley Lord certifiera n'avoir vu à cette heure-là aucune fusée de détresse, tout particulièrement dans le sud-sud-ouest de sa position, comme deux de ses hommes l'avaient imprudemment affirmé à des reporters. Une nouvelle polémique allait donc s'étaler dans la presse. Contre le commandant Lord, cette fois, qu'on accuserait de mensonge, de machiavélisme et de non-assistance à navire en détresse.

Il apparaît aujourd'hui que les allégations du soutier Gill et du charpentier Frazer, selon lesquels le *Californian* avait stoppé à 10 milles à peine du *Titanic*, ne relatent pas la réalité des faits, mais des interprétations de l'événement. Intentionnellement ou non, en dépit de leur déclaration sur l'honneur stipulant qu'ils n'avaient aucun grief personnel contre Stanley Lord ou tout autre officier du bord, ils dénonçaient leur commandant à la vindicte populaire, laquelle réclamait des coupables. En faisant ce témoignage, dira Ernest Gill une main sur le cœur, « je veux qu'aucun capitaine qui refuse ou néglige de porter secours à un navire en détresse ne puisse faire taire son équipage[1] ». Un tel exorde ne devait laisser personne indifférent.

---

1. Cité par B. Géniès et F. Huser, *Les Rescapés du* Titanic, Paris, Fayard, 1999.

Leur théorie, qui dénonce en outre la menace et le chantage dont ils auraient été victimes, s'appuie essentiellement sur le fait que Lord n'aurait pas pris toutes les mesures qui s'imposaient, notamment l'initiative de réveiller l'opérateur radio pour tenter de prendre contact avec le navire inconnu qui se trouvait dans leur champ de vision. Sachant qu'au même moment le lieutenant Boxhall émettait de nombreux signaux au moyen d'un projecteur de pont, les hommes du *Californian* auraient dû les apercevoir, s'ils s'étaient trouvés là où ils le prétendaient. Mais ils n'en firent jamais mention et la question ne leur fut pas posée.

Bien des auteurs qui cautionnèrent cette analyse partiale et spécieuse de l'Histoire seraient bientôt démentis. En attendant, Lord continuait de se défendre en certifiant que, s'il avait donné l'ordre de remettre en route, jamais il n'y serait parvenu, en raison du champ de glace qui les séparait. Selon lui, le *Californian* n'avait pas les moyens de sauver d'éventuels naufragés, que la distance estimée fût de 10 ou de 20 milles nautiques. Si tant est qu'il se fût agi du *Titanic*.

À bord du *Californian*, Lord avait demandé qu'on le réveillât vers 4 heures pour évaluer la situation. Lorsqu'il remonta sur le pont, le champ de glace lui apparut moins dense. Un passage s'offrait à l'ouest. Il décida d'en profiter. À 4 h 30, il ordonna qu'on remît les machines en route. Une heure plus tard, le radio du *Californian* apprenait le naufrage du *Titanic*. Le cargo de la Lyland se trouvait alors à 19 milles de la zone du naufrage.

Réagissant aussitôt, Lord lança son navire en direction du point que lui avait signalé son télégraphiste. Malheureusement, au milieu des *growlers* et des icebergs, il ne put donner mieux que 6 nœuds, tandis qu'il cherchait une sortie vers la mer libre. Pendant une heure, il dut ainsi naviguer cap à l'ouest avant de foncer à toute vapeur sur la zone du drame, au maximum de ses vieilles machines. Dans la chauffe, les hommes donnaient tout ce qu'ils pouvaient.

Après deux heures de navigation à plus de 13 nœuds, Lord et son équipage arrivèrent enfin sur zone. Ils y trouvèrent le *Carpathia*, un paquebot de la Cunard arrivé quelques heures plus tôt et qui s'était dérouté en prenant tous les risques afin de recueillir les naufragés. Le second capitaine du *Californian* inscrivit sur le journal de bord : 43° 33' nord, 50° 01' ouest. L'arrivée du *Carpathia* quatre heures et demie après le naufrage discrédita le commandant Lord, accusé de n'avoir pas pris plus rapidement la mesure d'une tragédie qui s'était déroulée à quelques milles de son mouillage.

Arrivé à Boston le matin du 19 avril, l'équipage du *Californian* ne fut pas tout de suite incriminé par la presse, qui relaya ses explications sans les discuter. Ainsi dans l'*Evening Globe*, où Stanley Lord expliquait qu'il avait dû naviguer à moins de 10 nœuds lorsqu'il avait repris sa route le matin du 15 avril : « Il nous a fallu éviter des icebergs énormes, contourner des glaces flottantes et nous frayer un chemin entre des obstacles insurmontables. Nous avons tourné dans tous les sens, revenant parfois sur nos pas, bref, nous avons manœuvré au jugé par des chenaux sinueux. » À quoi le journal répondait qu'il fallait être un navigateur singulièrement averti « pour s'aventurer dans des passes étroites serpentant au milieu de la banquise ». Avant de conclure que, même si l'on est pressé, « on est parfois obligé d'avancer au pas[1] »…

Stanley Lord dut néanmoins quitter la Leyland Line, même si les faits infirmaient que le navire aperçu durant la nuit fût le *Titanic*. Même les lettres de sympathie et de soutien que lui avait adressées le deuxième officier Lightoller[2], rescapé du naufrage et donc témoin de moralité, ne lui avaient été d'aucun secours, ni contre l'attitude du ministère du Commerce qui l'avait à jamais discrédité, ni contre la légende

---

1. Cité par W. Lord, *Les Secrets d'un naufrage, op. cit.*
2. Lettre de Charles Lightoller à Stanley Lord, datée du 12 octobre 1912, dans laquelle il lui souhaite plein succès dans sa défense. C'est donc dans les six mois qui suivirent la catastrophe du *Titanic* que la critique contre le capitaine Lord se mit définitivement en place. *Cf.* Senan Molony, Titanic : *Victims and Villains*, Chalford Stroud, Tempus Publishing, 2008.

noire qui s'acharnait sur lui. La suspicion et l'opprobre s'attacheront au nom de Lord. Encore aujourd'hui, un siècle après les faits et malgré le réexamen de son accusation, il reste associé aux fantômes qui n'ont pas porté secours aux naufragés les plus célèbres de l'Histoire. Même la découverte de l'épave du *Titanic*, à 13 milles du point géographique où l'on croyait qu'il avait coulé, n'y changea rien. Elle confirme pourtant que le *Californian* ne se trouvait pas aussi près du navire naufragé qu'on l'avait prétendu.

Après la sortie du film de Roy Baker intitulé *A Night to Remember*, dans lequel le *Californian* est gravement mis en accusation[1], le capitaine Lord reprit sa croisade contre les assertions et les idées reçues perpétuées depuis 1912. On était en 1958. Membre de la British Mercantile Marine Association, l'ancien commandant mandata son secrétaire général, Leslie Harrison, pour qu'il rouvrît le dossier. Mais ni l'auteur du livre, Walter Lord, ni le producteur du film, William McQuitty, ne jugèrent utile de corriger les attendus de l'histoire qu'ils avaient tirée de la catastrophe. Et le ministère du Commerce ne voulut pas davantage y donner suite car il estimait que c'était déjuger les conclusions que ses experts en avaient tirées à l'époque.

Stanley Lord mourut en 1962, mais Leslie Harrison continua de se battre pour que sa mémoire fût lavée des allégations de non-assistance dont on l'accusait. Le hasard voulut que cette année-là fût celle où Henrik Naess, l'ancien second du *Samson*, rendît publique sa version des faits concernant la responsabilité du chasseur de phoques. Harrison fit évidemment valoir l'importance de cette nouvelle pièce et réclama de nouveau qu'on rouvrît le dossier. Mais il semblait que la cause du *Californian* ne serait jamais entendue car, en 1965, l'administration lui signifia une nouvelle fin de non-recevoir.

Deux ans s'étaient encore écoulés quand, à la mort du passager de deuxième classe Lawrence Beesley, on

---

1. Le film est tiré de l'essai éponyme de Walter Lord, paru en 1955.

découvrit dans ses papiers une déclaration sous serment faite en 1963. Dans cette déposition, il précisait un détail qui ne figurait pas dans son livre publié en 1912, au sujet des fusées tirées par le lieutenant Boxhall. Contrairement aux affirmations des deux matelots du *Californian*, qui prétendaient avoir vu tirer des fusées blanches jusqu'à 2 heures du matin le 15 avril, Beesley jurait que la dernière d'entre elles avait été lancée alors que son canot de sauvetage était mis à la mer, soit à 1 h 30 exactement. « Même en tenant compte de la différence de douze minutes entre les heures relatives du *Titanic* et du *Californian*[1], la contradiction entre les deux déclarations était évidente, et suffisante pour justifier le réexamen de la position officielle », notent John Eaton et Charles Haas[2]. Ce fut pourtant un troisième échec. Le ministère invoquait le fait que, la plupart des témoins étant décédés, il ne pouvait plus y avoir de confrontation.

En 1966, contre toute attente, les juges revinrent toutefois sur leur décision, et l'affaire Lord connut la conclusion positive que le commandant du *Californian* avait toujours appelée de ses vœux.

Aux postes d'abandon

« Le navire était tranquille, aucune agitation ne venait troubler la quiétude apparente qui régnait à bord. Rien ne faisait soupçonner un désastre imminent. » C'est en ces termes que Lawrence Beesley[3] devait décrire les premiers instants qui suivirent la collision. Comme dans l'attente du dernier acte.

En fait, poursuit le témoin, aucun passager ne s'attendait à une issue fatale. Simplement, la situation qu'on leur imposait

---

1. Décalage dû au positionnement géographique des deux navires.
2. Titanic : *destination désastre, op. cit*
3. L. Beesley, *op. cit.* Traduction de B. Alvergne.

à ce moment-là ne laissa pas de les surprendre et de les éton-
ner. Au pire, de contrarier la quiétude de leur voyage.

Percevant une agitation inhabituelle, Elmer Thaylor,
qui occupait la cabine C 126, décida d'aller se renseigner.
Il s'habilla, prit une cigarette dans son étui qu'il alluma dans
la coursive, puis se rendit par le grand escalier jusqu'au
pont-promenade. Croisant un membre de l'équipage, il
l'interrogea sans se départir de son flegme. Et le garçon de
cabine de lui expliquer tout aussi calmement que le paquebot était entré en collision avec un iceberg.

Au même instant, un groupe de personnes accoudées au
bastingage constataient que le navire s'inclinait vers l'avant:
comme un homme poignardé, dira poétiquement Helen
Churchill Candee. Ce fut sans doute à partir de ce moment que
l'inquiétude se substitua aux premières interrogations. Bien
des passagers convenaient maintenant que l'insubmersibilité
du *Titanic* n'était peut-être qu'un argument publicitaire…

La rumeur d'un naufrage imminent se mit petit à petit
à parcourir le navire, des salons de première classe, où
l'on commençait à se regrouper, jusque sur les ponts inférieurs où les stewards avaient de plus en plus de difficulté
à contenir les débordements des immigrants apeurés par
une situation qu'ils ne comprenaient pas. Personne ne
devinait l'issue du drame qui s'invitait comme une mauvaise plaisanterie, un scénario invraisemblable qu'on aurait
jugé inimaginable une heure plus tôt. Mais dès lors que
le commandant Smith demanda qu'on se munît de gilets
de sauvetage pour se rendre sur le pont des embarcations,
tout le monde s'attendit à vivre le pire.

Il y eut bien quelques actes de résistance de passagers
qui ne voulurent pas croire à cette fatalité, mais c'était
une façon d'exorciser l'adversité. Si Elmer Thaylor refusa
de mettre son gilet, il le recommanda tout de même à son
épouse en lui conseillant d'enfiler son manteau de fourrure
sur des vêtements chauds. Et lorsqu'elle désira se rendre
au bureau du commissaire McElroy pour y récupérer ses
bijoux, il l'en dissuada fermement.

D'un seul coup, tout le navire fut en effervescence. On courait en tous sens, on cherchait son chemin dans les tenues les plus hétéroclites. Certains hommes avaient gardé leur pyjama sur lequel ils avaient enfilé, à la hâte et sans discernement, une veste de tweed, un pardessus ou une simple couverture.

Une agitation silencieuse. Feutrée. Presque irréelle.

Si d'aucuns cédaient un peu à l'affolement, la plupart bravaient encore stoïquement l'adversité. Les Butt, Widener, Guggenheim comprirent très vite qu'ils n'embarqueraient pas dans les rares chaloupes, qui emportaient en priorité les femmes et les enfants. Mais ils ne laissaient rien paraître du sort qui les attendait. Tout comme John Jacob Astor, résigné à ne pas accompagner sa jeune épouse Madeleine lorsque l'heure serait venue, confiant à la vie l'enfant qu'elle portait. Ils se trouvaient au salon du pont A lorsque le commandant Smith entra. John Astor se dirigea vers lui et les deux hommes s'entretinrent à voix basse. « Smith paraissait parfaitement calme, raconte Don Lynch, mais, en revenant auprès de sa femme, Astor lui demanda instamment d'aller s'équiper[1]. » Lorsqu'on les verra pour la dernière fois ensemble sur le pont des embarcations, ils seront élégamment vêtus. Comme pour une première rencontre.

Il faisait très froid sur les ponts ouverts à tous les vents. Nombre de personnes s'étaient regroupées dans le gymnase situé juste à côté des chaloupes. D'autres avaient trouvé refuge dans les salons, les fumoirs et sur les ponts inférieurs devant lesquels passeraient les canots de sauvetage descendant le long de la coque.

La plupart des passagers semblaient résignés devant la tragédie dont ils étaient les acteurs annoncés. Mais prétendre, comme Philippe Masson, qu'ils avaient « le sentiment de vivre une aventure[2] » paraît incongru. En se préparant au pire, ils n'obéissaient plus à un simple souci de prudence. Ils prenaient la pleine mesure de l'événement.

---

1. Titanic : *la grande histoire illustrée, op. cit.*
2. P. Masson, *Le Drame du* Titanic, Paris, Tallandier, 1998. Édition de 1987 : Titanic, *le dossier d'un naufrage*, revue et corrigée.

L'aphasie des passagers, ce silence que tout le monde a loué par la suite, contrastait avec le sifflement des cheminées d'où continuait de sortir la vapeur sous pression des chaudières. Leur vomissement lancinant couvrait les voix des hommes d'équipage qui tentaient d'organiser l'embarquement des femmes et des enfants aux postes d'abandon.

Helen Churchill Candee se faisait à l'idée de mourir, mais cette attente lui parut insupportable. De nouveaux passagers, surgissant de nulle part, venaient sans cesse grossir les rangs de ceux qui patientaient au pied des bossoirs. Et, dans cette confusion, personne ne semblait prendre vraiment en charge l'organisation du transbordement. Helen constatait simplement que la gîte avait augmenté. Sinon, tout semblait à sa place. Dans l'ordre des choses.

Le navire s'était endormi. Ce n'était plus qu'une image déjà figée pour l'éternité. Il donnait pour quelque temps encore l'impression d'avoir échappé au destin promis par les augures, mais ce n'était qu'une illusion. « Rien de cassé à bord, pas le moindre vase, pas la moindre coupe de champagne », ironise Hans Magnus Enzensberger[1]. Mais ce n'était qu'un terrible malentendu qui n'allait pas durer.

Des matelots s'étaient regroupés dans l'espoir qu'un officier leur ordonnerait de commander une embarcation de sauvetage. Car on ne pouvait abandonner les passagers à leur sort une fois qu'ils se retrouveraient aux avirons, entassés sur les bancs de nage, à la merci de l'océan. Parmi eux, une centaine de chauffeurs et de soutiers qui demandaient simplement qu'on les libérât de l'enfer. Mais aucune plainte ne sortait de leur bouche, ils avaient l'air d'enfants perdus. Cette fois, c'est le major Peuchen qui s'exprime : « Ils étaient arrivés avec leur sac marin et on avait l'impression qu'ils envahissaient toute la partie du pont où se trouvaient les embarcations[2]. » Quelqu'un vint alors leur demander de se retirer, ce qu'ils firent sans

1. *Le Naufrage du* Titanic, *op. cit.*
2. Cité par B. Géniès et F. Huser, *op. cit.*

s'opposer à la hiérarchie, car c'est ainsi qu'ils avaient toujours vécu. Et le témoin de conclure par cet hommage : « C'était un acte splendide ! »

Pendant ce temps, le flux continuait de grossir. De toutes parts arrivaient des gens que vomissaient les cabines, les coursives et les ponts. Helen Candee écrit encore : « Depuis le virage du vaste escalier jusqu'aux cabines grimpait une procession compacte de passagers, silencieuse, en ordre, marquée par la majesté. La tenue vestimentaire annonçait la tragédie. Sur chaque corps d'homme et de femme était attaché le sinistre gilet de sauvetage blanc[1]. » Tous ces gens ressemblaient aux invités d'un bal masqué, dira-t-elle. Une danse de mort les attendait.

La foule de plus en plus compacte menaçait maintenant de gêner la manœuvre des bossoirs où s'affairaient difficilement les matelots, dans le désordre, avec des gestes maladroits trahissant leur ignorance de l'armement des canots. Les lieutenants Murdoch et Lightoller faisaient pourtant de leur mieux pour pallier leur incompétence.

Quant aux émigrants qui se bousculaient en masse dans les ponts inférieurs, ils n'étaient de loin pas tous parvenus à s'extraire du labyrinthe que formaient les interminables couloirs du navire. Encombrés de bagages qu'ils étaient les seuls à vouloir emporter pour la raison simple qu'ils contenaient toute leur vie, des hommes et des femmes pétrifiés, des enfants perdus cherchaient encore leur chemin. Désemparés, certains étaient restés enfermés dans leur cabine pour prier. Ce fut leur seule indignation, et la seule issue à leur infortune.

Rien ne nous raconte mieux la fracture de l'Histoire que cette première tragédie de l'ère moderne. « Nous étions tous dans le même bateau », conclut Hans Magnus Enzensberger[2] quelques décennies seulement après la catastrophe. Tous des sacrifiés du *Titanic*. Et pour longtemps.

---

1. H. C. Candee, *op. cit.*
2. *Le Naufrage du* Titanic, *op. cit.*

Puis il y eut ces fragments de ragtime venus du salon des première classe, dont parleront la plupart des rescapés. Une musique incongrue que couvrait en partie le sifflement des cheminées. C'est à l'initiative du chef de la formation, Wallace Hartley, que l'orchestre entreprit de jouer dans ce vacarme. Les musiciens s'installèrent d'abord dans le salon, puis, quand les passagers se pressèrent auprès des embarcations, ils les suivirent jusque sur le pont, tout près du grand escalier. Walter Lord dira qu'ils avaient « l'air un peu ridicules », mais que la musique était bonne[1] !

Les musiciens engagés par la White Star étant considérés comme des passagers, ils n'étaient pas inscrits sur le rôle d'équipage. Durant les trois jours de la traversée, ils avaient formé deux ensembles distincts. Tout d'abord, un quintette dirigé par Wallace Hartley qui se produisait à l'heure du thé, ainsi qu'après le dîner. La veille, c'est lui qui avait accompagné l'office religieux. La seconde formation, réunissant un violon, un violoncelle et un piano, n'avait joué qu'au restaurant français et dans la salle de réception. Par son style et ses choix musicaux, leur répertoire composé d'airs classiques et de rengaines à la mode rappelait la Belle Époque de la White Star Line.

En ces heures tragiques, l'initiative de Hartley avait donc réuni une partie de l'orchestre, dont l'enthousiasme s'était achevé dans l'abnégation. Héros improvisés du drame, ces quelques hommes harnachés dans leur uniforme à parements interprétèrent divers morceaux dont le plus pathétique, par sa connotation mystique, a nourri la légende du naufrage – bien qu'il soit controversé. On continuera longtemps de se demander si fut joué cette nuit-là *Nearer, My God, to Thee* (« Plus près de Toi, mon Dieu »). Quoi qu'il en soit, cela n'enlève rien à la légendaire initiative de cet orchestre. Le colonel Gracie écrira que, s'ils avaient réellement joué cet air, les musiciens auraient déclenché la panique parmi les passagers ! Ce furent donc certainement

---

1. W. Lord, *La Nuit du* Titanic, *op. cit.*

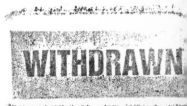

des morceaux plus enlevés que l'on interpréta durant l'embarquement dans les chaloupes. Jack Thayer se souvient quant à lui que les musiciens jouaient dans l'indifférence générale, au milieu d'une foule inquiète et agitée. Combien de temps se produisirent-ils devant ce public incertain? La légende veut qu'ils aient continué jusqu'à ce qu'ils eussent de l'eau jusqu'aux genoux: cette hypothèse paraît sans fondement, vu l'inclinaison du navire au moment de sombrer. « Sans nullement chercher à minimiser le courage de qui que ce soit, je tiens à préciser que lorsque je suis arrivé sur le pont ils interprétaient une valse, confiera l'une des dernières personnes à s'être jetée à la mer. Or, lorsque je suis repassé dans le coin juste avant de sauter, ils avaient disparu[1]. »

Pendant ce temps, des centaines d'autres passagers n'entendaient déjà plus que les gémissements du paquebot que les torsions de la coque menaçaient de briser. Des grappes humaines continuaient de remonter du ventre du navire, attirées par l'air libre comme des papillons par la lumière. Mais c'était la mort qui les prenait par la main.

Néanmoins, tous ne furent pas abandonnés. Certains stewards, tel John Edward Hart, regroupèrent des dizaines d'hommes, de femmes et d'enfants de la troisième classe qu'ils réussirent à conduire auprès des chaloupes, en passant par le pont C. D'autres marins tentèrent d'en faire autant. Ils s'appelaient William Denton Cox ou Albert Victor Pearcey. Et Gérard Piouffre de préciser que « c'est principalement à ces hommes courageux que cent soixante-quatorze passagers de la troisième classe, dont cent cinq femmes et enfants, devront d'avoir la vie sauve[2] ».

En réalité, si l'évacuation du navire ne répondait à aucune organisation, la White Star Line, contrairement à certaines allégations, n'a jamais donné d'ordre visant à tenir à l'écart les émigrants des entreponts qui cherchaient à s'extraire du

---

1. W. Lord, *Les Secrets d'un naufrage, op. cit.*
2. G. Piouffre, *Le* Titanic *ne répond plus, op. cit.*

piège où ils se trouvaient au moment de l'accident. Certains comportements, fort justement incriminés, furent la consé-quence d'un zèle personnel. Ainsi, tandis qu'il enfonçait la porte d'une cabine pour en faire sortir un passager pris de panique qui refusait d'ouvrir, le joueur de tennis William Norris essuya-t-il les vifs reproches d'un steward qui menaça de le dénoncer pour dégradation de propriété…

Certaines situations, plus scandaleuses, ne prêtent guère à sourire. Un certain Daniel Buckley, passager de l'entre-pont, a ainsi rapporté à Walter Lord qu'étant arrivé devant une porte donnant sur la première classe, l'homme qui le guidait avec une dizaine d'autres passagers dans leur course contre la mort avait été brutalement repoussé par un membre d'équipage… au motif que cette partie du navire leur était interdite!

Ceux qui souffrirent nommément de cette discrimination officieuse de la part du personnel de la compagnie furent les ressortissants « méditerranéens » dans leur ensemble. Généralement détestés par l'opinion britannique, ils vont offrir à la catastrophe son plus lourd tribut.

Il était 0 h 25 lorsque commença l'embarquement dans les chaloupes. Il y avait de la place pour mille cent soixante-dix-huit personnes à leur bord. Plus de mille d'entre elles étaient donc mathématiquement promises à la mort. Ou déjà mortes.

8

LA SENTENCE

Au moment où le commandant Smith donna le signal d'abandon, les lieutenants Murdoch et Lightoller étaient à leur poste pour diriger la manœuvre.

William McMaster Murdoch était un habitué de la ligne. Sa grande expérience transatlantique et son habitude des paquebots de la White Star Line l'avaient naturellement désigné comme second capitaine de la croisière inaugurale. Mais on sait qu'au départ de Southampton Edward John Smith lui avait préféré Henry Wilde. Lorsque la vigie avait signalé la présence de l'iceberg, c'était lui qui était de quart à la passerelle. Et les ordres qu'il avait donnés à la machine, puis au timonier, étaient en train d'envoyer le navire par le fond! Cette terrible réalité torturait sa conscience.

La question de savoir ce qui le conduisit à prendre la décision de stopper les moteurs à cet instant crucial est encore sur toutes les lèvres. Pourquoi ne renversa-t-il pas la vapeur et ne donna-t-il pas l'ordre de garder le cap sur l'obstacle, plutôt que de virer de bord? Il savait pourtant qu'à 20 nœuds le géant d'acier n'avait aucune chance de l'éviter, tandis qu'un choc frontal pouvait sauver le navire s'il freinait son allure. Plusieurs exemples avaient corroboré cette thèse par le passé, et chaque fois le navire était resté à flot, quoique fortement endommagé. Les compartiments étanches avaient fait leur office en empêchant l'eau de pénétrer à l'intérieur de la coque au-delà des tôles éventrées. Les architectes les avaient d'ailleurs conçus dans cette perspective en les plaçant perpendiculairement à la coque, car il était rare qu'un abordage se produise par le travers. Lors de l'impact, l'eau pouvait donc pénétrer dans deux ou trois caissons sans que le navire gîte au point de provoquer l'inondation générale qui était en train de condamner le *Titanic*.

Pour quelles mystérieuses raisons Murdoch avait-il fait donner à bâbord toute? Sans doute avait-il été victime d'un réflexe instinctif. Tout s'était enchaîné si vite. Comprenant son erreur, il avait aussitôt fait abattre à tribord afin d'éviter un second choc sur l'arrière du bâtiment. Mais les saillies de glace immergée avaient eu raison de la coque sous la ligne de flottaison[1].

---

1. Nous avons demandé son avis sur cette manœuvre à un officier de pont et de machine de la Marine marchande, Renaud Boyer, de la CMA-CGM. Voici ce qu'il en pense : « Selon la taille de l'obstacle, le choc est inévitable, mais on peut en réduire les conséquences. Selon l'environnement et la configuration de l'obstacle, il faudra venir à droite ou à gauche toute, de préférence dans le sens du pas [sens de rotation de l'hélice] car il tournera mieux ainsi. Si l'on dispose de deux lignes d'arbres, on mettra en arrière toute celle du côté où l'on veut tourner et la ligne opposée en avant toute. Si l'on n'a qu'un arbre, on balance en arrière. Mais autour de 500 mètres, et à plus de 20 nœuds, ce devrait être trop tard pour la machine. Pour autant, le choc en sera toujours moins violent. Lorsque l'obstacle est évité et que l'avant est clair, on enverra la barre à contre, comme si on voulait contourner l'obstacle, sinon le côté et/ou l'arrière se retrouvera sur l'obstacle. Évidemment, on prendra garde à ne pas tomber de nouveau sur l'obstacle en ne laissant pas trop longtemps la barre de l'autre bord. » Cette manœuvre fut très probablement effectuée par le lieutenant Murdoch. Lorsque nous avons demandé à notre interlocuteur s'il était envisageable de ne pas virer de bord afin de prendre l'obstacle de face, il nous a répondu qu'aucun marin n'effectue jamais consciemment une pareille manœuvre, totalement contre-nature. Dans le cas de figure du *Titanic*, on sait que Murdoch n'a pas utilisé ses arbres d'hélice pour accélérer le virement de bord.

Les experts maritimes devaient disculper William Murdoch en affirmant qu'il avait agi conformément à l'usage, qui exige d'un officier qu'il évite de son mieux tout obstacle rencontré sur la route de son navire. Il s'en était fallu d'une poignée de secondes pour que le *Titanic* n'entrât jamais dans l'Histoire et que cette fortune de mer fut aussi vite oubliée.

Un branle-bas désespéré

C'est donc rongé par la culpabilité que le lieutenant Murdoch procédait maintenant à l'évacuation des passagers. À bord des paquebots, la tradition voulait qu'on évacue les femmes et les enfants d'abord. Mais Murdoch décida qu'il donnerait sa chance à tous ceux que son geste avait mis en péril et laissa monter les hommes dans les chaloupes sans les discriminer. Peut-être pour se racheter. On ne saura jamais quelles furent ses véritables raisons, puisqu'il refusera de sauver sa propre vie. Son corps ne sera pas retrouvé.

Tandis que Murdoch dirigeait la procédure d'évacuation sur le flanc droit, le deuxième lieutenant Charles Herbert Lightoller officiait auprès des chaloupes situées sur l'autre bord. Intraitable, voire obtus, c'était un aventurier qui n'avait rejoint la White Star Line qu'en 1900, après avoir été chercheur d'or, cow-boy et vagabond. Soucieux de bien faire, il excellait dans l'intransigeance et refusait de déroger en quoi que ce soit aux usages de la marine. C'était probablement sa manière de prouver sa loyauté à la compagnie et d'asseoir auprès d'elle sa crédibilité.

Lightoller interdisait aux hommes tout accès aux canots de sauvetage – fors l'équipage destiné à les commander –, préférant les laisser partir à moitié vides s'il n'y avait pas de femmes et d'enfants à proximité. Quand on lui reprochera cet excès de zèle, il se justifiera en expliquant qu'au-delà d'une trentaine de personnes dans les chaloupes, il craignait que les bossoirs ne pussent en supporter le poids... Qui nous fera croire qu'à son niveau de responsabilité un deuxième officier n'était pas au courant du système d'évacuation mis en place par les ingénieurs, ni de la capacité de chacune des embarcations qui se montait à soixante-cinq passagers ? Le fait est que sa rigueur et sa rigidité coûtèrent sans doute la vie à des centaines de personnes.

Plusieurs navires avaient maintenant pris connaissance du drame, soit directement, soit par l'intermédiaire du Cap Race. Malheureusement, la plupart se trouvaient si loin du point du naufrage qu'ils ne pouvaient être d'aucun secours. C'était le cas de l'*Olympic*, qui croisait à plus d'une journée de navigation, mais qui ne put se résoudre à poursuivre sa route sans mettre le cap sur son jumeau désemparé, à toutes fins utiles. Le *Baltic*, le *Mesaba* et *La Provence* se trouvaient à plus de 200 milles, tout comme le *Bismark*, le *Frankfurt* et le *Virginian*, qui croisaient dans un rayon de cinq à dix heures de mer.

Un paquebot de la Cunard prit également connaissance du drame de son concurrent de la White Star Line : il s'agissait du *Carpathia*, commandé par le capitaine Arthur Rostron. Bien qu'il fût à plus de quatre heures de route, il était le plus proche de tous ceux qui avaient répondu à l'appel de détresse. Et, malgré la barrière de glace qui le séparait du *Titanic*, il décida de faire un sort à la fatalité. Pour Rostron et ses hommes, il n'y avait pas de prédestination qu'on ne dût tenter de défier.

Pour autant, Smith et ses officiers n'étaient pas dupes du temps qu'il faudrait à ce bâtiment pour les rejoindre. Aussi ne cessaient-ils de harceler Jack Phillips et Harold Bride pour qu'ils continuent d'émettre le message de détresse à travers la nuit, dans l'espoir qu'une oreille bienveillante les entendrait, qu'un navire se situant à moins de deux heures de navigation se porterait providentiellement à leur secours. Mais, à 20 milles à la ronde, l'océan restait désespérément silencieux.

Le commandant fit alors doubler le CQD par le nouveau signal international SOS, qui fut le premier de l'histoire maritime à être lancé sur les ondes. Mais aucun nouveau navire n'y répondit.

Il y avait maintenant de plus en plus de monde auprès des bossoirs. La grande quiétude de minuit était oubliée. Sur le pont des embarcations, la foule ne cessait de grossir au fil des minutes et des canots que l'on s'apprêtait à descendre. À part quelques hommes qui tentèrent de resquiller en se frayant un passage par la force, la foule respectait les ordres lancés par les officiers. L'ensemble des passagers maîtrisaient leur angoisse et leur impatience, mais on sentait que cette discipline était une fausse abnégation et qu'elle pouvait à tout instant basculer dans le désordre et le chaos. C'est probablement la raison qui incita le second capitaine à demander aux officiers d'aller chercher leurs armes à feu dans le coffre où elles étaient enfermées.

Le pont du *Titanic* s'inclinant dangereusement, il était urgent d'accélérer l'évacuation. À l'intérieur de la coque, l'eau se déversait par-dessus les cloisons étanches, tandis que dans les machines, avec la force du désespoir, les derniers mécaniciens luttaient pour maintenir dans les chaudières le minimum de pression nécessaire au fonctionnement de la lumière, de la TSF et des pompes que l'on avait activées avec l'illusion qu'elles repousseraient l'échéance fatale.

Sur les ponts, « l'affolement grandit avec la douleur de la séparation », note Maja Destrem[1]. « Mlle Evans me confia sa certitude de périr noyée », peut-on lire également sous la plume du colonel Gracie[2]. Et ses efforts pour la persuader du contraire furent inutiles.

La tension montait, de plus en plus perceptible. Et la bousculade tant redoutée finit par se produire. C'était le signe d'une fin prochaine. Passant d'un bord sur l'autre, les gens couraient en tous sens, dans le désordre d'un branle-bas sauvage et désespéré. La confusion régnait un peu

---

1. « Un iceberg interrompt tragiquement la première croisière du palace flottant *Titanic* », in *Le* Titanic, *les Géants foudroyés*, s.l., Éditions Magellan, 1998.
2. *Rescapé du* Titanic, *op. cit.*

partout, les gens qui se trouvaient encore à bord prenant maintenant conscience qu'il n'y avait plus d'issue possible et que le piège s'était refermé.

Moins machiavéliques qu'on a voulu le dire, les opérations d'évacuation se heurtèrent à la désorganisation générale de la chaîne de commandement. Tout le monde en fut victime, les plus riches comme les plus humbles des passagers : les noms des disparus démentent la thèse d'une quelconque discrimination par la fortune. S'il y eut plus de victimes parmi la clientèle de l'entrepont, c'est que la répartition des classes à bord du paquebot facilitait l'accès des première et deuxième classe au pont des embarcations. De plus, les émigrants n'avaient pas l'habitude de voyager à bord de ces grands *liners* dont l'architecture compliquée les déroutait. La nuit du drame, perdus dans les coursives entre l'arrière et l'avant du bâtiment que séparaient plus de deux cents mètres de ponts, ils eurent beaucoup de difficulté à trouver leur chemin vers la sortie – itinéraire qu'ils n'avaient du reste jamais exploré auparavant. Enfin, la plupart ne parlaient pas la langue de l'équipage et les ordres d'abandon, qu'ils ne comprenaient pas, augmentaient leur état de panique et les désorientaient un peu plus. Tout concourait à les disqualifier dans cette course contre la mort.

Néanmoins, la White Star Line avait le devoir de prendre en compte toutes les vies dont elle avait la responsabilité durant le voyage, toutes catégories de personnes confondues. De même qu'elle s'était attachée à leur rendre la traversée confortable, elle avait l'obligation de respecter leurs droits en matière de sécurité. Si ce n'est au nom de la plus élémentaire humanité, au moins se devait-elle d'honorer le fait que le *Titanic*, selon la publicité faite autour de son nom, était le meilleur et le plus sûr moyen de traverser l'Atlantique. Car on avait voulu faire de ce paquebot un symbole de réconciliation entre les classes sociales, une sorte d'Arche moderne, comme un pont jeté entre deux mondes.

Chacun pour soi

À 0h45, les premières chaloupes furent mises à la mer. Puis, toutes les cinq minutes environ, une nouvelle embarcation se détacha du paquebot. Sans avoir fait le plein de naufragés. Si dans l'une des chaloupes contrôlées par Murdoch on compta sept hommes parmi les occupants, la première à descendre sous la surveillance de Lightoller en emportait quatre – dont deux matelots – parmi les femmes et les enfants qui s'y étaient installés. En dépit de toute sa vigilance, on verra s'insinuer dans chacune d'elles, clandestinement ou par la force, un certain nombre de passagers que le règlement avait arbitrairement condamnés à passer leur tour.

Cet opportunisme, théoriquement réprouvé, répond d'un comportement naturel de l'être humain, plus largement répandu qu'on ne le croit parmi les sociétés évoluées. Pour s'en convaincre, il suffit d'écouter le commandant Smith qui, deux heures après la collision, alors que le *Titanic* était en train de couler avec près de mille cinq cents personnes encore à son bord, s'adressa solennellement à ses officiers pour leur recommander de sauver leur vie à n'importe quel prix. Tous ne s'exécuteront pas. Mais il y a toujours un moment où les hommes acceptent de dénoncer leurs principes et d'arbitrer leur conscience. Cette clémence a toujours un prix, n'en déplaise à la morale. Pour les resquilleurs comme pour le personnel de la White Star, il ne s'agissait plus de mourir en bravant l'adversité, mais d'être le garant de sa propre survie.

À l'heure dernière, chacun cherche à reprendre sa liberté. « L'homme n'est-il pas pour lui-même le plus méconnaissable des êtres ? », nous a déclaré le docteur Paul Houillon, neuropsychiatre et lauréat de l'Académie nationale de médecine[1]. À cette question d'un expert de la commission

---

1. Correspondance du 22 août au 7 septembre 2010. Archives de l'auteur, Bibliothèque cantonale et universitaire de Fribourg (Suisse), fonds Gérard A. Jaeger, cote LD 64.

d'enquête américaine : « Pensez-vous qu'il était plus judicieux de partir dans une embarcation plutôt que de mourir sur le *Titanic* ? », le matelot Frank Osman confirma ce principe en répondant sans hésiter : « Oh oui ! monsieur[1]. » Ce cri du cœur vaut toutes les dissertations. Le reste est littérature.

L'expérience de ce naufrage montre fort peu de cas d'abnégation totale. Hormis peut-être celui du couple Straus, romanesque et pour ainsi dire d'un autre temps. N'ayant jamais été séparés dans la vie, Isidor et Ida Straus refusèrent l'un et l'autre l'injustice de la ségrégation devant la mort. Mais la plupart des exemples que nous offre la tragédie du *Titanic* illustrent une vérité plus prosaïque, sans doute indigne d'entrer dans les annales. Comme la légende, l'histoire préfère flatter ses héros plutôt que se nourrir des petites lâchetés. John Jacob Astor, avant de se résigner à laisser partir seule sa jeune épouse et l'enfant qu'elle portait, n'a-t-il pas tenté d'embarquer dans le dernier canot disponible, en dépit des admonestations répétées du lieutenant Lightoller ? Au point que ce dernier craignit que la femme du milliardaire ne porte plainte plus tard contre lui.

Parmi les hommes qui embarquèrent dans les canots le 15 avril vers 1 heure du matin, se trouvait un passager qui subira plus que tout autre le mépris de ses contemporains. Pour avoir sauvé sa vie, son existence sera pour toujours entachée par l'opprobre et son nom focalisera le ressentiment des familles endeuillées par le naufrage. Cette attaque, orchestrée par la presse américaine, finira par dégénérer en une controverse qui se perpétue de nos jours. Elle est ancrée désormais dans la légende noire du *Titanic*. La voici.

Durant l'heure qui suivit la collision, aucun témoin ne semble avoir aperçu le directeur de la White Star Line, Joseph Bruce Ismay. Le lieutenant Lowe finit par le repérer devant l'embarcation numéro 5, en train d'exhorter

---

1. Commission d'enquête américaine, citée par B. Géniès et F. Huser, *op. cit.*

Lancé en 1858, le *Great Eastern* n'eut pas une carrière à la hauteur des espérances de son armateur : trop en avance sur son temps, il effrayait les passagers. Jules Verne s'en inspira pour écrire *Une ville flottante*. *(d.r.)*

Le *Clermont* fut le premier bateau à naviguer à la vapeur. *(d.r.)*

En 1912, les progrès de la construction navale avaient permis de faire voyager des millions de passagers entre l'Ancien et le Nouveau Monde. *(d.r.)*

La demeure londonienne du baron William James Pirrie.
(ph. G. Jaeger)

William James Pirrie, patron
du chantier naval Harland & Wolff
à Belfast, à l'origine de la conception
du *Titanic* en 1907, et Joseph Bruce
Ismay, directeur de la compagnie
maritime White Star Line, lors d'une
visite
des cales de construction de l'*Olympic*

Coupe longitudinale du *Titanic*. *(d.r.)*

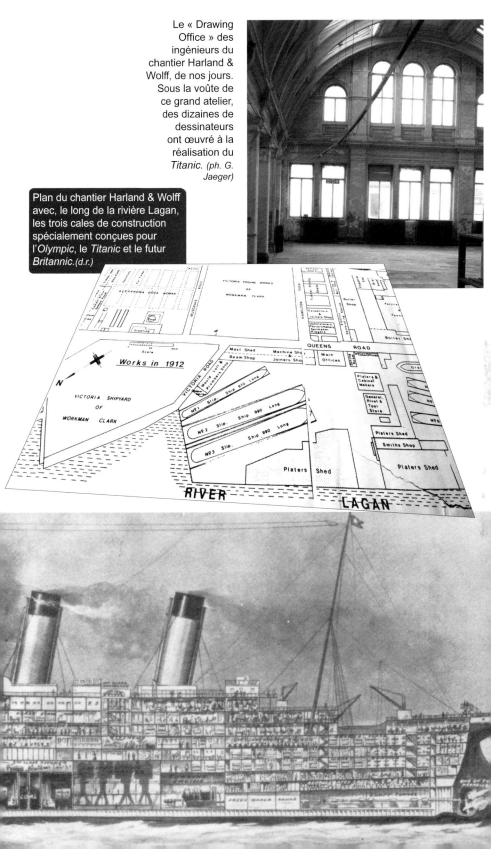

Le « Drawing Office » des ingénieurs du chantier Harland & Wolff, de nos jours. Sous la voûte de ce grand atelier, des dizaines de dessinateurs ont œuvré à la réalisation du *Titanic*. *(ph. G. Jaeger)*

Plan du chantier Harland & Wolff avec, le long de la rivière Lagan, les trois cales de construction spécialement conçues pour l'*Olympic*, le *Titanic* et le futur *Britannic*.*(d.r.)*

L'un des nombreux « *record of times* », registres d'admonestations et de peines que tenaient les contremaîtres à l'endroit des ouvriers du chantier naval. *(d.r.)*

Le *Titanic* sur sa cale de construction n° 3. L'*Olympic* se trouve à sa gauche. *(d.r.)*

Vue actuelle du quai de la rivière Lagan, entre les trois cales de construction et la cale sèche de finition « Victoria » : on y voit encore trois grues datant de la construction du *Titanic*. *(ph. G. Jaeger)*

Thomas Andrews, ingénieur en chef au chantier naval Harland & Wolff, considéré comme le père du *Titanic*.

Vue actuelle de la cale « Victoria ». *(ph. G. Jaeger)*

Vue du *Titanic* dans la cale « Victoria » peu de temps avant sa finition et son départ pour Southampton. *(d.r.)*

Le salon de lecture de l'*Olympic,* construit à l'identique sur le *Titanic.* *(d.r.)*

Le grand escalier du *Titanic,* pièce maîtresse du paquebot et centre névralgique de la première classe. *(d.r.)*

...aisselle spécialement destinée au commandant du *Titanic,* ...jourd'hui exposée au Belfast Harbour Commissioners, dans la ...tanic Room. La manufacture ne l'ayant pas livrée à temps, elle ne ...t pas embarquée lors du voyage inaugural. *(ph. G. Jaeger)*

Le 2 avril 1912, le *Titanic* effectue une journée d'essais concluants selon les autorités maritimes.

Le capitaine Edward John Smith (au centre photographié en compagnie de l'état-major du *Titanic*. (d.r.)

Une partie de l'équipage rescapé du *Titanic* pose devant l'objectif du photographe après son arrivée à New York. (d.r.)

FIRST SAILING OF THE LATEST ADDITION TO THE WHITE STAR FLEET

The Queen of the Ocean

TITANIC

LENGTH 882½ FT.   OVER 45,000 TONS   BEAM 92½ FT.
TRIPLE-SCREWS

This, the Latest, Largest and Finest Steamer Afloat, will sail from
WHITE STAR LINE, PIER 59 (North River), NEW YORK

Saturday, April 20th At 12 Noon

All passengers berthed in closed rooms containing 2, 4, or 6 berths, a large number equipped with washstands, etc.

THIRD CLASS FOUR BERTH ROOM

Spacious Dining Saloons
Smoking Room
Ladies' Reading Room
Covered Promenade

THIRD CLASS DINING SALOON

Reproduction d'une carte d'embarquement à bord du *Titanic*. *(d.r.)*

Cette publicité annonce prématurément le départ du *Titanic* pour l'Europe, le samedi 20 avril 1912, du quai 59 de la White Star Line à New York, sur North River. *(d.r.)*

Le *Titanic*, à quai à Southampton, en train d'avitailler avant l'embarquement de ses premiers passagers. *(d.r.)*

Carte de l'Atlantique Nord indiquant le lieu du naufrage du *Titanic*, au sud de Terre-Neuve, et la position des navires les plus proches de la catastrophe durant la nuit du 14 au 15 avril 1912. *(d.r.)*

L'un des icebergs géants photographiés dans la zone du champ de glace, quelques jours après l'accident du *Titanic*. *(d.r.)*

*Représentation du champ de glace dont fut victime le *Titanic* la nuit du 14 avril 1912. *(d.r.)*

Women and Children First!

THIS IS THE RULE OF THE SEA. So that on the Titanic, with courageous self-sacrifice, the men stood aside while the women and children filled the life boats and were pulled away from the sinking ship.

On this ship were men who had insured their lives in the TRAVELERS, against just such disasters, for more than a million dollars. This is a great loss for any insurance company to have to meet in one disaster, but the TRAVELERS will meet it promptly and cheerfully, taking pride in the fact that in helping the widows and orphans of such noble men, it is doing the work it was put in the world to do.

In times of sudden disaster men rise to these supreme demands of life. No human action can be nobler or more inspiring. But it is not out of the way to call attention at this time to those less heroic acts of self-sacrifice by which many of these men who went down, built up with the help of the TRAVELERS, the legacies which now belong to those they have left behind. May we not think that after seeing the women and children safe, the minds of some of these men dwelt with satisfaction upon the help that would come to their families from the TRAVELERS? And may we not think that the little hardships of meeting premium payments helped to build the kind of character which was able to meet this supreme test of human courage?

The TRAVELERS INSURANCE COMPANY as the pioneer accident insurance company of America, speaks at this time about the value of accident and life insurance with no feeling of impropriety. It believes that it is doing a good work in lessening the hardships which follow in the wake of any disaster, great or small. Even now, while the world is stunned by this great disaster and when it is preparing to meet losses unparalleled in the history of accident insurance, the TRAVELERS feels that it is its duty to remind men everywhere, that at all times it is "Women and Children First," and that men respond to that call when heeding the familiar

MORAL: Insure in the TRAVELERS

Travelers Insurance Company, Hartford, Conn.

Assets, $79,900,000.   Surplus, $12,000,000.   Liabilities, $67,900,000.

The Travelers Insurance Company, Hartford, Conn.

Send me particulars about Travelers Insurance. My name, business address, age and occupation are written below.

BUY FROM OUR ADVERTISERS. SURVEY READERS MAY DEPEND UPON THEIR INTEGRITY

Quelque temps après le drame, cette publicité pour une compagnie d'assurances souligne que la législation maritime impose de sauver en priorité les femmes et les enfants lors d'un naufrage ; en conséquence, elle prévient de la nécessité d'assurer les hommes qui pourraient périr en pareille circonstance ! *(d.r.)*

Le lieutenant William Murdoch était officier de quart à la passerelle lorsque la vigie annonça la présence d'un iceberg « droit devant ». *(d.r.)*

DERNIERS DÉTAILS SUR LA CATASTROPHE

UNE VILLE FLOTTANTE
engloutie
AVEC SES HABITANTS

L'émotion à Londres, à New-York, à Paris et à Cherbourg

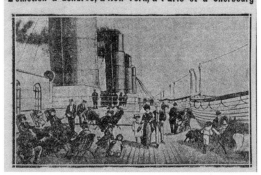

Au lendemain de la tragédie, toute la presse est remplie d'allégations et de rumeurs infondées sur les malfaçons du navire. *(d.r.)*

Les passagers du *Carpathia* portent généreusement assistance aux rescapés, encore sous le choc de la nuit d'horreur qu'ils viennent de vivre. *(d.r.)*

L'une des 16 embarcations de sauvetage en bois du *Titanic*, en train d'aborder le *Carpathia* venu à son secours. *(d.r.)*

Le *Carpathia*, arrivé sur la zone du naufrage le 15 avril à l'aube, afin de porter secours aux rescapés. *(d.r.)*

Aussitôt connue la perte du *Titanic*, une foule immense prend d'assaut les bureaux de la compagnie maritime propriétaire du paquebot. *(d.r.)*

The Denver Times

TUESDAY EVENING, APRIL 16, 1912.   TWENTY PAGES.

VOL. 42: NO. 79.   PRICE 2 CENTS

1,492 GO DOWN WITH TITANIC

RARE HEROISM OF BRAVE MEN OF AMERICA AND ENGLAND AS GIANT TITANIC FOUNDERS UNPARALLELED IN HISTORY OF DISASTERS

All Hope That Fewer Lives Were Lost Is Abandoned When Allan Liners Report 'No Survivors;' 'Women First' Was Rule; Men Representing $500,000,000 Lost; Heroism Touching

IN BITTER COLD AND FEARSOME DARK LINER'S PASSENGERS SEE DEATH APPROACH; ONLY 866 ESCAPE; HOPE FOR OTHERS FADES

Kings of Finance Smile at Death as They Stand Back to Let Poor Women Be Saved From Ice-Killed Ship.

Liferafts Too Few and Husbands Bid Wives Farewell Forever; "Women First," Is Rule Followed.

THE OPERATOR

STEAMER OFFICES SCENE OF BLASTED HOPES AS TEAR-FILLED EYES SCAN RESCUE LI...

Allégorie du naufrage parue dans le *Denver Times* du 16 avril 1912. *(d.r.)*

Sur ce montage photographique publié par la presse au lendemain du naufrage, un cadre représente la faible proportion de rescapés par rapport à l'ensemble des personnes embarquées. (d.r.)

M. JOHN JACOB ASTOR, qui aurait péri dans la catastrophe, et sa femme, qui aurait été sauvée. On se souvient du retentissement qu'eut le mariage de M. J. J. ASTOR.

Le milliardaire John Jacob Astor, l'une des plus célèbres victimes du naufrage, ici en compagnie de sa jeune épouse Madeleine. (d.r.)

Gérard A. Jaeger devant une reproduction de l'arrivée du Carpathia, chargé des rescapés du Titanic, au quai 54 de la Cunard, à New York. (ph. X. Boyer)

Le câblier Mackey-Bennett à Halifax, de retour de sa macabre mission sur la zone de la catastrophe. À son bord se trouvent les corps d'une partie des victimes du naufrage. (d.r.)

Lord Mersey, président de la commission d'enquête britannique, et ses assesseurs. *(d.r.)*

Joseph Bruce Ismay (de face), directeur de la White Star Line, propriétaire du *Titanic,* déposant en tant que rescapé devant les sénateurs. *(d.r.)*

La salle dite « Myrtle Room » de l'hôtel Waldorf Astoria de New York (aujourd'hui « Hilton Room »), dans laquelle s'est tenue une partie des interrogatoires sur le naufrage du *Titanic* par la sous-commission du Sénat américain. *(ph. R. Jaeger)*

Parmi les innombrables peintures murales de Belfast, certaines illustrent la construction du *Titanic*, fierté de l'Ulster et ciment de la réconciliation nationale. *(ph. G. Jaeger)*

Monument commémorant le naufrage du *Titanic*, dans les jardins de l'aile est du City Hall de Belfast. *(ph. G. Jaeger)*

En 2009, la municipalité de Belfast a demandé à l'artiste irlandais Tony Stallard de symboliser la réhabilitation du quartier où fut construit le *Titanic*. *(ph. G. Jaeger)*

Le mardi 14 mai 1912, un mois jour pour jour après le naufrage, l'actrice américaine Dorothy Gibson, rescapée de la catastrophe, mit en scène sa propre histoire dans un film muet qui sera la première œuvre de fiction adaptée du drame. *(d.r.)*

Parmi les objets hétéroclites qui envahissent le marché du souvenir, certains jouent la carte de l'humour noir et de l'ironie, tel ce T-shirt sur lequel est inscrit : « Équipe de natation du *Titanic*. » *(ph. G. Jaeger)*

Les membrures rivetées du transbordeur *Nomadic*, photographiées ici dans leur état actuel avant restauration, donnent une idée de la décrépitude de l'épave du *Titanic*, rongée depuis un siècle par les bactéries. *(ph. G. Jaeger)*

l'équipage à plus de d'empressement dans la manœuvre. L'officier précisera aux enquêteurs qu'Ismay avait « l'air très inquiet et légèrement excité ». Selon le steward George Frederick Crowe[1], Lowe l'aurait écarté en des termes « très grossiers », le sommant de laisser manœuvrer les matelots. « Descendez les canots ! », ne cessait de leur répéter Joseph Ismay. Le témoin ne le connaissait pas ; c'est le lieutenant qui lui apprit qu'il s'agissait du patron de la compagnie. Lowe précisera par la suite qu'Ismay agissait sans doute dans l'intérêt des passagers en voulant les aider à quitter le navire au plus vite, mais qu'en même temps il l'empêchait de faire correctement son travail. « Ismay serait ensuite allé se planter devant le canot voisin, le numéro 3, situé plus en avant sur le pont[2]. » Selon l'intéressé, ce fut avec la même intention d'aider de son mieux les passagers. Ce que confirme le colonel Gracie dans ses mémoires, car l'opération d'évacuation fut selon lui « plus ardue qu'elle n'aurait dû l'être[3] ».

Puis on perd à nouveau la trace d'Ismay, jusque vers 1 h 40. À ce moment, le navire avait pris une inclinaison dangereuse, tandis que l'équipage chargeait les deux dernières chaloupes. C'est alors qu'un groupe d'hommes se précipitèrent sur le toit de la passerelle afin de déplier un des quatre radeaux qui s'y trouvaient arrimés. Au bout de quelques minutes, celui-ci se détacha du *Titanic*, chargé de femmes et d'enfants, de quelques membres d'équipage et de deux hommes… dont l'un était Joseph Ismay.

L'intéressé n'a jamais démenti cette vérité. Lors de l'enquête, il reconnaîtra qu'après être resté une heure à bord du *Titanic* après la collision, afin d'aider les passagers à gagner les canots de sauvetage, il prit effectivement place dans un radeau. C'était moins de trois quarts d'heure avant la disparition du navire. L'embarcation était très chargée lorsqu'il y prit place, sous les yeux des témoins qui ont

---

1. *Ibid.*
2. B. Géniès, F. Huser, *op. cit.*
3. A. Gracie, *op. cit.*

rapporté les faits. Et Joseph Ismay de préciser qu'il s'était décidé « après qu'il n'y eut plus de femmes et d'enfants sur le pont[1] » ni alentour.

Quand on s'aperçut de sa présence sur le *Carpathia*, vers 9 heures du matin, les témoins le reconnurent à peine. Il était complètement défait et parfaitement incapable de prendre une décision, déclarera Charles Lightoller[2], obsédé qu'il était, selon lui, par un seul regret : celui de ne pas avoir sombré avec son bateau. « J'ai tenté de lui ôter cette obsession de la tête, dira l'officier, mais il n'y avait rien à faire. » Le médecin du *Carpathia* eut pour sa part toutes les peines du monde à le sortir de sa torpeur, « tant il s'accrochait maintenant à cette idée » que des femmes avaient péri tandis qu'il avait survécu. Le docteur Houillon[3] parle ici d'une « angoisse vitale que l'on s'applique à compenser », notamment par le remords, dans la mesure où la mort de l'autre « assèche une part de son espace vital ». D'autant plus quand on s'estime coupable.

Ismay ne tentera pas de se défendre, refusant même de commenter la version selon laquelle on aurait vu le second capitaine Henry Wilde le pousser dans le radeau contre son gré. Mais Wilde ayant disparu dans la catastrophe, ses détracteurs pouvaient le charger à merci.

Dès lors, la « fuite » de Joseph Bruce Ismay allait exacerber les chagrins et les envies de vengeance. La presse américaine – et plus particulièrement le puissant conglomérat de Randolph Hearst – ne se privera pas de nourrir leurs récriminations de rumeurs infondées et de quolibets sarcastiques[4]. Le *New York American* publiera notamment son portrait en pleine page, encadré de quelques veuves célèbres dont les maris avaient péri dans l'honneur et la dignité[5]. Au regard du « sacrifice » consenti par

---

1. Cité par A. Gracie, *op. cit.*
2. Cité par R. Gardiner et D. Van der Vat, *op. cit.*
3. P. Houillon, correspondance avec l'auteur, *op. cit.*
4. Voir la préface de Clifford Ismay, p 13.
5. Le journal le surnomma Joseph « Brute » Ismay.

le commandant Smith et l'ingénieur Andrews, la « trahison » d'Ismay faisait recette.

Les rares marques de sympathie et de compréhension qu'on lui adressera ne changeront rien à l'idée, fermement ancrée dans les esprits, que le patron de la White Star Line avait dérogé à la plus élémentaire morale, en même temps qu'à ses responsabilités professionnelles. Pas même les témoignages spontanés, comme cette lettre d'une femme à jamais reconnaissante, que nous a confiée la famille de Joseph Ismay : « Je suis sortie sur le pont et j'ai vu M. Ismay qui se tenait devant moi. C'est alors qu'il s'est écrié : "Que faites-vous encore sur ce bateau ? Je pensais que toutes les femmes étaient déjà parties !" Puis il a dit en regardant autour de lui : "S'il y a des femmes par ici, qu'elles viennent immédiatement par cet escalier !" J'ai marché vers M. Ismay, qui m'a ensuite poussée brusquement vers un étroit passage jusqu'aux embarcations. Son geste m'a sauvé la vie, c'est certain, et je ne doute pas qu'il en ait sauvé bien d'autres en agissant comme il l'a fait[1]. »

C'était sincère et certainement vrai. Mais cette lettre n'eut aucun écho, si tant est qu'Ismay l'eût produite pour se défendre. Pas plus que celle de cet amiral en retraite, qui s'éleva contre ce lynchage collectif dans les colonnes de l'*Evening Post*, une semaine après le retour des rescapés à New York.

L'auteur dramatique écossais Patrick Prior a tiré de cette diabolisation une pièce de théâtre créée en 2010, *The Man who left the* Titanic[2], avec ce sous-entendu péjoratif, « l'homme qui a *quitté* le navire ». Il s'agit d'une confrontation posthume entre Joseph Ismay et Thomas Andrews, l'architecte naval dont la noblesse de comportement avait séduit l'opinion. Après avoir débattu des questions matérielles qui ont conduit au naufrage du paquebot, les deux

---

1. Archives familiales de la famille Ismay. Avec l'autorisation de M. Clifford Ismay, 17 janvier 2011. Traduction de B. Alvergne.
2. « L'Homme qui abandonna le *Titanic* », Isosceles Theatre Company pour The Old Courthouse d'Antrim (Royaume-Uni).

hommes en viennent à discourir sur le bien-fondé du sacrifice qui, par définition, conduit à l'héroïsation, voire à cette forme de sanctification profane qui transforme l'histoire en mythe fondateur. Thomas Andrews était-il pour autant plus courageux que Joseph Ismay?

Sous la plume de Patrick Prior, le directeur de la White Star Line, d'abord mis en accusation par son détracteur, prend progressivement l'ascendant sur l'ingénieur en chef et constructeur du *Titanic*. De victime dénoncée publiquement, il sort bientôt de son mutisme et de l'embarras dans lequel on l'a maintenu depuis cent ans. À la question : « Pourquoi étiez-vous l'homme le plus dédaigneux de la terre? » que lui pose Andrews, Ismay rétorque que « les vrais héros sont ceux qui ont eu le courage d'affronter l'opinion[1] ».

La discussion s'engage ensuite sur le choix des matériaux du *Titanic*, jugés fragiles par certains critiques, et sur le nombre insuffisant de canots de sauvetage embarqués, qu'Andrews n'avait pas contesté malgré les avertissements répétés d'Alexander Carlisle à qui il venait de succéder.

Sciemment, Patrick Prior remet en cause les acquis historiques en normalisant le comportement de Joseph Ismay. Est-ce un crime d'être en vie? combien de temps encore devrai-je entendre que je suis coupable, et qui êtes-vous pour me juger? Telles sont les bonnes questions que le dramaturge met dans la bouche de l'armateur. Et Thomas Andrews de descendre de son piédestal pour être jugé en héros cousu de fil blanc. Sans réaction, prostré dans le fumoir tandis que tous étaient à la manœuvre, sinon à la recherche d'une embarcation de sauvetage, il semble qu'il ait été tétanisé par la peur de mourir. Incapable de prendre une décision pour ses passagers ni pour lui-même. Or, si Andrews est aujourd'hui célébré, c'est plus par opposition à Ismay que pour son comportement vertueux en ces heures noires de la chronique maritime.

---

1. P. Prior, *The Man who left the* Titanic. Extraits traduits par B. Alvergne.

À travers cette pièce de théâtre originale, Patrick Prior sursoit en quelque sorte à une exécution programmée depuis trop longtemps et signe en faveur d'Ismay un droit de grâce que nous paraphons volontiers. « S'ils ne sont ni l'un ni l'autre les protagonistes principaux de l'aventure du *Titanic*, nous a-t-il confié, Andrews et Ismay en sont en revanche le symbole moral. »

La marche à l'abîme

Sur l'Atlantique, le temps sembla subitement s'accélérer. La proue du paquebot s'enfonçait maintenant dans l'océan jusqu'au niveau de l'étrave. Une heure et demie après la collision, le nom du *Titanic* avait disparu sous les flots.

Dans les compartiments de troisième classe, des centaines de passagers étaient encore pris au piège. Des hommes et des femmes trop soumis et disciplinés pour envisager de se révolter devant la mort. Walter Lord évoque un certain Olaus Abelseth, qui considérait l'accès au pont des embarcations comme un privilège auquel il n'avait pas droit[1] !

Alors qu'on descendait les deux dernières chaloupes, le navire gîta subitement sur bâbord en les balançant dangereusement au bout de leurs câbles. Le canot numéro 9 fut aussitôt déporté vers l'extérieur en formant un angle impressionnant avec la muraille d'acier qui venait de basculer, tandis que de l'autre côté le numéro 10 fut plaqué sur son flanc, au risque de se briser. Cinq minutes plus tard, soumis à l'oscillation des tonnes d'eau de mer qui se répandaient dans les cales, le géant blessé revenait sur tribord dans un vacarme assourdissant mêlé de geignements de tôles et de chocs violents provoqués par l'effondrement des installations mécaniques et du mobilier. C'était, au-delà de toute réalité, un spectacle où l'irrationnel le cédait à l'absurde.

---

1. W. Lord, *La Nuit du* Titanic, *op. cit.*

Il n'était que minuit sur la côte Est[1] lorsque Philip Franklin, directeur de la White Star Line pour les États-Unis, fut réveillé par un étrange coup de téléphone. Son interlocuteur, se présentant comme journaliste, lui demanda confirmation de l'accident dont le *Titanic* aurait été victime au large de Terre-Neuve. La nouvelle venait d'être diffusée par la station maritime de Montréal, qui la tenait elle-même du radiotélégraphiste opérant à bord du *Virginian*. D'abord perplexe, celui qui était également le vice-président de l'International Mercantile Marine Company faillit rembarrer l'importun qui l'avait réveillé au prétexte de cette mauvaise plaisanterie. S'il s'était présenté devant lui, sans doute l'eût-il éconduit sans ménagement. Pourtant, les détails avancés par le mystérieux interlocuteur ne laissaient pas d'occuper ses pensées. Malgré l'heure avancée de la nuit, Philip Franklin contacta l'Associated Press à Montréal afin d'obtenir de l'agence des informations plus précises. Il n'en apprit pas davantage. Il entreprit alors d'appeler la compagnie canadienne Allan Line, armateur du navire à l'origine de ce message. Et très vite la cruelle vérité tomba : le *Titanic* était bel et bien en train de sombrer dans les eaux noires de l'Atlantique, à deux jours de mer de New York ! Et c'était à lui qu'incombait la terrible tâche d'en informer la White Star Line. Et le monde entier.

Philip Franklin attendra fébrilement jusqu'à 6 heures, ce lundi 15 avril. Une incertitude le torturait : qu'était-il advenu des passagers ? Il était bien placé pour savoir que les vingt embarcations du bord ne suffiraient pas à les sauver tous, si personne ne se portait rapidement à leur secours.

À l'heure où Philip Franklin prenait connaissance de l'accident, la plus grande confusion régnait encore à bord du *Titanic*. Lentement, le navire commençait à dresser sa poupe vers le ciel. Dans cette nuit sans lune et sans vent, le pavillon bleu de la Royal Reserve, qui avait flotté fièrement depuis Southampton, était maintenant en berne.

---

1. New York avait 1 h 55 de retard par rapport à la position du *Titanic*.

Depuis quelques minutes, les trois gigantesques hélices affleuraient à la surface. Immobiles, elles brillaient comme si les étoiles se reflétaient dans le bronze. Le safran du gouvernail apparaissait dans toute sa hauteur, tandis que le gymnase situé sur le pont des embarcations disparaissait en partie sous les flots. En revanche, les chaudières qui n'avaient pas complètement cessé de fonctionner fournissaient encore de la lumière. Toutes les cabines étaient éclairées, si bien que le pourtour du bateau scintillait de milliers de lucioles captives de l'océan.

Un quart d'heure s'écoula, puis la mer finit par envahir le local radio. À 2 h 15, le commandant vint libérer les deux courageux opérateurs de leurs obligations. Les remerciant, il leur souhaita bonne chance et disparut à jamais.

À bord des embarcations, les rescapés regardaient le paquebot s'enfoncer inexorablement. Plus rien ne pouvait contenir sa marche vers l'abîme. Avec horreur et fascination, ils attendaient, le regard fixe, hypnotisé par ce spectacle qu'ils ne pouvaient quitter des yeux. Ils furent peu nombreux à lui tourner le dos, comme Joseph Ismay prétendra l'avoir fait dans l'espoir d'écarter les fantômes qui ne manqueraient pas de l'assaillir s'il conservait cette image dans sa mémoire.

Au milieu des malheureux qui refusaient de se résigner, courant sur les ponts en tous sens, une poignée d'hommes s'acharnaient à faire glisser l'un des trois radeaux qui se trouvaient encore arrimés en arrière de la passerelle. Il était un peu plus de 2 heures lorsque le radeau C fut prêt à glisser vers l'océan. Pris d'assaut par tous ceux qui avaient réussi à s'en approcher, il s'écarta du bastingage qui affleurait à la surface. À bord se trouvaient une quarantaine de femmes et d'enfants, dont deux petits garçons, Michel et Edmond Navratil, respectivement âgés de quatre et deux ans, que leur père, récemment divorcé, avait clandestinement emmenés pour refaire sa vie en Amérique. Il s'était embarqué sous le nom de Michel Hoffmann, un ami dont il avait subtilisé le passeport la veille de son départ. Ayant confié ses enfants aux bons soins d'une passagère, il était resté sur le *Titanic* et regardait maintenant ses deux fils qui s'éloignaient dans la nuit. Bientôt le radeau ne fut plus qu'un point sur l'océan, une ombre qui s'agitait parmi les ombres et qu'il finit par perdre de vue.

Sur l'embarcation de fortune se trouvait une certaine Margaret Hays, qui avait eu l'occasion de les observer durant les premiers jours de la traversée. Voyant que leur père n'était pas auprès d'eux, elle prit l'initiative de s'en occuper. Et comme elle voulait leur épargner la vision du naufrage, elle leur détourna la tête. Malgré ses efforts pour distraire leur attention, ils refusèrent de s'asseoir et cherchèrent longtemps leur père des yeux. Il était précisément 2 h 15. Dans cinq minutes à peine, l'insubmersible *Titanic* aurait consommé le temps que lui avait accordé l'Histoire.

Il n'y avait plus maintenant que deux radeaux pour faire pièce au destin, or ces deux embarcations se trouvaient sur le point d'être immergées. Avec l'aide d'un matelot, Charles Lightoller s'apprêtait à faire basculer le premier d'entre eux jusque sur un des ponts inférieurs lorsque le paquebot s'enfonça de plusieurs mètres après la rupture d'une cloison étanche. Un passager du nom de Mellors, qui avait participé à son déploiement, fut emporté avec le radeau. Dans le même temps, le deuxième officier Lightoller fut jeté à la mer. Aspiré par un ventilateur des chaudières, il fut plaqué contre son grillage, puis vivement repoussé vers la surface par une bulle d'air chaud venue du conduit d'aération. C'est ainsi qu'il se retrouva à côté du radeau retourné, vers lequel il se mit à nager. Le colonel Gracie s'y trouvait avec John Borland Thayer. « Je pense, déposera-t-il, qu'ils étaient les deux seuls passagers. Il n'y avait pas de femmes parmi nous. Le reste des gens, une trentaine en gros, étaient des chauffeurs et d'autres membres de l'équipage[1]. »

Quelques instant plus tard, la première cheminée dont les câbles venaient de céder chuta lourdement sur l'avant,

---

1. *Cf.* B. Géniès, F. Huser, *op. cit.*

pulvérisant le pont où deux embarcations se trouvaient sur leurs bossoirs un quart d'heure plus tôt. Puis la grande verrière de la poupe explosa, laissant l'eau s'engouffrer par l'escalier jusque dans les profondeurs du navire. L'océan l'alourdit encore. Aussitôt il piqua de nouveau jusqu'à former avec la mer un angle terrifiant. Les passagers des chaloupes qui essaimaient sans but tout autour de l'épave en suspens virent avec effroi des centaines de personnes tomber à la mer.

Les quelque mille cinq cents prisonniers du grand transatlantique virent s'éloigner définitivement tout espoir de s'en sortir. Il n'y avait plus que deux radeaux à bord, pour ainsi dire inaccessibles, et le navire continuait de se dresser vers les étoiles. Comme autant d'offrandes inutiles, ceux qui n'étaient pas encore noyés dans les cabines, les coursives et les salons broyés par des tonnes d'eau noire et glacée, tentèrent de refluer vers la plage arrière. Jusqu'à ce que les uns après les autres, par grappes entières, des hommes, des femmes et des enfants oubliés abandonnent toute prise et se laissent tomber comme des pierres dans le vide, avant de s'écraser quelques dizaines de mètres plus bas. Assommés ou noyés, ils se mirent à flotter comme des espars disloqués. Face à cette scène terrifiante, Helen Churchill Candee écrira : « J'attend[ai]s la fin, pétrifiée. » Plus tard, elle se souviendra avoir supplié Dieu d'abréger leur souffrance[1].

La dernière fois que l'on crut voir le commandant Smith, il tentait au porte-voix de rappeler les chaloupes afin qu'elles viennent au secours de ceux qui se débattaient dans l'eau. Mais aucune n'y répondit spontanément, craignant d'être aspirée par le tourbillon que provoquerait l'engloutissement du navire. Tous ne furent pas de cet avis, mais la majorité l'emporta. « Sauvons nos vies avant celle des autres », dira le quartier-maître Hichens[2] en éloignant le canot numéro 6 de la zone. De nombreuses personnes

---

1. *Le Manuscrit du* Titanic, *op. cit.*
2. Cité par Hugh Brewster et Laurie Coulter, *Tout ce que vous avez toujours voulu savoir sur le* Titanic, Grenoble/Toronto, Glénat/The Madison Press Books, 1999.

tentèrent de rejoindre les chaloupes à la nage, mais leurs efforts ne durèrent que quelques minutes. Certaines y parvinrent néanmoins, mais toutes ne purent y monter, soit en raison de la distance qui les en séparait, soit parce qu'elles en furent repoussées par leurs occupants. Dans cet océan de glace où la température de l'eau était à peine de 1 °C, ils n'avaient que quelques minutes à vivre.

À 2 h 18, le navire se rompit à l'arrière de la troisième cheminée. Où que se fussent trouvées les embarcations de sauvetage, leurs passagers ne purent l'ignorer. Néanmoins, les témoignages ne concordent pas. Certaines personnes déclareront que le *Titanic* sombra d'un seul tenant, plongeant dans les profondeurs de l'Atlantique sans le moindre remous. Telle sera notamment la version du lieutenant Lightoller : « Aucun phénomène, devait-il déclarer, tel le navire se scindant en deux et ses deux parties se dressant au-dessus de la surface, ne se produisit comme purent l'avancer certains journaux américains et britanniques[1]. »

De nombreux autres témoins soutiendront pourtant que sa partie arrière s'effondra en déchirant les ponts jusqu'à la quille, laissant la poupe tournoyer sur elle-même avant de disparaître. Le jeune Thayer soutiendra cette version qu'appuieront des croquis effectués par un passager du *Carpathia* : « Le pont regardait légèrement vers notre radeau », déclarera-t-il alors qu'il voyait l'arrière du bateau se lever jusqu'à faire avec la mer un angle de 65 ou 70 degrés. « À ce point, le paquebot sembla faire une pause qui me parut durer plusieurs minutes. Puis, pivotant peu à peu sur son axe, il se détourna de nous comme s'il voulait cacher à nos regards le monstrueux spectacle qui s'y déroulait[2]. » Toute la presse reproduira ses propos et les dessins qui les accréditaient, et bientôt plus personne n'entretiendra l'idée que le *Titanic* ait pu sombrer sans se briser à hauteur de l'escalier arrière.

---

1. Témoignage cité par A. Gracie, *op. cit.*
2. *Ibid.*

En 1985, les premières plongées sur l'épave ont confirmé la théorie de la cassure. Les deux parties du navire, éloignées d'environ six cents mètres, montrent qu'elles se sont bien séparées entre la troisième et la quatrième cheminée[1].

Lily May Futrelle, qui se trouvait à bord de l'embarcation numéro 9, résume ainsi, deux mois après le drame, la disparition du *Titanic*: « Il y eut deux explosions sourdes. Le navire se sépara en deux. La proue, qui pointait vers le bas, se redressa, se tordit et s'affaissa en même temps que l'arrière, exactement comme un ver de terre sur lequel on aurait posé le pied. Nous étions là, muettes d'horreur, regardant la fin de nos héros. Je crois que nous étions à moitié folles, et très exaltées par cette grande tragédie. Quand le *Titanic* fit son plongeon final, une jeune Française se mit à crier éperdument. Ses cris nous transpercèrent comme un couteau[2]. »

Toutes ces femmes étaient subitement devenues veuves. Mais aucune larme ne sortait encore de leurs yeux asséchés par l'horreur qui les imprimerait à jamais.

Il était 2 h 20, le 15 avril 1912 au sud de Terre-Neuve. Le *Titanic* n'était plus qu'une épave engloutie.

Certains naufragés se débattaient encore et, de loin en loin, leurs appels essoufflés se perdaient dans la fine épaisseur de brume qui nappait la surface de l'eau.

Éparses à l'ombre des icebergs et des glaces flottantes qui les cernaient, les embarcations de sauvetage étaient pour la plupart éloignées les unes des autres. Une grande hébétude écrasait leurs occupants. Certains ne pouvaient détacher le regard de l'endroit exact où, quelques minutes plus tôt, la coque sombre du paquebot se réverbérait dans le miroir de l'océan. D'autres prétendront que

---

1. Un auteur américain, Brad Matson, donnait en 2008 une version selon laquelle la coque se serait brisée en se pliant vers l'intérieur : ce serait la quille qui aurait alors cédé sous la pression de l'effondrement du navire, avant de se détacher au cours de la descente vers l'abîme (*« Titanic »'s Last Secrets*, New York, Hachette Book Group USA, 2009).
2. Déclaration au journal *Le Gaulois*, juin 1912. Citation reproduite par F. Codet *et al., op. cit.*

les hurlements des noyés leur parvenaient encore des profondeurs où le navire les avait entraînés. C'était les appels de détresse que leur lançaient les naufragés qui se débattaient autour d'eux, et qu'ils avaient choisi de confondre ou d'ignorer. Pour ne plus les entendre.

9

ERRANCE MACABRE

Le lundi 15 avril à 2 h 17, le radiotélégraphiste du *Carpathia* captait un ultime message du *Titanic* qu'il remit immédiatement à son commandant, Arthur Henry Rostron. Jack Phillips signalait que la situation du transatlantique était désespérée.

Le vapeur de la Cunard faisait route malgré le danger, mais il perdit bientôt le contact. Le silence s'installa définitivement sur les ondes et Rostron eut un mauvais pressentiment. Il craignit que la cause fût entendue : que le pire se fût malheureusement produit.

Harold Cottam se reprochait de ne pas avoir insisté pour que Phillips lui confirmât avoir bien pris connaissance de ses avertissements. Mais la transmission avait été interrompue. Ce n'est que beaucoup plus tard dans la nuit, alors que le *Titanic* vivait ses derniers instants, qu'il avait pris par hasard connaissance de la situation et en avait aussitôt informé son commandant…

La marche forcée du Carpathia

Il était maintenant 2 h 45. Il restait au *Carpathia* près de trois quarts d'heure de navigation dans le champ de glace avant d'atteindre le point géographique calculé dans la précipitation par le lieutenant Joseph Boxhall.

Le *Carpathia* était un bâtiment de 13 600 tonnes que la Cunard exploitait depuis 1903. Après avoir quitté New York le 10 avril, il avait mis le cap sur Gibraltar avec à son bord sept cent cinquante-trois passagers à destination de Trieste.

Conscient des risques qu'il prenait, le capitaine Rostron avait ordonné à son chef mécanicien, Patrick Sullivan, de pousser les sept chaudières du navire au-delà de ce qu'elles pouvaient donner. Dépassant largement ses capacités de vitesse, la vieille coque de 170 mètres fonçait maintenant à 17 nœuds : trois de mieux qu'on ne pouvait l'espérer de ce paquebot !

Quant au capitaine Rostron, ce marin était de la trempe dont on fait les héros. Il naviguait depuis l'âge de treize ans, comme pilotin[1] tout d'abord, avant de faire ses classes au sein de diverses compagnies. Il avait rejoint la Cunard en 1895, après avoir obtenu son brevet de capitaine au long cours. Ancien second capitaine du *Lusitania*, Rostron avait quarante-deux ans lorsqu'il prit le commandement du *Carpathia*, moins de trois mois avant les terribles événements du 15 avril 1912. Son expérience lui disait qu'il lui faudrait compter avec la chance cette nuit-là. Et de surcroît avec la protection divine, qu'il implora dans son for intérieur pour que le Ciel l'assiste dans cette opération périlleuse. Son second, James Bisset, témoignera de cette attitude exemplaire, à la fois responsable et recueillie.

Depuis qu'il avait pris la décision de se porter au secours du *Titanic*, Rostron et son équipage avaient mis tout en œuvre pour recevoir ses naufragés. L'opération nécessitait du courage et de la détermination, ainsi qu'une excellente organisation. Il lui fallait éviter de faire courir des risques inutiles à ses propres passagers, qui dormaient profondément au moment où le paquebot s'était dérouté.

À bord, ce fut un branle-bas immédiat. On commença par doubler la veille en installant deux vigies supplémentaires à la proue du navire. James Bisset prit place quant à lui sur

---

1. Élève officier de la Marine marchande.

l'aileron tribord de la passerelle, qu'il ne quitta pas durant quatre heures, scrutant la mer et l'horizon dans l'air glacial qui lui fouettait le visage. Aux côtés du timonier, le commandant surveillait le cap et donnait ses ordres de barre en fonction de l'épaisseur du champ de glace qu'il traversait et de l'éparpillement des icebergs que le *Carpathia* contournait en ralentissant à peine sa marche. Son étrave fendait les plaques dérivantes comme un brise-glace.

Les trois médecins qui se trouvaient à bord furent réquisitionnés pour transformer les salles à manger en infirmeries de fortune, de manière à prévenir toute médicalisation d'urgence. L'absence d'information sur l'état de santé des naufragés nécessitait de prendre les mesures les plus radicales et d'anticiper une situation dont ils ignoraient la gravité. Le commandant Rostron et ses hommes ne savaient pas combien de personnes ils trouveraient vivantes sur zone, ni s'il leur faudrait repêcher des corps au milieu des fragments de banquise. Une morgue improvisée fut donc installée à fond de cale.

Les cabines, pour les deux tiers inoccupées, furent préparées pour recevoir plusieurs centaines de sinistrés. Des couvertures furent empilées sur le pont, où les chaloupes étaient déjà décapelées pour être mises à l'eau en cas de nécessité. Les portes extérieures de la coque furent libérées pour être ouvertes sur les canots de sauvetage qui se présenteraient à la coupée. Plusieurs chaises de calfat[1] et l'échelle de pilote disposées sur le pont principal, ainsi que des bâches au pied des palans pour y transborder les enfants et les blessés.

Afin de prévenir les vagues susceptibles de ralentir le sauvetage, voire de le mettre en péril, le commandant ordonna que de l'huile fût disposée en fûts près des toilettes tout autour du navire, que l'on ferait filer par les conduites

---

1. Généralement constitué d'une planche de bois soutenue par deux filins, il sert au matelot préposé à l'entretien extérieur de la coque. Le siège, suspendu à une poulie, peut être descendu et remonté par un palan.

d'évacuation pour étaler la mer le long de la coque. En cuisine, on préparait de la soupe, du thé et du café.

Pareille organisation ne pouvait qu'éveiller l'attention des passagers. Aussi un steward prit-il place dans chacune des coursives pour leur expliquer ce qui se passait à bord et, le cas échéant, les rassurer – notamment sur le fait qu'on avait coupé le chauffage pour donner trois nœuds de plus à la machine.

À son poste sur la passerelle, Arthur Rostron décomptait les milles parcourus et chaque tour d'hélice le rendait un peu plus nerveux. Qu'allaient-ils trouver sur la zone du naufrage? Il n'avait plus aucune nouvelle du *Titanic* depuis que sa radio s'était tue. S'il s'attendait au pire, il ne pouvait imaginer que le plus grand paquebot du monde eût disparu sans la moindre échappatoire. Il fit mentalement le décompte des chaloupes de sauvetage embarquées sur le géant de la White Star Line, dont il connaissait les caractéristiques. Si par malheur le transatlantique avait sombré, comprit-il aussitôt, la plupart de son équipage et de ses passagers avait peut-être déjà disparu dans les ténèbres de l'océan… Il lui restait l'espoir que d'autres navires fussent en route pour lui porter secours avant lui, faute de quoi le pire était à redouter. Malgré tout, le commissaire du bord et son adjoint se tenaient prêts à prendre l'identité des rescapés.

À partir de 2 h 45, le commandant fit tirer des fusées éclairantes toutes les quinze minutes pour donner espoir aux naufragés qui ne manqueraient pas de les voir. Puis les coupées furent éclairées.

Pendant ce temps, les préparatifs continuaient à bouleverser la quiétude de la nuit. Quelques passagers ouvrirent la porte de leur cabine afin de s'enquérir de cette agitation, les hommes postés dans les coursives leur demandant de ne pas en sortir afin de ne pas compliquer la tâche de l'équipage. Curieux d'en savoir davantage, certains gagnèrent le pont malgré tout. Walter Lord, les ayant interrogés, racontera que de petits groupes s'étaient cachés de l'équipage afin de s'assurer que le navire n'était pas en péril[1].

La romancière Christine Féret-Fleury s'est inspirée des souvenirs de John Thayer pour écrire le *Journal de Julia Facchini*. Dans son récit, où l'imagination de l'écrivain l'emporte sur la réalité des faits, la jeune héroïne se trouve avec sa mère à bord du *Carpathia*. Le 15 avril 1912 au petit matin, elle prend conscience du drame qui pousse le paquebot de la Cunard à se dérouter au milieu de l'océan de glace. Cette expérience devient pour elle un véritable voyage initiatique, la révélation d'une maturité vécue par procuration. « J'ai l'impression que cette nuit-là j'étais plus vivante, confesse-t-elle. Comme si j'avais été entourée jusque-là d'un cocon qui craquait maintenant de toutes parts[2]. » Ce fut aussi le cas d'un grand nombre de gens que le naufrage du *Titanic* fit basculer dans un nouvel âge.

Le commandant Rostron exigea de ses hommes qu'ils fissent preuve d'humanité, mais également de calme, d'ordre et de fermeté. Il ne tolérerait aucun débordement. Ce qu'il avait entrepris méritait certes d'être loué par les naufragés qu'il s'apprêtait à secourir. Toutefois, il ne s'enorgueillira jamais de ce qu'il considérait être son devoir et non un exploit, en dépit des difficultés et des dangers que d'autres n'avaient pas assumés. C'est peut-être ce qui fait écrire à Robin Gardiner et Dan Van der Vat qu'Arthur Rostron fut « un héros par défaut de la tragédie du *Titanic* », comparé aux capitaines Smith ou Lord dont les actes et les manquements n'avaient guère fait honneur à la Marine marchande. Et les auteurs de *L'Énigme du* Titanic de conclure : « La qualité qui valut [à Rostron] une telle reconnaissance des deux côtés de l'Atlantique ne fut pas tant son courage que l'extraordinaire compétence dont il fit preuve : véritable marin, ferme dans ses

---

1. *Cf.* W. Lord, *La Nuit du* Titanic, *op. cit.*
2. Christine Féret-Fleury, *SOS* Titanic. *Journal de Julia Facchini (1912)*, Paris, Gallimard Jeunesse, 2005.

décisions lors d'une alerte en mer, il se montra d'une remarquable efficacité[1]. »

À 3h30, le *Carpatia* fut obligé de ralentir sa marche. Tout autour de lui, dans la nuit très noire où se détachaient les silhouettes nébuleuses de quelques grands icebergs, régnait une paix sépulcrale. Un drame recouvert d'une chape de silence envahissait la surface de l'océan. Des radeaux de glace dérivaient imperceptiblement autour du navire.

Le transmetteur d'ordres émit un tintement froid qui résonna sur la passerelle. Le commandant avait fait mettre les machines en avant lente. Transi, le second capitaine quitta quelques instants l'aileron en frottant ses mains l'une contre l'autre. Il fit contrôler le point géographique et constata que la mer était déserte, là où l'on s'attendait à trouver les premiers rescapés.

Une immense détresse envahit aussitôt les officiers et les hommes d'équipage. Tout, autour d'eux, n'était que désolation. Et ce silence que ne brisait qu'un lancinant clapot contre la coque d'acier. Ce silence toujours…

Lorsque Rostron fit tirer de nouvelles fusées, il aperçut à l'horizon quelques petites lueurs éparses et fragiles comme des lumignons. D'étranges feux follets à la surface de l'eau.

Tout de suite, il donna l'ordre de mettre le cap sur ce qu'il espérait être un souffle de vie. Redoublant de prudence, il vit bientôt apparaître dans le cercle noir de ses jumelles un frêle esquif au mât duquel oscillait un feu de tempête. Puis un autre. À 3h50, il fit stopper les machines et le *Carpathia* courut une minute ou deux sur son erre. La première chaloupe du *Titanic* venait d'être retrouvée, à 4 heures ce lundi 15 avril.

Le témoignage de Lawrence Beesley confirme ce qu'évoqueront les autres naufragés. « Pas très loin de nous, écrira-t-il, s'avançait un navire dont on distingua bientôt la bande

---

1. R. Gardiner, D. Van der Vat, *op. cit.*

noire de la cheminée[1]. » L'arrivée du paquebot salvateur ne donna pas lieu à des manifestations de joie débordantes, mais au réveil d'un cauchemar interminable, comme ceux dont on émerge presque avec terreur. Le temps de prendre les repères de la vie, qui avait momentanément abandonné les acteurs tragiques du naufrage.

À cause d'un iceberg, le paquebot salvateur fut contraint de se détourner vers le sud avant de s'approcher des chaloupes. « On voyait de l'agitation sur le pont, et nous étions tentés de nous en approcher à la rame. Mais plutôt que de prendre des risques, nous avons préféré attendre qu'il arrive jusqu'à nous. Qu'importait alors ces quelques minutes d'impatience, maintenant que nous étions sur le point d'être sauvés[2] ! »

De son côté, Helen Churchill Candee constatait que s'il y avait de l'animation dans son embarcation, l'inquiétude n'avait pas disparu. Tout comme elle, les survivants de cette nuit-là eurent une pensée pour leurs compagnons d'infortune que la chance avait abandonnés : « J'étais avec ceux dont les âmes se sont envolées, dira-t-elle, hésitant à nous quitter, avides de donner leur courage et leur altruisme à ceux dont la vie n'est pas terminée[3]. »

Après avoir contourné l'iceberg, le bâtiment présenta son étrave aux naufragés. Sur la coque, ils purent lire ce nom qui restera gravé dans les mémoires : *Carpathia*...

Les femmes à la barre

Les embarcations du *Titanic* étaient dispersées sur une assez vaste étendue, chacune ayant dérivé sans ordre au gré de l'océan. Certains de leurs occupants avaient souqué quelque temps pour s'éloigner du paquebot lorsqu'il

---

1. L. Beeslay, *op. cit.* Traduction de B. Alvergne.
2. *Ibid.*
3. *Le Manuscrit du* Titanic, *op. cit.*

s'était dressé devant eux avant de s'enfoncer dans l'abîme. D'autres avaient hissé la petite voile qui les armait sans en attendre aucun secours, pour se rassurer ou s'imaginer qu'ils maîtrisaient le destin. C'est ainsi qu'elles furent découvertes, à la merci du hasard.

La vue du paquebot salvateur mit un terme aux angoisses des naufragés, sans pouvoir effacer les terribles images imprimées dans leurs souvenirs. En ces instants tragiques, heures essentielles de l'existence, tout ce qui est temporaire et passager disparaît, déclarera le révérend Newell Dwight Hillis dans un sermon sur les enseignements du naufrage. « Heureux furent les amis de Dieu, en conscience et en actes[1] », dira-t-il, car seul demeure ce qui est grand et permanent comme la vérité, l'amour et la pureté.

Il faudra bien du temps pour que les mémoires décantent les leçons de cette terrifiante expérience. Pour l'heure, les histoires individuelles et collectives devaient rester secrètes, avant de pouvoir s'exprimer par des mots. Car, depuis le début du calvaire, un grand hébétement s'était emparé des naufragés et les envahissait encore tout entiers.

L'errance des canots de sauvetage serait bientôt portée à la connaissance du public, mais les premiers témoignages furent brièvement confiés à l'équipage du *Carpathia*. Par bribes et sans suite, à la manière d'un puzzle dont on cherche à fixer le cadre, mais dont les formes et les couleurs n'ont pas vraiment de sens. Ces récits s'entremêlaient encore, se contredisaient parfois, mais ils avaient un point commun : lorsque le navire eut disparu dans les flots, racontaient-ils, la mer fut remplie de plaintes et d'appels désespérés qu'il faudrait exorciser d'une manière ou d'une autre.

Une passagère de première classe, Amélie Rose Icard, confiera en 1953 au micro de la Radio suisse romande : « Avant l'arrivée du *Carpathia* qui devait nous recueillir transis, complètement épuisés, notre barque et quelques autres retournèrent sur les lieux de la tragédie. Les eaux étaient calmes,

---

1. A. Gracie, *op. cit.*

et rien ne pouvait supposer que le géant des mers s'était englouti là[1]. » L'océan recouvrait d'un linceul de pudeur les traces morbides de la catastrophe. Ce que confirme Berthe Leroy, qui accompagnait un couple de riches Américains dont elle était la jeune gouvernante française : « Je revivrai ce drame toute ma vie », répétera-t-elle jusqu'à sa mort[2].

Néanmoins, beaucoup finiront par avouer que le spectacle de la mort observée de si près les avait laissés indifférents – « à en perdre le sens de l'horreur[3] », pour reprendre l'expression d'Algernon Barkworth, un passager de première classe qui s'était retrouvé nageant au milieu des cadavres à la dérive, avant de rencontrer une embarcation qui voulut bien le recueillir. Comme pour le colonel Gracie, cette vision macabre faisait maintenant partie des images qui avaient violé sa mémoire. « À vingt mètres de nous, un groupe de sept ou huit cadavres dont deux femmes, tous maintenus debout par leur ceinture de sauvetage, dansaient au mouvement des vagues. Nous les eûmes pour voisins pendant au moins une heure. Puis, peu de temps avant qu'on vînt nous recueillir, ils s'éloignèrent, toujours ensemble, toujours sautillants. Vers l'ouest, on voyait, quand la houle nous soulevait assez haut, des champs entiers de cadavres. Comme ceux que nous avions près de nous, les autres se tenaient verticalement, la tête et les épaules hors de l'eau. Ils étaient groupés par bandes compactes qu'on voyait onduler dans le roulis[4]. »

Cette danse macabre hantera toujours les rêves des rescapés. Le comportement de certains d'entre eux mérite d'être rapporté car il fait honneur à la nature humaine et rend la chronique des naufrages un peu moins sordide.

Madeleine Astor fut une de ces figures exceptionnelles. Grâce à elle, quatre personnes furent arrachées

---

1. Titanic : témoignages des survivants (1915-1999), s. l., Frémeaux & Associés, 2000. CD 1 [Archives sonores].
2. Entretien du 1er décembre 1968 à la Radio suisse romande, *ibid.*
3. Cité par D. Lynch, *op. cit.*
4. A. Gracie, *op. cit.*

aux griffes de l'océan et hissées sur l'embarcation qu'elle occupait avec une trentaine d'autres femmes. Huit hommes d'équipage les accompagnaient. Lorsque le navire s'était enfoncé dans les flots, un matelot s'était écrié : « Souquez ferme si vous voulez sauver votre peau, sinon nous allons être aspirés ! » Tout le monde s'était alors mis aux avirons sans opposer de résistance ni poser de questions. Marian Thayer, Emily Ryerson et Madeleine Astor ne furent pas les dernières à prendre part à la manœuvre. Mais, voyant qu'elles ne couraient aucun danger à rester dans la zone où le paquebot venait de sombrer, elles firent demi-tour sans demander leur avis aux marins. « Quelques-unes d'entre nous avaient bien protesté, témoignera Mrs Ryerson, mais les autres insistèrent et l'on sauva ainsi plusieurs hommes de la noyade, des stewards, des chauffeurs, des marins[1]… »

Parmi ces femmes, six avaient laissé leur époux sur le pont du *Titanic*. Cette courageuse opération fut menée avec des bébés à bord. Ce ne fut que le début d'une nuit d'activités soutenues dont rend compte le témoignage de Mrs Thayer. Alors que le canot commençait à faire eau de toutes parts, leurs occupants tentèrent encore, au mépris du danger, de rejoindre le radeau B, qui s'était retourné et sur lequel se tenait notamment le lieutenant Lightoller. « Tout le temps que je passai debout à ramer, dit-elle, de l'eau glacée recouvrit mes bottes. Pourtant, nous récupérâmes à nouveau une quinzaine d'hommes […]. On ne pouvait plus s'asseoir et tout le monde se tint debout, sauf de rares personnes assises le long du bord[2]. » Mrs Thayer achève sa déposition en indiquant que, si le *Carpathia* avait encore tardé à les secourir, ils auraient coulé tant la chaloupe emportait d'eau.

Si l'équipage des canots en avait officiellement le commandement, il n'avait pas nécessairement l'ascendant sur leurs passagers. Et ce, malgré les tentatives d'intimidation.

---

1. Cité par A. Gracie, *ibid.*
2. *Ibid.*

Dans l'embarcation numéro 6, à la barre de laquelle se trouvait le timonier Robert Hichens, une trentaine de femmes avaient pris place, parmi lesquelles se trouvait la figure haute en couleur de Mrs James Joseph Brown, plus connue parmi les voyageurs transatlantiques sous le nom de Molly Brown. Sa nature généreuse et sympathique l'avait fait accepter parmi le petit monde de la finance, où la fortune de son époux lui avait ouvert toutes les portes. Certes au prix d'un ressentiment et d'une jalousie à peine voilés, mais cette femme de simple extraction ne s'en laissait conter par personne. Sur ce canot se trouvait également le major Arthur Peuchen, aide de camp du président Taft. Mais c'est Molly Brown qui prit d'autorité la tête de la fronde lorsque l'homme de barre refusa de se mettre aux avirons. Ôtant sa brassière de sauvetage, elle empoigna une rame et de la voix encouragea ses compagnes à faire de même. Toute la nuit, jamais avare d'encouragements, elle devait soutenir le moral des rescapés qu'elle avait pris sous sa protection. Réconfortant un chauffeur qui grelottait dans ses hardes, elle l'enveloppa de son manteau de fourrure. « Tout au long de l'épreuve, sa gaîté et sa force de caractère firent beaucoup pour empêcher la panique », écrivent John Eaton et Charles Haas[1]. Ce que confirme Helen Churchill Candee, évoquant le timonier Hichens que la peur avait entraîné dans la folie. « Il n'eut de cesse de nous houspiller, rapportera-t-elle à son tour, et de nous rappeler à tout bout de champ que nous nous trouvions à des centaines de milles de la terre, sans eau, sans nourriture, sans rien pour nous protéger du froid et de la tempête. Bref, que nous étions voués à mourir, de famine ou par noyade[2]. » Lorsqu'il leur dit ensuite qu'il ne savait même pas où ils se trouvaient ni où ils allaient, Mrs Candee, excédée, le fit taire en lui montrant l'étoile Polaire !

De la tension, il y en eut, en raison des divergences qui animaient les occupants des embarcations. Et force est de

---

1. Titanic : *destination désastre, op. cit.*
2. H. Churchill Candee, citée par A. Gracie, *op. cit.*

constater que l'équipage, en règle générale, ne fut pas à la hauteur de sa tâche et de ses responsabilités.

À bord de l'embarcation numéro 8, la comtesse de Rothes tenait la barre et toutes les femmes les avirons, assises aux bancs de nage. Ella Stuart White témoignera de cette absence d'encadrement auprès de la sous-commission américaine : « Où serions-nous sans ces femmes, livrées que nous étions à des hommes qui ne connaissaient rien à rien ? Voilà entre les mains de qui nous nous sommes retrouvées. Je suis même parvenue à réprimer deux ou trois bagarres. Une autre chose aussi me répugne. C'est qu'au moment de monter à bord il leur a été demandé à tous, spécifiquement, s'ils savaient ramer ! Demander s'ils savaient ramer à des gens censés prendre les commandes d'un canot de sauvetage, cette question m'a paru ridicule[1] ! », s'exclamera-t-elle à juste titre au cours de l'enquête sénatoriale.

Tous les membres de l'équipage du *Titanic* n'eurent pas le même comportement et ne furent pas pris à partie par les passagers des chaloupes. Ainsi du lieutenant Harold Godfrey Lowe, qui commandait l'embarcation numéro 14. Afin d'éviter que les canots ne se dispersent, le cinquième officier prit l'initiative d'encorder sa chaloupe à trois autres embarcations. Grâce à ce train de chalands, il repêcha d'abord les survivants du radeau pliable A, qui s'enfonçait tellement que ses occupants avaient de l'eau jusqu'aux genoux. Puis il prendra en remorque le radeau D. Ses passagers étant trop nombreux dans l'embarcation de tête, il les fit transborder dans les autres chaloupes avant de tenter de retrouver des survivants au milieu des débris laissés par l'épave. Il sillonna ainsi toute la zone pendant une heure. Las, ayant commencé ses recherches quarante minutes après la disparition du paquebot, il retrouva peu de naufragés vivants. « Avec Lowe, se rappelle le matelot Edward John Buley, on en a remonté quatre. Tous les autres étaient morts. On les retournait plusieurs fois pour être sûrs. Aucun

---

1. Cité par A. Gracie, *op. cit.*

n'avait l'air noyé, ils avaient tous l'air d'être morts de froid. Ils avaient la tête renversée en arrière et le visage hors de l'eau[1]. » Aux premières lueurs du matin, Lowe commandait une flottille réunissant près de trois cents personnes que cette proximité réconfortait.

Tous ces actes de bravoure et de générosité conduisirent bon nombre de rescapés à se ressaisir après la disparition du paquebot, n'acceptant ni la fin de l'histoire qui leur était imposée ni l'abandon dans lequel elle les avait plongés, leur ôtant toute prérogative sur leur destinée. Après avoir regardé la mort en face, dans un premier élan de lassitude, ils se reprirent pour rendre grâces à la bonne fortune qui les avait gardés en vie. Dès lors, ils rapporteront avec leurs propres mots le début d'une histoire appelée à s'écrire au jour le jour, où s'insinueront les pleins et les déliés de la légende.

Cap sur New York

C'est donc aux premières heures du jour que les rescapés du *Titanic* virent surgir la masse noire du paquebot de la Cunard. « Longtemps après, en repensant à l'arrivée du *Carpathia*, nous ressentirions à chaque fois le même sentiment de gratitude envers l'équipage qui nous sauva cette nuit-là[2] », devait se rappeler Lawrence Beesley. Mais il fallut encore une demi-heure pour que le vapeur fût en mesure de les recueillir, puisque le commandant Rostron avait été contraint de se dérouter en raison d'un iceberg qui lui barrait la route. Et comme les embarcations étaient dispersées dans un rayon de 2 à trois 3 nautiques, les occupants de certaines d'entre elles eurent l'impression qu'il s'en éloignait.

---

1. *Ibid.*
2. L. Beesley, *op. cit.* Traduction de B. Alvergne.

Très vite, toutefois, ils comprirent que leur calvaire avait pris fin. Et le colonel Gracie de s'exclamer enfin : « Grâce à Dieu, il était à quatre ou cinq milles de nous et des autres canots du *Titanic*, qui se hâtaient maintenant vers lui[1] ! »

Le commandant Rostron fit stopper les machines à 4 heures, une heure et quarante minutes après que le *Titanic* avait sombré. De la passerelle, il comprit que le transbordement serait périlleux car les embarcations paraissaient difficilement manœuvrables. Le manque d'expérience évident de leurs occupants et le vent qui s'était levé ne faciliteraient pas la tâche des sauveteurs. Il ordonna donc de positionner le navire au vent des premiers canots qui convergeaient vers lui, puis commanda au chef mécanicien de modifier sa position au fur et à mesure de leur arrivée.

Au bastingage, malgré l'heure matinale et les demandes répétées de l'équipage pour qu'ils ne montent pas sur le pont, un grand nombre de passagers s'étaient amassés pour assister au sauvetage. Tout le monde avait le regard fixé sur les premiers canots qui s'approchaient, dont certains étaient arrimés les uns aux autres comme à la fête foraine. Chaque spectateur de cette scène improvisée retiendra des détails apparemment insignifiants, mais qui avaient pris de l'importance à leurs yeux. Walter Lord[2] a recueilli quelques-uns des indices qui marquèrent cette matinée. Pour un témoin, ce fut l'emblème de la White Star Line peint sur l'étrave des chaloupes ; pour un autre, les ceintures de sauvetage qui engonçaient leurs occupants. Une certaine Mrs Crain remarqua pour sa part les traits pâles et tirés des rescapés. Le pont du *Carpathia* tressaillit lorsqu'un bébé se mit à pleurer quelque part au fond d'un canot.

Tandis que les premières embarcations s'apprêtaient à accoster le paquebot, l'angoisse étreignit les passagers des autres chaloupes qui s'en trouvaient encore fort éloignés. Craignant d'être abandonnés s'ils n'étaient repérés

---

1. A. Gracie, *op. cit.*
2. W. Lord, *La Nuit du* Titanic, *op. cit.*

à temps, ils faisaient de grands signes et tentaient d'attirer l'attention en criant à tue-tête.

Pendant quatre heures, les rescapés des chaloupes monteront péniblement à bord du navire de la Cunard. Les moins affectés escaladeront les échelles, les autres seront hissés par l'équipage et aussitôt conduits auprès des médecins, qui les examineront avant de les conduire dans les salons et les salles à manger pour s'y nourrir et s'y réchauffer. Clive Cussler et Craig Dirgo écrivent à ce propos : « Les passagers du *Carpathia* vidèrent leurs valises pour y prendre des vêtements secs et les donner à l'équipage qui entreprit de les distribuer. Dans les cuisines, on avait préparé des bassines de soupe, de café ou de chocolat et on avait empilé sur des plateaux en argent des sandwichs au jambon, des tranches de dinde et de rosbif. Rares pourtant furent les survivants capables d'avaler quelque chose ; le choc, le froid, les visions d'horreur les avaient anéantis[1]. »

Tandis que le jour se levait, la terrible réalité de leur situation leur apparut soudain. Définitive, irrévocable. Insurmontable. Rares étaient en effet les couples qu'une heureuse destinée n'avait pas séparés durant le naufrage. La plupart des femmes comprirent qu'elles étaient seules désormais, quelques-unes s'abandonnèrent à des crises d'hystérie. La douleur était trop forte. Condamnées à vivre cette absence, elles n'avaient pas encore trouvé le ressort nécessaire pour l'exprimer. D'autres, comme Madeleine Astor, espéraient encore que leur mari se trouvait dans une autre embarcation. Elles se rendirent très vite à leur solitude.

Pour ceux qui n'avaient pas à pleurer la perte d'un proche, l'arrivée sur le paquebot salvateur fut une délivrance à peine coupable. Archibald Gracie écrit par exemple : « Je m'élançai sur l'échelle de pilote aussi vite

---

1. Clive Cussler et Craig Dirgo (*Chasseurs d'épaves, nouvelles aventures*, Paris, Grasset, 2006) sont les inventeurs de l'épave du *Carpathia*, englouti au large de Cork (Queenstown au temps du *Titanic*), en Irlande. Torpillé par un sous-marin allemand en 1918, le paquebot de la Cunard fut retrouvé en l'an 2000.

que je pus, quand vint mon tour. L'écoutille franchie, je manquai tomber à genoux pour baiser le pont du *Carpathia* en signe de reconnaissance[1]. » Ainsi s'exprimeront tous les rescapés dont la survie n'avait tenu qu'à la chance, ce fil improbable auquel ils s'étaient abandonnés.

L'indécence de leur euphorie fut de courte durée devant le malheur qui accablait la plupart. Elizabeth Schutes n'en fait pas mystère : « Toutes ces veuves avaient espéré que le canot précédent eût porté leur mari sain et sauf, écrira-t-elle dans un témoignage intitulé *Quand le* Titanic *sombra*. Mais leurs espoirs diminuaient à chaque débarquement[2]. »

La passagère de l'embarcation numéro 3 ne sera pas la seule à s'interroger sur les obscures raisons de cette injustice. « Notre nation aurait-elle besoin d'une aussi violente secousse pour comprendre que l'homme est allé trop loin dans sa certitude et son assurance de régner sur les eaux qui n'appartiennent qu'à Dieu ? écrira-t-elle. La part qui revient à Dieu, c'est le salut de quelques âmes sur le plus paisible des océans durant cette nuit de terreur. La part qui revient à l'homme, c'est d'avoir poussé le vaisseau jusqu'à ses dernières limites, d'avoir poussé, poussé contre toute raison. Et pour obtenir quoi[3] ? »

Parmi toute cette douleur accumulée, le plus souvent dans la prostration, il y eut quelques instants de réconfort et de joie. Notamment lorsqu'on découvrit que Michel et Edmond Navratil, les deux petits garçons dont le père avait disparu, étaient sains et saufs grâce à la jeune femme qui les avait pris sous sa protection dès leur embarquement sur le radeau. À New York, celle-ci continuera de s'en occuper jusqu'à l'arrivée de leur mère, venue de France.

Un autre miracle sourit à un bébé que la bousculade du transbordement sur les chaloupes avait séparé de sa mère. Il s'appelait Frank Aks, et c'est une autre rescapée, Elizabeth

---

1. Cité par A. Gracie, *op. cit.*
2. *Ibid.*
3. *Ibid.*

Nye, qui l'avait recueilli dans ses bras et réchauffé contre elle durant la nuit. Arrivée sur le *Carpathia*, elle voulut garder le bébé, prétendant qu'il lui appartenait... Le commandant Rostron dut intervenir pour le rendre à sa véritable mère, à la manière du roi Salomon. Frank et sa mère, qui venaient d'écrire l'un des épisodes les plus réconfortants de la tragédie du *Titanic*, furent ainsi réunis[1].

À 8 h 30, le dernier des treize canots récupérés fut arrimé au bastingage du *Carpathia*. Trois autres, renversés ou à moitié immergés, furent abandonnés sur place, ainsi que les radeaux.

C'est environ trois heures plus tôt, soit vers 5 h 30, que le *Californian* avait appris le sort du *Titanic*. Il avait alors remis ses machines en route pour se rendre sur zone après une nuit passée dans la barrière de glace. À 6 h 30, entrant dans les eaux libres, il rejoignit les hommes du *Carpathia* engagés depuis deux heures dans les opérations de secours. Le transbordement était presque achevé lorsque le capitaine du *Californian* lui proposa son aide. Aussi, comme il avait hâte de quitter le mouillage, Rostron lui demanda de ratisser la zone à la recherche des corps qu'il pourrait y découvrir.

Après avoir reçu l'autorisation de sa compagnie, Arthur Henry Rostron s'était ouvert du choix de sa destination à Joseph Bruce Ismay, dont on l'avait informé de la présence à son bord. Dans un premier temps, le propriétaire du *Titanic* pencha pour un transbordement à bord de l'*Olympic*, ainsi que l'avait proposé Herbert Haddock, son commandant. Comme il croisait non loin de là, il avait pensé les rapatrier en Angleterre. Le capitaine du *Carpathia* l'en dissuada : se retrouver sur un navire identique à celui qui avait manqué les perdre risquait de provoquer un nouveau traumatisme chez les rescapés. Il fut donc arrêté qu'il les conduirait à New York.

Il était 8 h 50 lorsqu'une brève cérémonie œcuménique fut improvisée sur le *Carpathia*. À la machine, le transmetteur d'ordres marquait « en avant demi ». Pendant

---

1. *Cf.* J. Eaton et C. Haas, *op. cit.*

qu'il disparaissait entre les icebergs, l'équipage du *Californian* vit arriver le *Mount Temple*. Mais celui-ci ralentit à peine sa marche et disparut en laissant le capitaine Lord à sa macabre manœuvre. Le cargo fouilla les eaux glacées durant presque deux heures et demie, sans succès. Le plus étrange, nota l'équipage du *Carpathia*, était que presque aucun débris ne flottait à la surface de l'eau, à peine une ou deux de ces nombreuses chaises de pont jetées en masse par-dessus bord au moment du naufrage et quelques ceintures de sauvetage… Quant aux corps des victimes à moitié immergés que les rescapés avaient observés durant la nuit, ils avaient apparemment disparu. « Le *Titanic* avait plongé, entraînant tout avec lui », confirmera le capitaine Rostron aux enquêteurs[1]. Discrètement, l'équipage repêcha toutefois trois cadavres, qui furent entreposés dans la cale. L'océan avait effacé toute trace du drame.

La glace qui s'était reformée dérivait maintenant en blocs compacts, à l'intérieur desquels étaient peut-être retenus prisonniers les témoins muets de cette page d'histoire.

L'installation des naufragés fut longue et pénible, malgré la bonne volonté de l'équipage et des passagers qui ne ménagèrent pas leur peine. Quant aux rares rescapés qui réussirent à s'endormir, un réveil difficile les attendait. Traumatisant. Inévitablement, ils souffriraient du syndrome du survivant qui les plongerait pour de longues semaines, voire des mois ou des années, dans une culpabilité destructrice.

Pour les quatre officiers du *Titanic*[2] à avoir survécu, la honte d'être vivants se doublera d'accusations publiques humiliantes qui les jetteront dans l'opprobre. Ils en sortiront meurtris, sans autre repère qu'un vide insondable, celui-là même où gisait le *Titanic*. Ils s'inscriront dans une héroïsation virtuelle, une dénégation de l'Histoire sans cesse à reconstruire.

---

1. Cité par G. Piouffre, *Le* Titanic *ne répond plus*, *op. cit.*
2. Les lieutenants Lightoller, Pitaman, Boxhall et Lowe, respectivement deuxième, troisième, quatrième et cinquième officier.

Il était un peu plus de midi et le *Carpathia* venait de traverser sans encombre le champ de glace. Désormais dans les eaux libres, il put mettre le cap sur New York. En raison du temps qui se détériorait, Arthur Rostron ne prévoyait pas d'accoster avant le 18 avril en fin de journée. La mer était devenue grosse et le ciel menaçait le navire d'un grain violent. Il fit évacuer le pont et mettre ses malheureux passagers à l'abri, puis il demanda aux médecins de les assister.

Mais un autre problème occupait l'esprit du commandant. Devait-il annoncer brutalement aux autorités américaines qu'un tiers seulement de la population du *Titanic* avait survécu à la catastrophe, ou laisser la White Star Line dans l'ignorance jusqu'à ce qu'il fût arrivé à destination?

Quelle que fût sa décision, il fallait avant tout dénombrer les rescapés. Cette liste, établie par le commissaire du bord et son adjoint, sera très imprécise. Après des années de controverses, on estime aujourd'hui que sur les deux mille deux cent huit voyageurs et membres d'équipage embarqués sur le *Titanic*, le nombre de personnes découvertes dans les chaloupes s'élevait à sept cent douze, et celui des pertes à mille quatre cent quatre-vingt-seize[1]. S'il est si difficile d'arrêter des chiffres, c'est que les registres de la White Star sont eux-mêmes imprécis sur les mouvements du personnel aux escales de Cherbourg et de Queenstown, et lacunaires en ce qui concerne le nombre exact de passagers.

À bord du *Carpathia*, Joseph Bruce Ismay était le seul à pouvoir prendre la décision de diffuser cette liste. Or son état de prostration l'empêcha de prendre cette responsabilité. Les premières informations concernant les survivants ne seront révélées que le surlendemain. Trente-six heures au cours desquelles la rumeur aurait le temps de nourrir les spéculations les plus folles.

---

1. D'après les sources croisées de l'Association française du *Titanic*, publiées par G. Piouffre (*Le* Titanic *ne répond plus, op. cit.*) et par F. Codet *et al.*, *op. cit.*

10

UN CIMETIÈRE MARIN

Une heure après le naufrage du *Titanic*, la rédaction du *New York Times* en avait déjà connaissance. Il était 0 h 15 sur la côte Est, ce lundi 15 avril, quelques minutes seulement après que le vice-président de la White Star, Philip Franklin, eut été réveillé par l'appel téléphonique d'un journaliste.

Si l'information était arrivée jusqu'au journal que dirigeait Carr Van Anda, c'était grâce à la veille permanente que le grand quotidien entretenait à l'aide d'une station d'écoute privée située au sommet du Wanamaker, un grand magasin de la ville. Ce puissant récepteur appartenait à un certain David Sarnoff, qui travaillait exclusivement pour le *Times* depuis 1906. Aucune communication ne lui échappait, et c'est ainsi que lui étaient parvenus les messages de détresse du *Titanic*, relayés par les stations terrestres.

Pour autant, les informations que le radiotélégraphiste avait tirées de ses écoutes ne donnaient pas la clé du drame. Bien au contraire. De qualité médiocre suivant la distance, les messages étaient fragmentaires et devaient être interprétés par les journalistes. Passant de bouche à oreille, ils finissaient naturellement par être dénaturés. Mais la course aux nouvelles ne s'embarrassait guère de morale et d'objectivité, pourvu qu'elle fît vendre du papier. Suivant les cas, plusieurs éditions étaient tirées dans la même journée, traitant pour ainsi dire l'actualité en temps réel.

Alors que le *Carpathia* venait à peine de transborder les rescapés, le *New York Times* titrait sur la catastrophe en précisant qu'elle n'avait pas fait de victimes et que le paquebot géant était remorqué vers Halifax... Informations démenties le lendemain matin, mais le mal était fait : pensant retrouver leurs proches sains et saufs, nombre de familles de naufragés avaient pris un train pour Halifax dans la précipitation et la White Star Line, abusée comme tout le monde, avait mis en place un rapatriement par chemin de fer vers les États-Unis.

La terrible réalité

Le *Times* ne fut pas le seul journal à jouer avec le feu. À la une du *Denver Times*, ce même jour, on pouvait lire sur sept colonnes que deux mille vies avaient été épargnées[1] et que tout avait été mis en œuvre pour éviter une tragédie... On racontait aussi, avec le plus grand sérieux, que tous les navires croisant sur l'Atlantique Nord au moment du drame avaient convergé vers le *Titanic* aussitôt lancés les premiers appels au secours. La certitude que la civilisation venait d'échapper à son propre naufrage était sauve, et pour s'en convaincre on avait établi la liste des milliardaires qui se trouvaient à bord et avaient survécu. Le monde se rassurait en décrétant qu'il pouvait croire en l'avenir, puisqu'il maîtrisait le pire. Il fallut pourtant déchanter.

Il était à peu près 17 heures sur la côte Est, le 15 avril, lorsque Philip Franklin, eut confirmation de la terrible réalité qui s'était abattue sur le pavillon de la White Star. L'insubmersible *Titanic* avait trahi les certitudes de toute une génération. En plus de la souffrance personnelle qui allait accabler des milliers de personnes, il faudrait supporter la désillusion collective, se défendre des attaques dont la

---

1. « 2.000 lives are saved off wrecked *Titanic* by wireless ; vessel is reported sinking. »

compagnie et le chantier naval seraient les cibles et tâcher de surmonter la responsabilité que l'opinion ne manquerait pas de leur faire porter.

Deux heures plus tard, Franklin réunissait les journalistes au siège de l'International Mercantile Maritime Company pour leur annoncer, la voix cassée par l'émotion, que le fleuron de la White Star Line avait bel et bien coulé à 0 h 25, heure de New York... mais surtout qu'avec lui, selon les premières informations parvenues du *Carpathia* qui les avait repêchées, plus de la moitié des personnes embarquées avaient perdu la vie. À la question des reporters lui demandant les noms de personnalités saines et sauves, il cita notamment celui de Joseph Bruce Ismay.

Les journaux prirent acte des informations officielles qui leur étaient fournies et les rédactions démentirent les assertions distillées la veille. Toute la presse titra sur cette nouvelle réalité en l'illustrant de photographies du navire lors de son lancement ou de sa mise en service sur le fleuve Lagan. Des dessins et des cartes de l'Atlantique Nord fleurirent au milieu d'articles approximatifs, où les premières spéculations jetaient encore timidement le doute sur la fiabilité du paquebot et la compétence de son équipage.

En début de soirée, les typographes mirent la dernière main aux éditions du 16 avril, tandis qu'au « marbre » on préparait les manchettes sur lesquelles on lirait que mille deux cent cinquante personnes avaient trouvé la mort. Le *New York Times* annonçait quant à lui que huit cent soixante-six rescapés avaient été secourus par le *Carpathia*. On précisait en général que Joseph Ismay était sain et sauf, peut-être aussi Mrs Astor, mais que l'on n'avait pas encore établi la liste des disparus[1]. On s'approchait lentement de la terrible vérité.

---

1. « *Titanic* sinks four hours after hitting iceberg ; 866 rescued by *Carpathia*, probably 1.250 perish ; Ismay safe, Mrs Astor maybe, noted names missing. »

Dans tous les États-Unis, ce fut la même effervescence. Les rotatives tournèrent ce soir-là plus longtemps que d'habitude. Des millions d'exemplaires seraient vendus à la criée. Pour le *Boston American*, entre mille deux cents et mille cinq cents personnes avaient succombé dans le naufrage de l'insubmersible *Titanic*, dont le constructeur avait vanté la sécurité à des milliers d'âmes à jamais perdues. Quotidien publié dans le Minnesota, le *Red Wing Daily Republican* annonçait de son côté que les femmes et les enfants avaient été sauvés de la catastrophe, mais que mille quatre cent quatre-vingt-douze autres passagers et membres d'équipage avaient péri, parmi lesquels se trouvait le conseiller militaire du président américain. Et le journal de résumer la pensée dominante de l'opinion par ces mots lourds de sens : « C'est une catastrophe épouvantable qui va conduire à d'intenses souffrances[1]. »

L'émotion était partout palpable, en dépit de l'imprécision de la plupart des articles. À Londres et Manchester, le *Daily News* ne donnait pas les mêmes chiffres concernant les rescapés, mais il était à l'unisson de ses confrères d'outre-Atlantique pour attester de l'onde de choc qui était en train de parcourir la planète. À Paris, où des centaines de passagers avaient pris le train pour Cherbourg, la controverse enflait à propos de la sécurité, comme partout ailleurs. *La Presse* parlait de deux mille morts et notait l'affolement des gens qui tentaient de prendre des nouvelles auprès de la représentation de la White Star Line, rue Auber. « Au-dehors, pouvait-on lire dans son édition du mercredi, alors que le *Carpathia* n'a pas encore atteint New York, la foule des badauds parisiens contemple avec compassion le lamentable défilé des Américains qu'un deuil par trop cruel vient de frapper. »

Au même moment, dans la cabine qu'il refusait de quitter, Joseph Ismay s'entretenait avec le commandant Rostron à propos de l'équipage du *Titanic*, qu'il voulait faire

---

1. « Suffering intense and loss of life appalling in ocean disaster. »

débarquer à l'insu de la presse. Il redoutait les questions indiscrètes et, dans la foulée, l'ouverture d'une commission d'enquête. Il demanda à entrer en communication avec Philip Franklin au moyen de messages codés, en vue d'organiser au plus vite son rapatriement et celui de ses hommes. Franklin s'y refusa, arguant du fait qu'une telle manœuvre susciterait le mécontentement de l'opinion et l'exacerbation de la critique. Ayant lu les premiers commentaires des journaux, il ne voulait pas jeter de l'huile sur le feu en soustrayant clandestinement le personnel du *Titanic* à la curiosité générale. Ismay revint à la charge en demandant un embarquement sur le *Cedric*, sachant qu'il devait appareiller le 18 avril pour l'Angleterre. Par trois fois, Philip Franklin déclina sa requête, pour accepter finalement de réquisitionner le *Lapland*, qu'il laisserait à sa discrétion.

Franklin savait que les autorités ne laisseraient personne quitter le territoire des États-Unis sans qu'une commission sénatoriale eût mené son enquête sur les responsabilités de la compagnie. Trop de citoyens américains avaient perdu la vie dans l'accident pour qu'on s'abstînt de lui demander des comptes. Cette procédure permettrait en outre aux familles des victimes, ainsi qu'aux rescapés lésés par la perte de leurs biens, de réclamer de substantiels dommages et intérêts auprès des assurances.

Durant le reste de la traversée, les rescapés du *Carpathia* furent mis à rude épreuve. En plus du traumatisme qu'ils venaient de subir, des conditions de mer très difficiles vinrent ajouter à leur souffrance morale, un affreux temps d'hiver qui ne se calma pas jusqu'à New York. Lawrence Beesley rapporte qu'un vent glacial leur interdisait de sortir sur le pont. Dès le mardi matin, l'océan se creusa tellement qu'il indisposa la plupart. « Le brouillard se levait chaque matin et durait une bonne partie de la journée[1]. » Enfin, la pluie se mit à tomber si dru que l'on confondit bientôt la mer et le ciel.

---

1. L. Beesley, *op. cit.* Traduction de B. Alvergne.

Pendant ce temps, Beesley colligeait ses premières impressions de naufragé miraculé, qu'il destinait à la presse, pour se plaindre des négligences de l'équipage et des crimes dont il accusait ouvertement les ingénieurs et l'armateur du *Titanic*. C'est à la suite de ce coup de colère, encore empreint d'une indignation passionnée, qu'il rédigera quelques mois plus tard *The Loss of the SS* Titanic : *its Story and its Lessons*.

Parmi les rescapés, un même vent de fronde commençait à se lever contre la White Star Line. Lorsqu'on annonça que le *Carpathia* serait à quai le jeudi soir, certains se préparèrent à affronter la presse. Si tous ne s'engagèrent pas à protester publiquement, aucun ne prit le parti de se taire si d'aventure on l'interrogerait. Pour autant, ce que les plus véhéments se préparaient à déclarer dépasserait souvent leur pensée. Emportés par la tourmente émotionnelle, sollicités par des reporters qui leur souffleraient leurs témoignages, ils s'abandonneraient à une rancœur de circonstance parfois nuisible à leur sincérité naturelle. À la débauche des sentiments, ils ajouteront l'impéritie. Fondant leur accusation sur les malfaçons du *Titanic* et la manière dont il fut commandé, ils détourneront les enquêtes et l'opinion publique de la seule vérité qu'ils détenaient : celle du cœur.

Quai 54

Sur les quais de New York, une foule compacte estimée à trente mille personnes avait bravé les intempéries pour assister à l'arrivée du *Carpathia*. La ville était luisante de lumières pâles et de pluie rance. Les drapeaux étaient en berne.

Aux alentours de 20 heures, le paquebot de la Cunard doubla la statue de la Liberté. Pour l'accompagner au quai 54, de nombreuses embarcations de toutes sortes louvoyaient sur l'Hudson River. À bord crépitaient les flashes des photographes, tandis que certains reporters utilisaient des porte-voix pour interpeller les naufragés. Quelques-uns brandissaient des panneaux sur lesquels ils avaient griffonné des questions. Pour prévenir toute confrontation, le capitaine Rostron leur avait en effet interdit l'accès à bord de son navire. « Ils vont écrire n'importe quoi ! », fait dire Christine Féret-Fleury à l'un des personnages de son roman[1]. La fiction et la réalité se mélangeront si souvent cette nuit-là qu'il faudra des décennies pour les démêler.

Tandis que le pilote montait à bord, un journaliste embarqué sur une vedette réussit à se hisser à son tour le long de l'échelle de corde. Comme il était impossible de le refouler, l'équipage du *Carpathia* lui fit promettre de ne parler à aucun témoin, sous peine d'être mis aux fers jusqu'au débarquement ! Le commandant ignorait, en revanche, qu'un reporter du *New York World* faisait partie des voyageurs réguliers qui avaient embarqué pour Gibraltar… Depuis trois jours, il s'était donc trouvé aux premières loges pour sonder discrètement les rescapés, rédiger ses impressions et « boucler » son premier article, alors même que l'on était encore en mer. Voyant qu'un des remorqueurs qui escortait le *Carpathia* portait à son bord des photographes de son journal, il leur lança un petit paquet dans lequel se trouvait son papier.

Quai de la Batterie, où devait accoster le paquebot, des dizaines de policiers tenaient les badauds à l'écart. Seules les familles, accourues dans l'espoir de retrouver un des leurs, étaient autorisées à s'approcher. Mais le navire glissa sans s'arrêter devant la gare maritime de la Cunard. Lentement, il se dirigea jusqu'au quai de la White Star Line et stoppa à quelque distance de l'appontement. Ayant à son bord treize des embarcations de sauvetage du *Titanic*[2], le *Carpathia* les débarqua dans le bassin où elles furent

---

1. *SOS* Titanic. *Journal de Julia Facchini (1912), op. cit.*
2. Ces embarcations étaient estimées à 5 500 dollars.

immédiatement désarmées pour éviter d'être pillées. En dépit de cette précaution, on constatera le lendemain que les insignes de la compagnie et leurs plaques d'identification auront été dérobés.

C'est à 21 h 30 qu'une porte s'ouvrit dans la coque du *Carpathia* et qu'une passerelle y fut hissée par les employés de la Cunard. Les journalistes attendaient de reconnaître un rescapé célèbre dont l'histoire eût retenu l'attention des lecteurs. Pour les curieux, c'était l'occasion de les approcher. On espérait saisir un visage, une expression. Voir en personne l'armateur du *Titanic*. Quand on apprit l'arrivée d'un sénateur et de deux agents fédéraux, la rumeur prétendit aussitôt que c'était pour l'arrêter.

Une longue et fébrile attente commençait. On fit descendre en priorité les passagers réguliers du *Carpathia*. Puis vinrent les rescapés de la première classe. Lorsqu'elle les vit paraître sur le quai, la foule fut saisie par leur comportement. Ils paraissaient absents, perdus au milieu d'un monde qu'ils semblaient découvrir. En outre, ils étaient étrangement vêtus et ce détail leur donnait une humanité qui bouleversa tous les observateurs. Car si durant quelques jours ils avaient bénéficié de la générosité des passagers du *Carpathia*, beaucoup portaient de nouveau les vêtements disparates avec lesquels ils avaient embarqué dans les chaloupes de sauvetage. Secs mais fripés, mal assortis, parfois même déchirés. Après s'être engouffrés dans les voitures qui les attendaient, ils s'empressèrent généralement de se changer avant de rentrer chez eux. Pour ceux qui n'habitaient pas New York, des chambres d'hôtel avaient été réservées par la White Star, quand un train spécial et des wagons privés n'avaient pas été affrétés par leurs familles ou leurs sociétés.

Toutes ces personnes avaient en tête de retrouver la quiétude de leur foyer pour s'y reposer et se recueillir plutôt que de parader devant la presse en exhibant leur souffrance. Mais certaines victimes ne purent résister à la pression de l'événement. Les journaux rapportèrent que la jeune veuve de John Jacob Astor avait manqué défaillir en débarquant aux bras de deux officiers du *Carpathia*. « Elle était hystérique, écriront-ils, et tellement sur le point de s'effondrer que sa sœur, Katharine Force, qui était venue à sa rencontre, fut contrainte de la faire asseoir[1]. » Puis on l'emmena dans une automobile en direction de son domicile, sur la 5e Avenue.

Il était déjà 23 heures. On voyait de moins en moins de visages connus, il pleuvait toujours et il faisait froid. Derrière les barrières de sécurité, les curieux étaient de plus en plus rares. L'arrivée des passagers de deuxième classe ne retenait déjà plus la même attention et les badauds rentraient chez eux lorsque apparurent les immigrants sur le quai presque désert. Ce misérable cortège, que la police prit en charge aussitôt, n'éveillait pas la curiosité de la presse et du petit peuple de New York. Son dénuement ne le fascinait pas ni ne le consolait de sa propre misère. Mais il l'apitoyait au point d'éveiller sa solidarité.

Cette population hagarde ne fut donc pas laissée pour compte. Ni par la Croix-Rouge américaine, ni par les associations caritatives. Quant aux douanes, elles lui épargnèrent les humiliations qui l'attendaient d'ordinaire sur Ellis Island où elle était dûment enregistrée. Le *New York American*, ainsi qu'un Comité d'assistance aux femmes distribuèrent un fonds d'aide d'urgence à tous ces égarés. Quant à l'équipage du *Titanic*, l'Union des marins et des chauffeurs ne les abandonna pas dans la gêne et la privation. Simplement, ils n'intéressaient pas le grand public et encore moins la presse, au regard de laquelle, dans sa grande majorité, leur drame et leur souffrance pesaient moins que les autres. La ligne séparant les riches des pauvres, qui s'était estompée durant les heures de la tragédie et les jours tumultueux qui avaient suivi, « était de nouveau tracée », notent John Eaton et Charles Haas[2].

---

1. « Mrs Astor near collapse at pier », article reproduit sur Encyclopedia-titanica.org. Traduction de B. Alvergne.
2. Titanic : *destination désastre, op. cit.*

Les principales histoires que les reporters soutirèrent aux rescapés ou qu'ils empruntèrent à leurs déclarations spontanées provenaient des passagers de la deuxième classe. Outre le fait qu'ils étaient presque tous sans passeport, ils purent quitter le *Carpathia* sans autres formalités que la présentation d'une adresse à New York ou la parole d'un proche.

Sur son arrivée, la jeune Ruth Becker formule ainsi ses impressions, que reprendront les journaux : « De bons amis nous accueillirent et nous emmenèrent à l'hôtel. Le lendemain, mère partit faire des achats et nous acheta des vêtements. » Ce détail était important pour tout le monde car il permettait de renouer avec l'existence d'avant. Ruth Becker, qui avait débarqué vêtue d'une cape de fortune sous laquelle, en grande hâte, elle avait noué une couverture en guise de jupe, fut soulagée que sa mère eût épinglé sur elle un peu d'argent lorsqu'ils avaient quitté le *Titanic*. « L'hôtel nous considéra comme ses invités, n'acceptant aucun paiement pour la nourriture et le logement, poursuit la jeune fille. Tout le monde était vraiment merveilleux avec nous ! Une fois dans le train, nous fûmes couverts de friandises et de gâteaux par les voyageurs, ainsi que de cadeaux pour mon petit frère et ma petite sœur. Nous étions heureux d'être de nouveau sur la terre ferme[1]. »

« Resté en tête à tête avec ses démons[2] », Joseph Bruce Ismay n'avait pas encore quitté le paquebot. Seuls désormais à bord du *Carpathia*, le directeur de la White Star Line et Philip Franklin s'entretenaient fébrilement des informations à donner à la presse. Ils entendaient : officiellement. Car pour ce qui était des commentaires qui jailliraient de la plume des journalistes, ils ne pouvaient plus rien. « L'affaire », déjà, leur appartenait.

Sur ces entrefaites, le sénateur du Michigan William Alden Smith se présenta à la coupée. Muni d'une convoca-

---

1. Cité par J. Eaton et C. Haas, *ibid.*
2. D. Lynch, *op. cit.*

tion pour l'interroger, il demanda à rencontrer le patron de la White Star Line. Joseph Ismay craignait qu'on l'inculpât sur le territoire américain. Franklin s'en aperçut et tenta de le rassurer en lui certifiant qu'il ne s'agissait probablement que d'une enquête administrative de routine.

Dès qu'il eut pris connaissance du naufrage du *Titanic*, William Smith avait en effet demandé l'ouverture d'une sous-commission sénatoriale en vue d'éclaircir les raisons du drame. Réputé autoritaire, il avait presque cinquante-trois ans et une longue carrière le rendait politiquement influent. Or s'il avait l'intention de pointer publiquement du doigt les manquements éventuels à la sécurité que l'on commençait à soulever dans toutes les conversations, ce farouche républicain souhaitait plus sournoisement jeter l'opprobre sur quelques boucs émissaires et, par conséquent, mettre ouvertement en accusation la White Star et le pavillon britannique. Les débats qui animeront l'enquête en seront tellement marqués que les assesseurs mêmes du sénateur lui feront remarquer son impartialité. Par ailleurs, aucune plainte n'ayant été déposée devant les tribunaux, la justice n'entrera pas en matière et la sous-commission ne distribuera que des blâmes et ne publiera que des recommandations.

William Alden Smith ne resta pas longtemps à bord du *Carpathia*. Il se contenta de remettre au directeur de la White Star une citation à comparaître avec son équipage dès le lendemain 19 avril à 10 h 30. Une salle d'audience improvisée avait été réservée à l'hôtel Waldorf Astoria. Joseph Ismay avait tenté de lui expliquer que ses hommes ne pouvaient pas demeurer sans travail aux États-Unis et qu'il se trouvait dans l'obligation morale de les rapatrier au plus vite. Il ne mentait pas sur ce point car, lorsqu'un navire faisait naufrage, les contrats liant les compagnies à leurs équipages devenaient aussitôt caducs. Les hommes n'étaient donc plus payés. Pour éviter « qu'ils ne vagabondent et ne s'attirent les pires ennuis[1] », ils étaient rapidement exfiltrés

---

1. Cité par R. Gardiner et D. Van der Vat, *op. cit.*

en attendant un nouvel embarquement. Mais le sénateur Smith était inflexible et les arguments de l'armateur, qui prétendait vouloir éviter que ses hommes ne troublent l'ordre public s'ils étaient abandonnés aux tentations du retour à terre, le laissèrent de marbre.

Sans attendre les révélations sous serment de la sous-commission Smith, de nombreux journaux publièrent les confidences personnelles et plus ou moins sincères, très souvent contradictoires, de rescapés appâtés par de généreuses promesses de récompense. Plus on produisait d'entretiens exclusifs et plus on encourageait les gens à se raconter. Les rédacteurs s'arrangeaient ensuite pour embellir les récits. L'emballement finira par mettre en défaut ceux qui témoigneront devant les sénateurs, spécialement lorsqu'ils démentiront les allégations de la presse. Or cette dernière avait une telle emprise sur la rumeur qu'elle finit, aux yeux de l'opinion générale, par se substituer à l'autorité des enquêteurs. Cette pratique était courante et personne ne s'en offusquait.

Parmi les acteurs du drame, certains ne se contentèrent pas d'une modeste prime pour évoquer leur expérience et négocièrent leur histoire au prix fort, notamment le télégraphiste du *Titanic*, Harold Bride, et son collègue du *Carpathia*, Harold Cottam. Cette absence d'état d'âme indigna d'autant plus l'opinion que son collègue Jack Phillips n'avait pas survécu au drame. C'est un radiotélégramme intercepté par un opérateur de l'US Navy au moment de l'arrivée du *Carpathia* qui dévoila toute l'affaire. Adressé aux employés de la Marconi Wireless Telegraph Company of America, il annonçait explicitement que la société avait négocié le témoignage de Bride et Cottam auprès du *New York Times*. Il spécifiait que Guglielmo Marconi lui-même y était favorable et qu'ils pouvaient compter sur une forte rémunération.

Le procédé en lui-même était habituel, mais les circonstances du naufrage du *Titanic* étaient à ce point exceptionnelles que tout ce qui touchait à cette affaire était devenu extrêmement sensible. Marconi estimait que les opérateurs radio, dès leur arrivée, avaient parfaitement le droit de vendre le récit de ce qu'ils avaient vécu. Dix jours plus tard, il plaiderait son point de vue devant les sénateurs en expliquant que ses hommes méritaient d'être gratifiés pour avoir « contribué d'une manière décisive au sauvetage de sept cents vies ». Comme il y avait polémique sur le montant de la somme versée, il admettra que 750 dollars avaient été offerts à chacun des deux employés. Bride déclarera par la suite avoir en fait été payé 1 000 dollars pour son témoignage. Pour tout commentaire, le président Smith lui demandera s'il n'eût pas été plus profitable pour la compagnie Marconi de mettre en valeur l'héroïsme de ses télégraphistes, plutôt que de soumettre leur attitude à l'appréciation d'intérêts privés. Quant au consul de Grande-Bretagne à New York, il se dira choqué d'apprendre qu'on en arrivait à de tels procédés, en tronquant des informations pour en faire de fausses déclarations.

La controverse anima quelque temps le débat, puis finit par s'apaiser. Ce qui intéressait avant tout le lecteur, c'était sa part d'histoire quotidienne, quel qu'en fût le prix. Même constituée de bric et de broc, assemblée tant bien que mal pour la rendre cohérente ou manipulée à l'envi, la tragédie du *Titanic* occupait désormais tout l'espace public. Dans cette concurrence effrénée, chaque journal devait enchérir sur ses concurrents. « Les récits du naufrage s'enrichissent de jour en jour de détails stupéfiants et totalement invraisemblables, écrit la romancière Christine Féret-Fleury. C'est ainsi que les récits les plus extravagants continueront de se développer, pour nous faire croire par exemple qu'un passager serait resté à cheval sur un morceau de glace pendant quatre heures avant d'être sauvé, qu'un chien aurait escorté le canot dans lequel se trouvait sa maîtresse jusqu'à l'arrivée du *Carpathia*, ou que l'orchestre aurait continué de jouer "jusqu'à ce que les flots étouffent le son du violon en se refermant sur le courageux musicien qui n'avait pas lâché son instrument"[1]. »

---

1. C. Féret-Fleury, *op. cit.*

Avec le temps, tous ces témoignages individuels se sont amalgamés dans une seule et même grande histoire. Comme une épreuve unique, constituée de multiples expériences qui n'auraient pas eu séparément le destin de survivre à l'usure du temps. Ces témoignages éparpillés n'en feront bientôt plus qu'un dans la mémoire collective, au prix de quelques accommodements avec la vérité.

À New York, après avoir témoigné devant les sénateurs et rendu à sa compagnie son rapport sur le sauvetage, Arthur Rostron fit avitailler son navire en vue de reprendre sa croisière en Méditerranée. Héros des rescapés du *Titanic*, il était devenu l'icône de toute l'Amérique et le monde entier le montrait en exemple. À son retour aux États-Unis à la fin du mois de mai, on lui remettra des médailles, des coupes, des diplômes d'honneur et moult cadeaux pour le remercier. Des veuves de passagers, parmi les plus riches et les plus en vue, le convieront à des déjeuners privés. Ainsi sera-t-il reçu par Madeleine Astor à New York, puis à Philadelphie par Mrs Thayer et son fils John, à jamais reconnaissants qu'il leur ait sauvé la vie. Et toujours sous le regard empressé des photographes et des cameramen. Mais cette notoriété le mettait mal à l'aise, au point de confier aux reporters que le rôle d'un homme de mer n'est pas sous les feux de la rampe[1]. À certaines questions plus sournoises, qui pouvaient laisser penser que le gouvernement britannique aurait pu le récompenser financièrement pour son acte de bravoure, Rostron répondit : « Je ne sais qu'une chose, messieurs, c'est que le peuple anglais apprécie pleinement le rôle qu'a joué le *Carpathia* dans cette opération de sauvetage[2]. » Pour tout ce qui touchait au naufrage proprement dit, il refusera de se prononcer tant que l'enquête ne sera pas close.

---

1. *Cf.* « Capt. Rostron guest of Mrs J. J. Astor », *The New York Times*, 1er juin 1912. Traduction de B. Alvergne.
2. « Capt. Rostron guest of Mrs J. B. Thayer », *The New York Times*, 2 juin 1912. Traduction de B. Alvergne.

Une liste indécente

À midi, le 20 avril 1912, le *Carpathia* descendait l'Hudson River comme aurait dû le faire le *Titanic* ce samedi-là. Le même jour en début de soirée, le câblier *Mackay-Bennet*, commandé par le capitaine Frederick Harold Lardner, arrivait à l'endroit précis où les chaloupes du *Titanic* avaient été retrouvées par le *Carpathia*. C'est là que les agents maritimes de la White Star Line pour le Canada lui avaient donné l'ordre de commencer ses recherches.

Ayant appareillé d'Halifax deux jours plus tôt, le *Mackay-Bennet* ne trouva rien. La mer étale n'offrait qu'une vaste étendue sans aspérité. Sans corps ni débris, sans profanation et sans mémoire. Le commandant Lardner se dirigea donc sur les lieux où deux paquebots allemands, le *Rhein* et le *Bremen*, lui signalèrent par radio qu'ils avaient aperçu des cadavres et des débris sur leur route, sur une zone située entre 42° 01' de latitude nord et 49° 13' de longitude ouest. Une passagère de ce dernier déclarera : « Nous vîmes le corps d'une femme vêtue seulement de ses vêtements de nuit, étreignant un bébé contre sa poitrine, tandis qu'à proximité une femme morte serrait un chien hirsute entre ses bras[1] »...

Le lendemain à l'aube, ce que virent l'équipage du *Mackay-Bennett* et le personnel préposé à l'embaumement les jeta dans la consternation. Les hommes s'étaient pourtant préparés à des heures difficiles. L'agence Jones & Company, qui avait affrété le navire au nom de la White Star Line, ne leur avait pas caché que leur travail requerrait beaucoup d'abnégation. Mais comme ils s'étaient engagés volontairement pour cette mission, c'est dans la dignité qu'ils allaient l'accomplir.

Alors que le *Carpathia*, puis le *Californian* avaient quitté les lieux cinq jours plus tôt sans y trouver que deux cadavres, le *Mackay-Bennett* avait mis en panne au milieu de plusieurs centaines de corps flottant entre deux eaux. Toute glace avait disparu, comme si elle n'avait existé que

---

1. Cité par J. Eaton et C. Haas, *op. cit.*

dans la confuse imagination des témoins. C'était comme un champ de bataille nettoyé de toute trace de sang, de meurtrissures et de traumatismes. Cette immense désolation était d'autant plus impressionnante qu'il y régnait une étrange paix, un silence profond interdisant toute espèce de révolte. Devant le spectacle de ces fantômes, on ne pouvait s'autoriser qu'une indignation contenue.

Les opérations commencèrent immédiatement. Les marins qui s'étaient offerts pour cette expédition travailleraient sans discontinuer durant neuf jours.

Les chaloupes du *Mackay-Bennet* furent mises à l'eau le 21 avril. Quatre marins prirent place dans chacune d'elles et commencèrent à quadriller la zone. Les corps, suspendus à leur gilet de sauvetage parfois mal noué, disparaissaient dans cet engoncement ridicule. Certains pouvaient être hissés sans peine dans les baleinières[1], tandis que d'autres, en passe de couler, devaient être ramenés à la surface au moyen de longues gaffes.

Durant tout le temps que dura cette sinistre intervention, les conditions météorologiques n'offrirent guère de difficultés aux hommes engagés par la White Star. La grande houle venue du nord n'empêcha pas de repêcher un maximum de victimes – trois cent six exactement, dont cent seize, trop mutilées pour être identifiées, ne seront pas rapatriées. Immergées sur place après une courte cérémonie, dans un simple sac de toile lesté, elles grossiront à jamais la liste des martyrs anonymes de l'Histoire.

Sur les cent quatre-vingt-dix corps conservés par les hommes des pompes funèbres canadiennes, tous ne furent pas identifiés à bord, faute d'éléments probants. Quand on trouvait sur eux un portefeuille, une photographie ou des objets marqués d'un monogramme, tels que mouchoirs ou briquets, un nom pouvait leur être attribué. Mais, pour les autres, il faudrait attendre que des parents ou des proches reconnaissent formellement chaque dépouille, procédure

---

1. Grandes chaloupes non pontées.

longue et compliquée. Le corps de John Jacob Astor, notamment, put être confondu grâce aux initiales brodées sur le col de sa chemise, sa chevalière de diamants et son porte-mine en or. Dans ses poches, on trouva 2440 dollars, 225 livres et 50 francs français.

Pour chaque cadavre, une description complète était enregistrée : la taille, le poids et l'âge estimé, la couleur des cheveux, les marques de naissance, les cicatrices et les tatouages éventuels, ainsi que l'inventaire de ce que l'on avait trouvé dans les vêtements. Ces indications portaient un numéro correspondant à celui d'un sac de toile dans lequel étaient disposés les objets découverts sur eux.

Au fur et à mesure qu'ils étaient identifiés, les noms des cadavres étaient transmis à terre par radio. Mais bientôt leur nombre grossit tellement que le capitaine Frederick Lardner demanda à être relevé. Le *Minia*, un câblier de l'Anglo-American Telegraph Company Ltd, partit d'Halifax pour le remplacer. Le 26 avril, ses hommes prenaient leur tour et poursuivaient la sinistre besogne commencée une semaine plus tôt. Durant le trajet qui le ramenait au Canada, le pavillon du *Machay-Bennett* fut mis en berne à la corne du mât d'artimon.

Autour de la zone de récupération, de nombreux navires signalèrent qu'ils avaient croisé des corps dérivant et des débris sans doute détachés de l'épave après le naufrage. On parlait de chaises, de tables et de tabourets, de têtes de lits et de portes de cabines, voire de cloisons entières et de panneaux de bois verni. Pour sa part, l'équipage du *Mackay-Bennett* n'avait repêché que fort peu d'objets parmi les corps : un élément de chêne sculpté provenant d'un salon de première classe, une chaise de pont et le pilastre du grand escalier, qu'ils avaient finalement emportés après maintes hésitations. À leur arrivée, personne n'eut l'indécence de les critiquer.

Sur les Grands Bancs de Terre-Neuve, le commandant de Carteret et les hommes du *Minia* avaient entamé le quadrillage d'une nouvelle zone. Mais leur travail était devenu plus difficile en raison de la dispersion des corps et du temps qui s'était considérablement dégradé. Maintenant, les cadavres se trouvaient isolés, dérivant parfois jusqu'aux abords du Gulf Stream. Carteret savait que, désormais, seul le hasard permettrait d'en découvrir de nouveaux, et dans un état de dégradation qui nécessiterait sans doute une immersion immédiate.

Le 6 mai, le *Minia* reprit le chemin d'Halifax avec quinze dépouilles à son bord, tandis que le ministère canadien de la Marine et des Pêches affrétait le *Montmagny*, un ancien bateau-feu qui avait reçu pour consigne d'étendre ses recherches jusqu'à 125 milles nautiques autour de la zone où les premiers corps avaient été retrouvés.

Pendant ce temps, les autorités d'Halifax avaient transporté les dépouilles ramenées par les premiers convois dans une chapelle ardente provisoire, installée sur une base militaire à l'abri des regards indiscrets. C'est là que l'on procéda aux premières investigations. Puis, lorsque les identités furent enregistrées, il fallut présenter les corps aux familles. Cette fois, la cérémonie eut lieu dans la patinoire du Curling Mayflower. Il ne restait plus qu'à établir les actes officiels de décès et d'inhumation et à signer les documents de transport pour les corps dont on souhaitait le rapatriement. Il y eut cinquante-neuf demandes sur les deux cent neuf victimes ramenées à terre par l'ensemble des navires.

Les cent cinquante autres corps furent inhumés dans la ville de douleur et de chagrin qu'était devenue la capitale de la Nouvelle-Écosse. Trois nécropoles furent choisies, selon la confession des victimes : le cimetière Baron de Hirsch pour les israélites, le Mont Olivet pour les catholiques et le cimetière de Fairview pour les protestants. Pour celles qui n'avaient pas été identifiées, la répartition se fit quelquefois de manière aléatoire, parfois sur la base de renseignements erronés ou fragmentaires. Il en fut ainsi pour le Français Michel Navratil, qui avait embarqué sous le nom de Hoffmann avec ses deux petits garçons. Sa véritable identité n'étant pas connue au moment de la cérémonie d'enterrement, sa dépouille fut acheminée vers le cimetière juif. Quelques transferts auront lieu par la suite, mais ils seront exceptionnels.

L'inhumation collective qui devait clore le chapitre du désastre maritime du *Titanic* se déroula le 3 mai 1912. Lors de la cérémonie, il y eut un moment d'émotion particulier lorsque fut mis en terre le corps anonyme d'un petit enfant que personne n'était venu réclamer. Leurs parents étaient vraisemblablement morts avec lui. La White Star Line, l'État canadien et des dizaines d'anonymes à travers tout le pays s'étaient offerts pour prendre en charge ses obsèques et le prix de sa pierre tombale. Mais c'est le capitaine Lardner et l'équipage du *Mackay-Bennet* qui furent retenus par les autorités pour s'occuper de l'inhumation de l'enfant. John Eaton et Charles Haas racontent cette page très émouvante de la cérémonie : « L'église anglicane de Saint George débordait de fleurs et de personnes voulant témoigner leur sympathie. Après l'office, le petit cercueil blanc de l'enfant fut porté hors de l'église sur les robustes épaules de quelques marins jusqu'au corbillard qui le conduisit au cimetière de Fairview. Là, sur une colline dominant l'anse, il fut posé à terre avec les autres victimes du *Titanic*. Le capitaine Lardner et son équipage avaient payé une pierre de granit, plus grande que la plupart des autres, portant cette simple inscription : "Érigée à la mémoire de l'enfant inconnu dont la dépouille fut recueillie après le désastre du *Titanic* – 15 avril 1912."[1] »

---

1. J. Eaton, C. Haas, *op. cit.* Depuis lors, des investigations diverses ont conduit à prêter au moins deux identités à ce jeune inconnu. On pensa d'abord qu'il s'agissait de Gösta Pålsson, âgé d'environ deux ans, fils d'Alma, de nationalité suédoise qui rejoignait son mari à Chicago en compagnie de leurs quatre enfants. Puis, en 2001, une équipe du laboratoire de paléo-ADN de l'université Lakehead, dans l'Ontario, procéda à l'analyse des restes de l'enfant inhumé dans la tombe numéro 4 du cimetière de Fairview. L'année suivante, le docteur Ryan Parr rendait publique la véritable identité du jeune inconnu repêché par l'équipage du capitaine Lardner. L'enfant n'était pas le petit Suédois de deux ans que l'on avait trop vite identifié sur la foi d'indices contestables, mais un bébé âgé de treize mois dont on découvrit le nom en 2002 : Eino Viljami Panula, fils de Juha et Maria, né le 11 mars 1911 en Finlande. Sa mère, qui partait rejoindre son mari avec leurs cinq fils dont l'aîné avait dix-neuf ans, avait refusé d'embarquer dans les chaloupes avec le petit

Dix jours plus tard, alors que l'on croyait clos ce terrible chapitre de l'histoire maritime, trois corps de plus furent débarqués du *Montmagny*, qui venait d'accoster à Louisburg[1]. Forte de ce nouvel espoir, la direction de la White Star Line ne voulut pas en rester là. Se sachant moralement responsable, elle décida qu'une ultime tentative serait organisée. C'est ainsi que le 15 mai, un mois jour pour jour après le naufrage, elle affrétait l'*Algerine* de la Bowring Brothers Company Ltd. Parti de Saint-Jean de Terre-Neuve, le navire ne rapatria que le corps d'un jeune garçon de salle, James McGrady. Ce fut une heureuse nouvelle pour ses proches, mais une grande déception pour tous ceux qui attendaient encore que l'océan leur rendît un père, un fils, un mari. Son nom demeurera à jamais le dernier de cette liste macabre, qui entachera pour toujours le souvenir du *Titanic*.

S'agissant du nombre de cadavres découverts, les chiffres publiés par les historiens sont à peu de chose près concordants et peuvent se résumer ainsi. Sur les trois cent vingt-huit corps découverts en mer par l'ensemble des navires de recherches affrétés pour cette mission, cent dix-neuf furent aussitôt immergés en raison de leur état de décomposition. Parmi les deux cent neuf dépouilles ramenées à terre, deux cents furent identifiées par les autorités au moyen des effets qu'ils portaient ou des objets trouvés sur eux, les neuf autres grâce aux déclarations de leurs proches. Enfin, cinquante-neuf corps furent réclamés par leur famille à leur arrivée au Canada, tandis que les cent cinquante autres furent inhumés sur place dans les trois cimetières d'Halifax.

Les efforts poursuivis par la White Star Line furent indéniables, et les familles rentrées en possession des restes de leurs proches leur en surent gré. Mais cette courte liste ne rappelle-t-elle pas un autre cortège, plus impudique encore

---

Eino car elle avait été séparée de ses autres garçons. Toute la famille a péri dans le naufrage. *Cf.* Alain Dubief, « L'Enfant inconnu du *Titanic* enfin identifié », *Latitude 41*, n° 19, mai-août 2003.
1. En Nouvelle-Écosse.

par son absence et qu'était en train de ressusciter l'enquête sénatoriale ouverte le 19 avril à New York : celui de tous les disparus qui n'auraient jamais de sépulture ?

Depuis l'ouverture de son enquête, le président William Alden Smith ne laissait rien passer qu'il ne comprît pas ou que l'on tentât de soustraire à la vérité qu'il attendait. Parfois sur la seule présomption d'une culpabilité qu'il cherchait à débusquer à n'importe quel prix. N'avait-il pas promis la transparence de l'histoire ?

11

LES ATTENDUS DE LA TRAGÉDIE

En ouvrant la première séance de la sous-commission d'enquête américaine le 19 avril[1], son président, William Alden Smith, déclara en substance : « C'est pour établir la vérité que j'ai pris l'initiative de cette enquête[2]. »

Six membres composaient la sous-commission du département du Commerce, mais le sénateur Smith ne laissera guère s'exprimer ses collègues. Bien qu'il méconnût personnellement le monde maritime, son histoire et ses usages, il tenait à garder la haute main sur le déroulement de l'enquête, aux fins de l'orienter à sa guise.

Il était 10 h 30 lorsque les sénateurs entamèrent les premières auditions. William Alden Smith voulait marquer les esprits en frappant un grand coup. C'est pourquoi il fit d'abord comparaître Joseph Bruce Ismay. Avec le patron de la White Star Line, on allait quitter la commission d'enquête pour les jeux du cirque…

---

1. La première séance se tint dans un salon de réception du Waldorf Astoria appelé East Room. Dès le deuxième jour, faute de place pour accueillir le public qui se pressait aux portes de l'hôtel pour assister aux auditions, une salle plus spacieuse, la Myrtle Room (aujourd'hui Hilton Room), fut mise à la disposition de l'enquête. Au bout de trois jours, le président Smith décida finalement de se transporter à Washington.
2. *Cf.* B. Géniès et F. Huser, *op. cit.*

À la recherche de boucs émissaires

Si l'Amérique soutenait le sénateur Smith dans sa manière de mener les interrogatoires, l'Europe et l'Angleterre, en particulier, prirent rapidement ombrage de sa partialité qu'un patriotisme teinté de populisme poussait à toutes les extravagances. « Pour Londres, écrit Philippe Masson, l'affaire dérivait de la jalousie des Yankees, de ces parvenus qui n'avaient jamais dissimulé leur jalousie à l'égard d'une vieille nation aristocratique[1]. » Et tout cela sur le dos de l'indignation des familles, ajoute-t-il avec l'amertume qu'induit ce constat.

En ce printemps 1912, l'heure des comptes avait sonné. Le président Smith était assis à deux mètres de Joseph Ismay, installé au bout d'une très longue table, tandis que le public avait pris place au milieu des témoins et des sénateurs. C'était comme une grande chambre d'inquisition, un tribunal de doléances où tout le monde pouvait à tout instant prendre la parole et pointer un doigt vengeur en direction de l'accusé de son choix.

De témoin qui s'estimait ordinaire, Joseph Ismay eut tout de suite le sentiment d'être la victime expiatoire d'un contentieux qui le dépassait. Quand il lut dans la presse que les reporters présents le premier jour parlaient de sa distinction « toute britannique », il sut qu'il serait au mieux raillé, au pire voué d'avance aux gémonies par tout un peuple. Il cherchera parfois le regard de Philip Franklin quand il se sentira injustement harcelé. En particulier lorsque le sénateur Isidor Rayner déclarera que « si le *Titanic* avait été un navire battant pavillon américain, il aurait été accusé d'homicide involontaire, si ce n'est de meurtre[2] » !

Passé les questions techniques relatives à la conception du paquebot, au nombre de canots de sauvetage embarqués, ainsi qu'au manque d'entraînement de l'équipage

---

1. P. Masson, *Le Drame du* Titanic, *op. cit.*
2. Cité par B. Géniès et F. Huser, *op. cit.*

en cas d'évacuation d'urgence, le président Smith en vint à l'interroger sur la route suivie par le commandant du *Titanic* au cours de la journée du dimanche 14 avril, puis sur le manque d'attention que ce dernier avait porté aux télégrammes d'avertissements prodigués par les bateaux croisant à proximité de la banquise dérivante. Pour en arriver enfin à cette demande à laquelle Ismay ne s'attendait pas : « Avez-vous donné des ordres pour que le navire augmente sa vitesse à l'approche du danger ? » Car la lâcheté dont on l'accusait jusqu'ici ne découlait que de son embarquement à bord d'un canot de sauvetage, pas d'un déni de responsabilité. Il fallait maintenant convenir qu'on allait s'attaquer à sa culpabilité dans la catastrophe elle-même. Et démontrer que le capitaine Edward John Smith, que l'on qualifiait désormais de héros puisqu'il avait péri dans le naufrage, n'était pas maître de son commandement !

Ismay eut beau se défendre, il ne retourna pas les certitudes de ceux qui l'accusaient d'avoir faussé les règles du jeu transatlantique par sa seule présence à bord du paquebot. Par sa position, il aurait poussé le capitaine à négliger les règles de prudence élémentaires en lui demandant de pousser les machines afin d'augmenter la vitesse. Et cela dans le but non pas de remporter le Ruban bleu, mais de battre le record de traversée de l'*Olympic*. Joseph Ismay nia catégoriquement avoir exercé la moindre pression sur les officiers du navire, ce que viendront démentir deux ou trois témoins à charge, dont Elizabeth Lines. Devant les sénateurs, elle prétendra que le 13 avril à 13 h 30, alors qu'elle se trouvait dans le salon de réception de première classe, elle fut témoin que le patron de la White Star Line avait manifesté le désir de surprendre tout le monde en arrivant à New York avant la date prévue.

Ismay plaida qu'il n'était qu'un passager ordinaire et qu'il ne se mêlait pas de navigation lorsqu'il embarquait sur un nouveau bâtiment pour son voyage inaugural. Si son statut de directeur pesait d'une si mauvaise influence, argumenta-t-il, une telle catastrophe se serait produite depuis longtemps. Ayant décidé de quitter ses fonctions à la fin de l'année, se serait-il permis cet écart de conduite? Arguant du fait qu'il n'avait plus rien à perdre et qu'un exploit eût ajouté à sa notoriété, d'aucuns pensaient tout au contraire qu'il était en mesure de rembarrer qui que ce fût sans mettre la suite de sa carrière en péril.

Ce qui nous reste de cette ultime traversée ne nous renseigne, hélas, que sur les conséquences d'une suite de questions en suspens. Quelque hypothèse que l'on retienne, l'honnêteté impose de limiter le rôle de Joseph Ismay dans la responsabilité de l'accident. Les déclarations du commandant du *Carpathia*, qui lui étaient favorables, de même que la déposition à décharge du deuxième officier du *Titanic*, Charles Lightoller, ne le réhabiliteront pourtant pas aux yeux du tribunal informel qu'était devenue la sous-commission d'enquête. Pour faire écho à cet état de fait, les habitants d'Ismay, petite bourgade du Texas, décidèrent de la débaptiser pour échapper à l'humiliation!

Le 20 avril, cent soixante-sept membres de l'équipage du *Titanic*, libérés de leurs obligations vis-à-vis de la sous-commission, montaient à bord du *Lapland* affrété par la White Star Line. Soulagés, ils furent accueillis neuf jours plus tard à Plymouth, avec les honneurs réservés aux héros de l'Empire. Bien qu'on attendît d'eux qu'ils déposent à nouveau devant les enquêteurs britanniques, ils n'avaient plus aucune raison de s'inquiéter.

Le lendemain, 30 avril, Joseph Ismay était autorisé à rentrer lui aussi en Angleterre avec le reste de ses hommes. Toutefois, soucieux du crédit politique qu'il cherchait à donner à l'enquête, le sénateur Smith prit sans doute un certain plaisir à lui demander de reconnaître l'impartialité du débat qu'il avait présidé : « Qu'avez-vous à déclarer sur la manière dont la commission vous a traité? », lui demanda-t-il sournoisement. À quoi le pauvre Ismay répondit qu'il « n'avait rien à lui reprocher, qu'on avait eu certainement de bonnes raisons de le retenir aux États-Unis et qu'à sa connaissance aucun traitement inconsidéré ou déloyal n'avait été infligé à son équipage[1] »...

Le 2 mai, vers 11 heures, la presse attendait Philip Franklin et Joseph Ismay sur le perron du Ritz Carlton de Washington où ils étaient descendus pour les besoins de l'enquête, après que le sénateur Smith eut décidé que la sous-commission devait se tenir sous les lambris du Sénat plutôt que dans un palace new-yorkais. Mais les deux hommes quittèrent discrètement l'hôtel par une porte dérobée. Un taxi les conduisit à la gare, direction New York où l'*Atlantic* les attendait au quai de la White Star. À bord, ils retrouvèrent une partie de l'équipage du *Titanic* ayant déposé devant les sénateurs, une trentaine d'hommes en tout. À midi, ils quittaient définitivement le sol américain et, le 11 mai, ils débarquaient à Liverpool après une escale à Queenstown.

À sa descente de l'*Adriatic*, Ismay voulut marquer son retour d'un geste fort en annonçant à la presse qu'il allait verser la somme de 10 000 livres au Margaret Ismay Fund, que venait de fonder son épouse en faveur des familles des disparus.

Cependant, comme tous les autres protagonistes de l'affaire, il devait encore déposer devant la commission britannique. Tout n'était donc pas terminé, mais il n'aurait plus à subir les questions insidieuses que lui avaient posées les sénateurs américains à seule fin de le confondre.

Cette commission présidée par le baron Mersey, dont l'ordre d'enquête avait été rendu public à la fin du mois d'avril, avait commencé ses auditions depuis une dizaine de jours lorsque Joseph Ismay se rendit à Buckingham Gate[2] pour y être entendu. Si les experts nommés par le ministère du Commerce avaient également pour but de rechercher les causes du naufrage du *Titanic*, ils n'avaient nullement

---

1. *Ibid.*
2. La commission tenait ses séances au Drill Hall, salle d'entraînement du London Scottish Regiment.

l'intention de jeter le discrédit sur la White Star Line. Son avenir et celui du chantier naval de Belfast en auraient subi de graves conséquences économiques et l'intention des juges était moins de procéder à des condamnations que d'émettre des recommandations. De toute évidence, ils cherchaient à minimiser l'impact de la catastrophe sur l'opinion, de manière à contrebalancer par un aveuglement consenti la partialité des Américains. Et Mersey, qui était fils d'un entrepreneur maritime, savait éluder les questions embarrassantes. Anobli en 1910, il avait par ailleurs une autorité morale qui interdisait toute critique.

À l'inverse de l'enquête américaine, l'organisation des sessions avait été soigneusement préparée, cadrée et mise en scène. Dans la salle d'audience rectangulaire surmontée de galeries, on avait installé plusieurs bureaux sur une estrade où siégeaient le président et ses assesseurs, à leur droite une table en guise de barre pour les témoins et, devant eux, de longues tables et des bancs pour la presse et le public. Au mur de gauche se trouvaient une carte géante de l'Atlantique et la maquette en demi-coque du *Titanic* vu sur tribord. Mais, en dépit de ce décor de tribunal, il ne s'agissait, ici comme à New York et Washington, que d'une commission d'enquête au terme de laquelle aucune sentence ne devait être prononcée. L'unique sanction serait les attendus de la presse et les émotions de l'opinion publique.

Au cours des trente-six audiences de la commission, qui siégea jusqu'au 30 juillet, un témoin de circonstance se présenta fort à propos pour faire diversion sur les errements de la White Star en matière de sécurité et détourner l'attention du public de la figure emblématique de Joseph Bruce Ismay. Il s'agissait du capitaine Stanley Lord, qui commandait le *Californian* la nuit du 14 au 15 avril 1912. « Arrogant et cassant, il produisit une impression désastreuse[1] » : c'était suffisant pour qu'il fît un coupable idéal. Aussi fut-il chargé de tous les maux dont la Grande-Bretagne cherchait à se laver. Don Lynch écrit

---

1. G. Piouffre, *Le* Titanic *ne répond plus, op. cit.*

à son sujet : « Il n'est pas surprenant que lord Mersey voulût trouver dans le capitaine Lord le bouc émissaire dont il avait besoin pour écarter les soupçons qui pesaient sur le minis-tère[1]. » Et, accessoirement, sur la sécurité à bord des unités de la puissante flotte des paquebots anglais.

Le président de la commission manifesta une véritable hostilité à l'endroit de l'ancien commandant du *Califor-nian*, lui assenant sans ménagement qu'il avait l'intime conviction de sa responsabilité, voire de sa culpabilité face aux victimes. Ce n'était plus le registre du sénateur William Smith, mais le ton était donné. Et les intentions de l'interro-gatoire étaient clairement définies. Pour le président, Stan-ley Lord s'était trouvé à proximité du paquebot naufragé, auquel il n'avait pas porté secours. Tout le monde comprit aussitôt que rien n'ébranlerait Mersey dans son intention de lui reprocher la disparition des mille cinq cents âmes du *Titanic*, et que cette détermination était politique. « Vos réponses ne me satisfont nullement[2] », se contentera-t-il de rétorquer aux explications du capitaine.

Depuis lors, la thèse selon laquelle le *Californian* se serait trouvé à moins de 10 milles nautiques du *Titanic* ne peut plus être retenue. L'honneur du capitaine Lord est aujourd'hui lavé de tous les soupçons qui pesaient sur lui en 1912. Mais à cette époque la commission d'enquête avait encore toute liberté de penser qu'elle tenait un res-ponsable idéal. Le pauvre Stanley Lord subit donc aussi-tôt la vindicte et l'opprobre de ses contemporains. Car sa prestation devant les enquêteurs britanniques, hautaine et parfois dédaigneuse, son insensibilité et son manque d'émotion choquèrent vivement les témoins de ses dépo-sitions. Bernard Géniès et France Huser seront de ceux qui condamneront son naturel provocant et sa façon d'affir-mer « qu'il n'a[vait] commis aucune faute[3] ». S'il avait eu le

---

1. D. Lynch, *op. cit.*
2. Cité par D. Lynch, *ibid.*
3. B. Géniès, F. Huser, *op. cit.*

courage et la détermination d'un Arthur Rostron, n'aurait-il pas sauvé des centaines de vies? Telle fut la conclusion de la commission de Londres, qui suivit ainsi le raisonnement de son président et que le public reprit à son compte sans opposer la moindre contestation.

De toute évidence, à Washington comme à Londres, on avait assisté à la même mystification: deux jugements dont la partialité avait occulté le débat des enquêteurs pour distraire l'opinion de la réalité historique. Gardiner et Van der Vat n'hésitent pas à parler de « blanchiment de la vérité[1] », d'insulte aux victimes et de déni de justice.

Des conclusions sans surprise

Si chacune des commissions d'enquête s'arrangea pour traiter le drame à l'aune de ses intérêts, certaines causes indirectement responsables de la catastrophe ne pouvaient faire l'objet d'aucune interprétation, ni d'un côté ni de l'autre de l'Atlantique.

Dans un rapport de vingt-trois pages rendu public le 29 mai, la sous-commission du Sénat incriminait tout d'abord le nombre insuffisant d'embarcations de sauvetage et le manque d'entraînement de l'équipage aux postes d'abandon. Elle blâmait ensuite le commandant Smith, qui n'avait pas tenu compte des messages adressés par les navires qui traversaient la zone des icebergs et avait négligé l'exercice d'évacuation prévu le matin du naufrage. Enfin, il apparut aux sénateurs qu'il avait donné l'ordre d'évacuer le navire bien trop tard, au moins vingt minutes après la collision selon certains témoins.

La White Star Line n'échappait pas non plus aux fourches caudines du rapport Smith, qui l'accusait de ne pas avoir annoncé le naufrage du *Titanic* dans les temps que requérait la plus élémentaire morale et d'avoir induit

---

1. R. Gardiner et D. Van der Vat, *op. cit.*

le public en erreur sur l'importance de la tragédie. Au terme de quoi, une vive pique était adressée au ministère britannique du Commerce pour le caractère désuet de ses règlements, qui avaient coûté la vie à des centaines de citoyens américains.

Comme il se doit, la presse unanime se réjouit de ce dénouement. Les journaux commentèrent les attendus et leurs colonnes furent ouvertes au courrier des lecteurs. Comme on peut l'imaginer, il ne se trouva personne pour prendre le contre-pied des experts et même le public le plus averti s'abandonna au lynchage collectif. Ainsi de l'amiral Chadwick, héros de la guerre d'Indépendance, auquel le *New York Evening Post* avait demandé son point de vue de marin. « Le *Titanic*, écrivit-il, a bien été perdu en raison d'une navigation imprudente. Marchant à pleine vitesse, bien qu'ayant été prévenu, son commandant s'était mis dans une situation dangereuse qui aurait pu être évitée[1]. » Il concluait que, le *Titanic* s'étant trouvé en de mauvaises mains, il ne pouvait y avoir d'issue favorable à son voyage ! Le *Washington Post*, quant à lui, donna la parole à l'amiral Dewey, dont l'autorité ne pouvait être mise en doute en raison de ses années passées en mer. Reprenant à son compte le couplet du scandale qui avait conduit l'armement britannique à sacrifier des vies humaines sur l'autel de la rentabilité, il scellait un peu plus encore l'image que l'Amérique souhaitait faire accréditer. Se posant en victime, elle s'érigeait en justicier.

La loi Harter de 1898 autorisant les victimes d'un naufrage à se retourner contre l'armateur en cas de négligence avérée pouvait maintenant s'appliquer. Les conclusions de l'enquête sénatoriale rendaient leurs plaintes recevables et leur permettaient d'engager des actions en dommages et intérêts. C'est ainsi que l'on verra nombre de plaignants revendiquer toutes sortes de compensations pour préjudice moral et tort financier. Certains, n'obtenant pas

---

1. Cité par R. Gardiner et D. Van der Vat, *ibid.*

satisfaction aux États-Unis, tenteront de se porter partie civile en Grande-Bretagne.

Si la demande d'indemnisation demandée par la veuve d'un producteur de théâtre de Broadway, Henry B. Harris, à hauteur d'un million de dollars, était dans la nature des choses aux États-Unis, des réclamations plus extravagantes et plus immorales s'entassèrent sur les bureaux des avocats et des assureurs. Ce fut notamment le cas de l'héritière d'un milliardaire de Philadelphie, Charlotte Drake Cardeza, qui déposa une demande de plus de 177 000 dollars pour la perte de ses bagages. Mauritz Björnström-Steffansson, qui avait perdu une toile du peintre Blondel, *La Circassienne au bain*, estima quant à lui son préjudice à 10 000 dollars. Et William Carter présenta une facture de 5 000 dollars correspondant à la perte de son automobile. Ils ne furent pas les seuls à tenter de récupérer quelque argent, bien qu'ils eussent la vie sauve. Des demandes affluèrent aussi de rescapés de la troisième classe, mais les sommes restaient modiques et généralement proportionnelles aux pertes qu'ils revendiquaient : ainsi fut demandé le remboursement d'une cornemuse à 50 dollars, ou celui d'une machine à marmelade…

Deux mois après la publication du rapport sénatorial, la commission Mersey donnait lecture de ses propres attendus. À cette occasion, une foule immense s'était rassemblée à Buckingham Gate. Le public britannique était impatient d'en connaître les conclusions. En voici quelques extraits, tirés des soixante-quatorze pages du rapport[1]. « La cour ayant soigneusement enquêté sur les circonstances du naufrage, explique lord Mersey, il apparaît à ses yeux que la disparition du *Titanic* fut le résultat de sa collision avec un iceberg à la suite de la vitesse excessive à laquelle le paquebot naviguait. » Par ailleurs, si le capitaine Smith n'avait pas réduit la vitesse lorsqu'il se trouvait de nuit dans une zone où l'on

---

1. Nous nous référons à *L'Album* Titanic *du R. P. Browne* de R. P. O'Donnell (Le Touvet, Éditions MDV, 1998), à *L'Énigme du* Titanic de R. Gardiner et D. Van der Vat Paris (*op. cit.*), ainsi qu'à Titanic : *destination désastre* de J. Eaton et C. Haas (*op. cit.*).

pouvait s'attendre à la présence de glaces, c'était en raison de la pratique en usage chez les commandants de paquebots de ne pas ralentir du moment que le temps est clair. En conséquence, la commission se trouvait dans l'impossibilité de blâmer son comportement. Elle contredisait donc ouvertement les attendus des sénateurs américains. Pour autant, elle ne pouvait faire moins que de recommander aux commandants de paquebots de changer leurs habitudes bien qu'elle continuât de justifier leur attitude par la faute « des passagers qui demandent à raccourcir toujours davantage le temps de la traversée » ! Les experts britanniques expliquaient enfin que si certains messages radiotélégraphiques n'avaient pas été remis à la passerelle, « cet incident n'avait pas eu d'influence sur la navigation ». Pas plus que la présence de Joseph Bruce Ismay à bord du *Titanic* n'avait altéré l'autorité de son commandant.

Pour mettre un terme officiel à la polémique sur le directeur de la White Star Line, lord Mersey insista sur le fait que sa position à la tête de la compagnie « n'imposait pas l'obligation morale de demeurer à bord jusqu'à la disparition du navire ». S'il n'avait pas sauté dans le radeau de survie, on aurait simplement déploré la perte d'une vie supplémentaire. L'avocat de la White Star Line, sir Robert Finlay, avait déjà fait valoir cet argument : si Joseph Ismay avait été poussé à se suicider, « on aurait conclu qu'il aurait sombré avec son navire pour éviter de s'expliquer ». Il n'y avait donc pas non plus de remarque défavorable à formuler sur sa conduite. De même avait-il fait tout son possible pour prêter assistance aux femmes et aux enfants. « Il n'a donc violé aucun point d'honneur, et s'il avait choisi de perdre la vie, comme il a été suggéré, on dirait aujourd'hui qu'il avait préféré mourir plutôt que d'affronter cette enquête[1]. »

Ce fut un beau plaidoyer, un morceau de bravoure dialectique en forme de réhabilitation. Pour autant, victime de son propre rôle, Joseph Bruce Ismay ne se départira jamais

---

1. Cité par A. Gracie, *op. cit.*

de l'image de coupable repentant qu'il avait donnée de lui dès son arrivée sur le *Carpathia*. Quels que fussent les arguments que l'on pouvait opposer pour sa défense, il admettait, par son attitude même, les reproches qu'on lui adressait. Sa conscience était sans doute son plus féroce ennemi.

L'heure des comptes

Il restait encore à prendre connaissance des recommandations que les experts des deux rives de l'Atlantique avaient formulées aux armateurs, aux constructeurs et plus encore aux autorités de tutelles de la Marine de commerce, qui publiaient les cahiers des charges et délivraient les certificats de navigation. Ne fût-ce que pour justifier les 100 000 dollars que les commissions d'enquête avaient coûté aux contribuables américains et britanniques[1].

Pour autant, ce procès du modernisme et du progrès ne devait guère entraver le développement de la construction navale. Le *France*, dont le voyage inaugural eut lieu cinq jours seulement après le naufrage du *Titanic*, ne souffrit nullement de la tragédie qui venait de frapper son plus prestigieux rival, pas plus que la nouvelle génération de paquebots que l'Allemagne s'apprêtait à mettre en service sur la ligne de New York ne vit diminuer sa clientèle. Non que celle-ci ne fût pas attentive aux offres des compagnies, en matière de confort mais surtout en ce qui regardait la sécurité. Mais la culture et la nécessité des voyages gommaient ses atermoiements.

Pour donner à tout le monde une chance de monter à bord d'un canot de sauvetage, Walter Lord a calculé que les navires de la classe « Olympic » auraient dû emporter quatre-vingt-dix chaloupes[2]. Et de rappeler qu'il ne s'agissait pas d'un problème spécifiquement britannique,

---

1. Respectivement 6 600 dollars et 20 213 livres.
2. C'est plus que l'initiative avortée de l'ingénieur Carlisle, qui en suggérait soixante-quatorze, en 1907.

puisqu'en moyenne seuls 50 à 55 % des passagers d'un paquebot étaient généralement en mesure de trouver place dans les embarcations prévues à cet effet. *La Provence*, de la Compagnie générale transatlantique, se distinguait avec un taux de 82 %, mais c'était une exception. Et l'auteur de *La Nuit du* Titanic de souligner la cupidité des compagnies, plutôt que la simple observation d'une réglementation obsolète[1].

Les armateurs étaient désormais placés devant leurs responsabilités. Et les navigants n'attendirent pas l'adoption d'une nouvelle loi pour exiger les transformations qu'imposait la crise du *Titanic*. C'est ainsi que, dès l'été 1912, l'*Olympic* fut mis sur cale chez Harland & Wolff pour y subir différents travaux, tels que l'augmentation de la hauteur du double-fond ou le prolongement des compartiments étanches jusqu'au pont principal. Le *Britannic*, encore en construction, fut en outre doté de bossoirs capables de supporter six canots chacun et de ballasts censés le maintenir à flot avec six compartiments inondés. Il sera lancé le 26 février 1914.

On tira bien d'autres leçons du naufrage en matière de sécurité. Tout d'abord, des exercices de sauvetage obligatoires devaient désormais avoir lieu dès le début du voyage pour tous les passagers et membres d'équipage, afin de leur attribuer une place précise à bord des embarcations et d'éviter toute confusion et toute panique à bord. Le 2 juin 1912, on lisait à ce propos dans le supplément du *Petit Journal*: « Une leçon de prudence s'est dégagée de la catastrophe du *Titanic*. Depuis lors on fait, sur les paquebots des diverses compagnies européennes, des exercices d'embarquement dans les canots de sauvetage. Et c'est une sage précaution qu'on ne peut qu'approuver. On ne doit pas effrayer les passagers, mais il est plus dangereux de leur cacher le danger que de le leur montrer sans exagération et de les armer contre lui. Agir autrement, c'est imiter l'autruche [...].

---

1. W. Lord, *Les Secrets d'un naufrage, op. cit.*

Les voyageurs ne sont pas des enfants. Ils savent bien que les bateaux, si perfectionnés qu'ils soient, si parfaites que soient leurs cloisons étanches, sont toujours à la merci d'un abordage dans le brouillard ou d'une tempête qui les jettera sur un récif. Mieux vaut donc les conduire à se préparer intelligemment et courageusement en pareil cas, que de les tenir dans une ignorance funeste pour eux-mêmes autant que pour les autres. »

Par ailleurs, des appareils de communication radio équiperaient toutes les embarcations de sauvetage accueillant plus de cinquante personnes.

Une nouvelle route, plus au sud que la précédente, fut en outre adoptée pour la saison des glaces dérivantes dans l'Atlantique Nord. Une patrouille internationale fut également instituée pour prévenir les navires du danger. D'abord dévolue à l'US Navy, cette mission de localisation et d'observation des icebergs dans la région des Grands Bancs de Terre-Neuve reviendra aux gardes-côtes américains à dater de la Conférence de Londres en 1913[1].

Néanmoins, les mesures prises pour conjurer les conséquences du naufrage du 15 avril ne résolvaient en rien les causes de l'accident. À peine satisfaisaient-elles aux premières revendications d'une opinion traumatisée.

Pour tenter de comprendre la succession des événements ayant conduit à la collision avec l'iceberg, il faut donc se pencher sur d'éventuels manquements lors de l'aménagement du bateau et sur les négligences qu'aurait pu commettre l'équipage du *Titanic* dans les jours qui précédèrent le drame. Malheureusement, ces erreurs se présentent essentiellement comme une série de questions sans réponses.

Arrêtons-nous un instant sur l'affaire des jumelles que les vigies ne trouvèrent pas à leur place dans le nid-de-pie. Alors

---

1. Trois autres conférences lui succédèrent en 1929, 1940 et 1974, ainsi que de nombreux amendements résultant de l'évolution technologique de la construction navale.

qu'elles devaient être rangées dans une boîte fermée à clé, elles étaient introuvables après l'escale de Southampton. Peut-être emportées, a-t-on dit, par l'officier qui avait quitté le bord après avoir été remplacé à la dernière minute. Or il n'a jamais été répondu à la question de savoir ce qu'elles étaient devenues ou qui les avait subtilisées. Pourquoi? Le détail était-il jugé sans importance? Handicapé par la nécessité de scruter l'horizon à l'œil nu, Frederick Fleet aurait peut-être aperçu l'iceberg à temps s'il en avait été pourvu le soir du 14 avril. Mais tout le monde n'est pas d'accord sur le bien-fondé de l'utilisation des jumelles en pareille circonstance.

Il s'agit là de l'infime partie d'un tout cohérent, d'un détail apparemment insignifiant lorsqu'il est pris isolément. Mais s'il s'ajoute à d'autres violations mineures, négligeables en tant que telles, c'est toute l'organisation d'une traversée transatlantique qui peut être remise en cause. Et sa sécurité prise en défaut.

À l'affaire des jumelles on peut ajouter le départ précipité de Belfast, qui a contraint d'écourter les essais en mer. Signée dans la précipitation, la précieuse autorisation de naviguer donnée par les experts du Board of Trade n'a pas permis de mesurer certaines insuffisances dont souffrait probablement le navire : la taille du safran, par exemple, et sa manœuvrabilité relative en raison de sa longueur et de son déplacement. Là encore, cette transgression n'impliquait pas de faire courir des risques inconsidérés aux passagers, sauf à s'additionner à d'autres impondérables, de façon sournoise et improbable *a priori*.

La licence privée donnée à la société Marconi pour toutes les communications radiotélégraphiques du bord est l'une des raisons qui bloquèrent la transmission normale et régulière des informations dans les jours et les heures qui précédèrent la collision. Certes, le cahier des charges de la société stipulait que la sécurité du navire l'emportait sur toute considération économique et financière. Mais c'était faire bien peu de cas de la réalité et des usages en vigueur depuis l'embarquement de la TSF à bord des paquebots commerciaux. La suite des événements l'a prouvé.

D'autres erreurs liées au manque d'organisation à bord du *Titanic* lors de son voyage inaugural contribuèrent sans doute à ce qu'un accident, contestable d'un point de vue statistique, survînt au cours de la traversée. On ne peut inclure dans cette liste les questions climatiques ou de cap, qui n'entrent pas dans la mésaventure spécifique du *Titanic*; elles sont en effet génériques et concernaient l'ensemble de la navigation maritime dans l'Atlantique Nord durant la semaine du 10 avril 1912. En revanche, l'interprétation de ces conditions incombait au commandant et à ses officiers dans les deux heures qui précédèrent la collision, puis au moment du choc.

Dans un registre différent, le fait qu'on ait omis de calculer la position du navire le dimanche de l'accident ne fut pas sans conséquences. Contraint de faire le point dans la précipitation au moment de lancer le premier message de détresse, le lieutenant Boxhall s'était en effet trompé dans ses estimations. Cette imprécision sur la localisation du *Titanic* aurait pu se révéler gravissime pour la survie des naufragés, si les secours avaient tardé à les trouver. Cette négligence n'eut pas en elle-même une portée dramatique, mais elle dénonce une nouvelle faille dans l'organigramme de la traversée, un maillon faible de plus à imputer au commandement. Surpris que la traditionnelle réunion journalière des officiers n'ait pas eu lieu le dimanche 14 avril, Henry Lang reste convaincu que la menace des icebergs aurait dû pousser le capitaine Smith à plus de vigilance[1]. Et ce spécialiste du management d'ironiser sur le fait qu'on n'oublia pas, en revanche, de se réunir pour discuter de la composition des menus...

L'insouciance et la légèreté semblent donc avoir prévalu durant la courte navigation qui conduisit le *Titanic* à sa perte. Nous ne reviendrons pas sur le comportement des

---

1. *Cf.* H. Lang, *Le Management du* Titanic, *op. cit.*

officiers de quart à la passerelle au moment de la collision : il a suscité de nombreux commentaires, sur les ordres de barre en particulier. Mais on soulignera l'absence du capitaine Smith à ce moment critique de la journée : s'il ne constituait pas une faute caractérisée au regard des usages, ce comportement concède à la rumeur bien des critiques sur son insouciance. Certains parleront même d'indolence et de désinvolture aggravée.

Ce fut peut-être à l'heure la plus grave, celle où tout pouvait encore se jouer, durant les minutes interminables de mise à la mer des canots de sauvetage, que les hommes du *Titanic* dans leur ensemble perdirent la dernière occasion de tromper la marche du destin. À cet exercice non plus l'équipage n'était pas entraîné. C'est à peine s'il savait manier les bossoirs qu'on venait d'installer. D'une conception résolument moderne, ils étaient d'une robustesse à toute épreuve et pouvaient aisément supporter le poids des embarcations et leur soixantaine de passagers. Ne les connaissant pas, les officiers et les matelots désignés pour faire descendre les chaloupes les envoyèrent à moitié vides pour les alléger. À quoi il faut ajouter leur incapacité, pour la plupart, à gérer le flux grossissant des hommes, des femmes et des enfants qui se pressaient autour d'eux.

La mauvaise réputation de l'équipage, une simple rumeur au départ du navire, se répandit comme une traînée de poudre au lendemain du 15 avril. Une partie des matelots, en effet, avaient été engagés à la dernière minute, sans qu'on eût pris soin de vérifier leur moralité ni surtout, ce qui est plus grave, leurs qualifications. À telle enseigne que l'on avait engagé dans la précipitation des gens qui n'avaient jamais pris la mer !

Un exemple parmi d'autres parle en leur défaveur. Après avoir attendu plus d'une heure devant la chaloupe numéro 4, une femme a raconté comment le deuxième lieutenant Lightoller lui-même, pourtant rompu aux exigences de son métier, avait supervisé l'embarquement dans ce canot. « Ayant ordonné de descendre la baleinière au niveau du pont qui se trouvait juste au-dessous de nous pour que nous puissions y accéder plus facilement, l'officier se rappela, mais trop tard, que les ouvertures de la galerie étaient fermées par des vitres! Après avoir fait remonter le canot, il constata que la confusion était telle sur le pont supérieur qu'il valait mieux que nous redescendions. Il fit alors ouvrir les baies vitrées qui avaient été verrouillées pour le voyage, mais lorsque ce fut chose faite, les chaloupes étant trop éloignées du bastingage, on dut utiliser les chaises longues en guise de passerelles pour y monter, avec toutes les difficultés que cela représentait[1]... »

Il reste à relever le nombre particulièrement élevé de marins et de personnels du bord qui montèrent dans les canots de sauvetage, non seulement en regard de la totalité des rescapés, mais aussi par rapport aux statistiques. Deux cent quatorze d'entre eux sauvèrent ainsi leur vie. Le chiffre est certes faible en valeur absolue, puisque six cent quatre-vingt-cinq autres périrent dans le même temps. Mais c'est nettement plus que les hommes, femmes et enfants de chacune des trois classes de passagers prise séparément[2]. Cela tend à confirmer le fait que l'embarquement se déroula dans un branle-bas général, sans organisation ni ordres de l'équipage dont les devoirs d'assistance prioritaire aux passagers ne semblent pas avoir été spécifiés ou, à tout le moins, respectés.

---

1. Cité par A. Gracie, *op. cit.*
2. Les chiffres le plus souvent avancés au sujet des vies sauvées et perdues lors du naufrage du *Titanic* sont à peu de chose près les suivants : en première classe, on compte 199 rescapés (54 hommes, 145 femmes et enfants) et 130 morts (119 hommes, 11 femmes et enfants); en deuxième classe, 119 rescapés (15 hommes, 104 femmes et enfants) et 166 morts (142 hommes, 24 femmes et enfants); en troisième classe, 174 rescapés (69 hommes, 105 femmes et enfants) et 536 morts (417 hommes, 119 femmes et enfants). En ce qui concerne l'équipage, on compte 214 rescapés (194 hommes et 20 femmes) et 685 morts (682 hommes et 3 femmes). *Cf.* H. Brewster et L. Coulter, *op. cit.*

12

LES ERREMENTS DE LA RUMEUR

Au lendemain de la tragédie du *Titanic*, l'émotion prit aussitôt le pas sur la réflexion. Offrant un espace polémique à l'opinion, elle en instrumentalisa l'histoire au point d'en disputer la lecture. En récupérant le traumatisme du naufrage, en s'appropriant les conséquences du drame, on faisait de la terrible « aventure du *Titanic* » une parabole. Un syndrome universel. L'idée d'un renouveau. Le philosophe Alain n'écrivait-il pas dès le 3 mai 1912 que la mémoire du *Titanic* réunissait tous les ingrédients de l'immortalité[1] ?

Pour que cette symbolique opère, il ne suffisait pas de désigner quelques hommes de paille mais de vrais coupables, choisis en amont de l'Histoire : là où tout avait commencé, en 1907, par une arrogance capitaliste montrée du doigt par toute une opinion publique prompte à cautionner le mensonge et la calomnie. Pour cela, il fallait prétendre à un complot, entretenir des mystères et donner du grain à moudre à l'exégèse.

Dans les semaines qui suivirent la perte du géant déchu de l'Atlantique, toutes les lectures de l'événement furent exploitées. Les mille cinq cents âmes qui avaient péri dans le champ de glace des Grands Bancs de Terre-Neuve avaient servi de menue monnaie à la spéculation, au profit, au seul intérêt de la bourgeoisie... Du moins est-ce la thèse que ne cessèrent d'entretenir une majorité d'auteurs, comme

---

1. Alain, *Propos*, Gallimard, 1956.

un refrain dédié au culte du désarroi. Dès le 4 mai 1912, on pouvait lire dans la presse des critiques acerbes, à l'encontre des actionnaires de la White Star Line notamment, soupçonnés d'avoir « donné des ordres pour multiplier au centuple leurs bénéfices[1] » au détriment de la sécurité du navire. On alla jusqu'à sous-entendre qu'il ne s'agissait pas d'un accident, mais de la conséquence d'une connivence économique et financière.

Le drame du *Titanic*, pour devenir intemporel, devait se glisser dans une défroque marxiste en dressant les unes contre les autres les victimes du naufrage ; en opposant deux mondes, qui naviguaient pourtant sur le même bateau et vers un horizon semblable. Dans un récit des années 1920, Rudolf Hook et Alexander Herbakoff parlent des passagers de troisième classe comme d'un « fumier » dont les capitalistes avaient besoin « pour amasser leurs millions, leurs fonds et leurs dots[2] ». Cette thèse, accréditée par Walter Lord[3], a définitivement mis au ban la White Star Line ainsi que le chantier Harland & Wolff, lui-même incriminé pour avoir construit ses paquebots au rabais. Porte-parole autoproclamé des rescapés qu'il a longuement interrogés quarante ans après les faits, Lord a ouvertement choisi de prendre à partie l'armateur, forcément véreux, ses financiers sans scrupule et ses ingénieurs aux ordres de la rentabilité, qu'il rend indistinctement responsables de la catastrophe. Même le deuxième lieutenant Charles Lightoller, qui passe pourtant pour un héros, ne trouve grâce à ses yeux lorsqu'il prétend que l'accident du 14 avril 1912 n'était que la conjonction de circonstances malheureuses.

---

1. *La Fiaccola*, journal italophone publié à Buffalo (État de New York). Cité par Steven Biel, *Titanica: the Disaster of the century*, New York, Norton & Company, 1998. Traduction de B. Alvergne.

2. Rudolf Hook, Alexander Herbakoff, *Der Untergang der* Titanic (« Le Naufrage du *Titanic* »). Cité dans Titanic : *témoignages des survivants, op. cit.*

3. *Cf.* W. Lord, *Les Secrets d'un naufrage* et *La Nuit du* Titanic, *op. cit.*

Le syndrome du manquement

Il fallait donc élever la faute au niveau du scandale et du complot pour qu'elle s'inscrive définitivement dans les consciences. Les indices remontaient aux rumeurs des premiers jours, lorsque tout le monde se demandait comment cette forteresse qu'était le *Titanic* avait pu couler. Comme on ne le savait pas, il avait fallu accréditer des théories incertaines, souvent extravagantes et la plupart du temps invérifiables. Mais suffisamment inquiétantes pour perdurer dans l'imaginaire. Paul Lavedan le pressentait en écrivant dans les colonnes de *L'Illustration*: « Ce drame constitue un sévère avertissement. Il ébranle la confiance illimitée accordée au progrès à l'heure où le positivisme et le scientisme conservent une forte audience au mépris du hasard et des forces profondes[1]. »

Pour autant, tout le monde n'accordera pas le même sens à la tragédie. Notamment ceux qui tireront moralement et psychologiquement profit de cette douloureuse expérience en soulignant « l'incalculable bénéfice dont notre humanité s'est enrichie par cette catastrophe matérielle ». Pour ces derniers, toutes les valeurs en seront désormais renforcées. « Il ne faut pas parler d'échec lorsqu'il y a victoire sur le passé », peut-on lire dans le *Christian Century*[2] du 2 mai 1912. Et son rédacteur de préciser que la terrible destinée du *Titanic* a mis en évidence le fait que l'homme triomphera finalement de la mer. Pour ce magazine chrétien, le *Titanic* est le contre-exemple du syndrome de l'arrogance. Par son courage, l'homme est capable de contrôler la nature pour ses propres besoins[3].

---

1. Cité par P. Masson, *Le Drame du* Titanic, *op. cit.*
2. « The Triumph of Man », article cité par S. Biel, *op. cit.* Traduction libre de B. Alvergne.
3. Cent ans plus tard, l'Histoire prouve que le naufrage du *Titanic* ne fut pas un frein à la modernité. Bien au contraire. L'ingénierie maritime, aujourd'hui maîtrisée, s'est développée tout en limitant les risques. Nous en voulons pour preuve le gigantisme des navires mis en service

Cette prise de position, qui donnait raison à l'émancipation de l'homme par le progrès, restait extrêmement rare. L'anathème était à l'ordre du jour. On allait donc s'attaquer à des fautes supposées de conception et de construction pour invalider la sécurité du *Titanic*. Et si les premiers constats s'étalèrent dans la presse, les auteurs se serviront de cette opportunité pour accréditer la thèse du mercantilisme. Robin Gardiner et Dan Van der Vat assigneront James Pirrie, John Pierpont Morgan et Joseph Bruce Ismay devant le tribunal de l'Histoire pour avoir imaginé une génération de navires improbables aux seules fins de s'enrichir. Ils écrivent: « La White Star Line commanda des paquebots à l'initiative de lord Pirrie, avec l'argent de Morgan et l'approbation d'Ismay, à une période où l'éthique des affaires était plutôt douteuse et la navigation insouciante. Son dirigeant, un héritier doté d'un caractère faible, fut ébloui, comme Pirrie d'ailleurs, par la fortune et le pouvoir de Morgan[1]. »

Jusqu'aux philosophes, qui prendront fait et cause pour une expiation de la tragédie par l'anathème, quels que soient les démentis scientifiques intervenus depuis lors. Pour David Brunat, par exemple, c'est encore et toujours à l'économie des normes de construction qu'il faut imputer le naufrage du *Titanic*. Et de prendre pour une vérité définitive ce qui relève tout au plus d'un exorcisme psychologique.

Aussi, à force d'entendre que ce naufrage prévisible était celui d'une civilisation sans garde-fou, excessive et tellement ambitieuse qu'elle en avait oublié ses limites, chacun s'est mis à le croire, puis à s'en faire l'écho. Invariablement depuis cent ans. « La peur a cette vertu de mobiliser les

---

par les armements commerciaux. Dans le registre de la croisière, la compagnie suisse MSC s'apprête à lancer en 2012 le troisième paquebot d'une série commencée en 2008 et poursuivie en 2009. Inspiré du *Fantasia* et du *Splendida*, le *Fantastica* sera d'une capacité proche de quatre mille passagers, soit près de deux fois celle du *Titanic* lors du voyage inaugural.

1. R. Gardiner, D. Van der Vat, *op. cit.*

hommes, écrit Pascal Bruckner, elle les sort de leur division par un objet de répulsion collectif, la désignation d'un bouc émissaire, qui les soude et les pousse à remettre leur sort entre les mains d'un tiers[1]. » Certes, certaines critiques étaient objectives. Mais ces manquements et ces erreurs étaient imputables à la caducité des règlements.

En ce qui concerne le calcul de la capacité d'embarquement à bord des chaloupes de sauvetage, il est indéniable que l'armateur et le constructeur en profitèrent pour se soustraire à une obligation morale de sécurité. Les commissions d'enquête l'ont souligné et de nouvelles lois ont été adoptées aussitôt après le naufrage. Or il ne s'agissait pas à proprement parler d'un défaut de construction, ni d'un vice caché, mais d'un manquement dans la gestion du risque, une erreur d'ailleurs ouvertement discutée et consentie par l'ensemble des parties concernées.

Il en va de même pour les fusées de détresse embarquées sur le *Titanic*, d'ordinaire multicolores. Celles qui se trouvaient à disposition de l'équipage étaient blanches. Pourtant lancées à intervalles réguliers, elles n'ont pas attiré l'attention des navires qui croisaient à proximité. Prêtant à interprétation, elles n'ont pas été reconnues pour des demandes d'assistance, mais pour de simples feux d'artifice ou des demandes d'identification par les marins du *Californian* et du *Samson*, notamment.

Cette confusion n'entre pas non plus dans le débat critique, en raison du fait que le règlement de 1897 régissant les usages et les procédures maritimes ne précisait pas la couleur des fusées de détresse. L'article 31 stipulait avec une certaine imprécision qu'il fallait faire usage, de nuit, de coups de canon ou de signaux explosifs, de flammes, de bombes ou de fusées projetant des étoiles de couleur ou de tout autre genre à de courts intervalles. Là encore, c'est l'imprécision des lois qui est en cause et non l'incurie de l'armateur et du constructeur.

---

1. Pascal Bruckner, *Le Fanatisme de l'Apocalypse*, Paris, Grasset, 2011.

Ensuite, l'absence d'inverseur de marche, la taille du safran et la lenteur du virement conféraient certes au *Titanic* une manœuvrabilité insuffisante en cas d'extrême urgence. Cela fut souligné lors des essais en mer et relevé par le chef mécanicien. Mais personne à ce moment-là ne mit l'accent sur les conséquences irréversibles de ce concept architectural. Cela faisait donc partie des habitudes et ne suscitait pas de véritables controverses.

Enfin, pour ce qui a trait à l'imperfection des transmissions radiotélégraphiques en 1912, on ne peut en tout état de cause incriminer la White Star Line, de toutes les compagnies maritimes, elle fut celle qui attacha le plus d'importance à la mise en service des appareils de TSF. La seule chose que l'on puisse regretter, c'est que les communications aient été abandonnées à une société privée, les intérêts commerciaux n'étant pas compatibles avec les responsabilités de la navigation.

En revanche, la polémique se fera plus insidieuse, voire perfide, lorsqu'elle portera sur des questions difficiles à prouver en l'état des connaissances. Nous voulons parler de la fragilité supposée de l'acier et des rivets utilisés pour la construction des paquebots sur le chantier Harland & Wolff. Aussitôt après la catastrophe, Joseph Conrad reprenait à son compte une rumeur selon laquelle l'épaisseur des tôles d'acier utilisées par le constructeur irlandais aurait été insuffisante[1]. Comme l'opinion cherchait une raison objective à ses condamnations, elle n'hésita pas à s'engouffrer dans la brèche.

Ce qui n'était alors qu'une rumeur persistante, faute de preuves, allait prendre une nouvelle dimension à partir de 1994. Cette année-là, huit ans après la découverte de l'épave, était tentée une expérimentation de résistance de l'acier mis en cause. Les échantillons provenant de deux expéditions organisées en 1987 et 1991 furent analysés par un laboratoire militaire canadien. La conclusion du géologue Steve

---

1. Joseph Conrad, *Le Naufrage du* Titanic, Paris, Arléa, 2009.

Blasco et de l'ingénieur en mécanique Duncan Ferguson fit immédiatement l'effet d'une bombe médiatique : les paquebots de la classe « Olympic » auraient été construits avec des tôles de moindre qualité, cassantes à basse température[1] ! Le contenu du rapport, concluent John Eaton et Charles Haas, « menaça[it] d'ôter au *Titanic* l'excellence et la qualité associées historiquement à sa construction[2] ». Les partisans de la bonne vieille rumeur tenaient enfin leur bouc émissaire. Prédisposé à se briser plutôt qu'à se tordre en cas de forte pression, l'acier n'aurait pas résisté au choc provoqué par la collision sous-marine avec l'iceberg, dans un océan dont la température était inférieure à 0 °C.

Deux échantillons, l'un provenant de l'épave et l'autre d'un acier des années 1990, furent donc testés en laboratoire. La méthode consistait à les maintenir solidement sur un support après les avoir immergés dans un bain d'alcool à –2 °C, puis à les soumettre au choc d'un pendule de 30 kilos. Reliés au point d'impact, des instruments électroniques enregistrèrent au millionième de seconde l'énergie mise en œuvre. Or, lorsque le choc se produisit, l'acier moderne se plia aussitôt, tandis que l'échantillon de 1912 se brisa instantanément. « La courbe visible sur l'écran de l'ordinateur et les analyses ultérieures étaient formelles : l'acier du *Titanic* était extrêmement cassant[3]... » Un second test fut effectué à partir d'un morceau de tôle de la même époque récupéré sur le chantier naval et n'ayant jamais subi d'immersion. Le résultat, selon les chercheurs canadiens, fut identique.

Tous les journaux s'empressèrent de diffuser les conclusions de cette expérience de laboratoire. Ainsi, quatre-vingts ans après le drame, pensait-on tenir une explication confirmant la thèse d'une construction à petit prix, exécutée sur le dos de milliers d'hommes, de femmes et d'enfants

---

1. *Cf.* Robert Gannon, « Le vice caché du *Titanic* », *Sélection du Reader's Digest*, octobre 1985. Extrait de *Popular Science*.
2. J. Eaton, C. Haas, *op. cit.*
3. R. Gagnon, *loc. cit.*

innocents. La véritable tragédie du *Titanic*, avancèrent les nouveaux exégètes, était que des techniques de construction plus fiables, ainsi qu'une meilleure qualité de l'acier, eussent évité sa perte ou ralenti son naufrage. Et, par conséquent, sauvé plus de vies[1]. C'est définitivement ce que l'on voulait entendre, et c'est ce que retiendra l'opinion publique via les communiqués de presse.

Pourtant, cette théorie laisse perplexe à plusieurs égards, hors toute considération économique et financière, voire politique. D'abord, parce que le chantier naval irlandais n'avait aucune raison de faire des économies sur les matériaux utilisés pour construire ses navires, dont la réputation n'avait souffert aucune exception jusque-là. En second lieu, parce que la compagnie qui les lui commandait ne lui imposait aucune restriction financière. Les « Big Three », dont la construction fut décidée en 1907, furent devisés au prix des appels d'offres habituels, majoré d'un pourcentage fixé par contrat. Il n'y avait donc aucune nécessité de tirer sur la corde budgétaire.

Par ailleurs, il était de notoriété publique que l'acier utilisé par Harland & Wolff était constitué d'un alliage de haute qualité conçu par la firme Siemens, « doté de propriétés élastiques lui assurant une bonne résistance aux changements de température ». Ce qui convenait parfaitement à la méthode de rivetage hydraulique, insistent Bernard Géniès et France Huser[2]. Le *Teutonic* et le *Majestic*, qui firent une longue et brillante carrière à partir des années 1890, étaient construits avec les mêmes matériaux. Enfin, si l'acier était aussi fragile qu'on l'a prétendu, pourquoi la coque n'explosa-t-elle pas lorsque le navire percuta le fond de l'océan, après une descente de près de 4000 mètres à la vitesse de 50 km/h, l'étrave pointée vers le bas et sous un angle approximatif de 45 degrés ?

---

1. *Cf.* J. Eaton, C. Haas, *op. cit.*
2. *Les Rescapés du* Titanic, *op. cit.*

Les rivets posés à la main, qui retenaient entre elles les plaques de tôle et dont on a prétendu qu'ils étaient eux aussi fragilisés par la présence excessive de scories[1], auraient également dû sauter sous l'effet de l'écrasement de la coque. Or rien de tel ne se produisit – hormis en laboratoire. Les photographies prises au cours des plongées successives sur l'épave montrent que la proue du *Titanic* demeura intacte en dépit de la brutalité du choc. L'enfoncement de l'étrave, d'une vingtaine de mètres dans le sédiment, témoigne de cette violence. La seule brèche apparente, d'assez petite taille, que l'on distingue un peu à l'arrière du mât de vigie, est certainement le résultat de la torsion de l'étrave au moment de l'impact sur le fond.

Eaton et Haas notent qu'ils ont personnellement examiné les tôles de la partie avant, dans le secteur situé au-dessus du point d'impact avec l'iceberg. Leur conclusion est qu'il n'y a pas de trace visible de fracture par le froid ni de craquelures démontrant la fragilité dénoncée de l'acier. L'*Olympic*, dont on ne connaît pas moins de quatre accidents par abordage[2], n'en a pas été fragilisé, en dépit de la forte teneur en soufre de l'acier de sa coque. Sa longue vie a prouvé sa robustesse jusqu'en 1935, date à laquelle il fut désarmé et ses tôles récupérées par les ferrailleurs.

Évoquons encore la cassure du *Titanic* en avant de la quatrième cheminée arrière, lorsque la coque se dressa vers le ciel pour s'enfoncer dans l'abîme. Certains en ont tiré parti pour dénoncer une autre faiblesse de conception, due aux vides constitués par le volume du grand escalier de la partie arrière. Le porte-à-faux suscité par le

---

1. On considère que 2 % de scories étaient nécessaires pour consolider les rivets de fer forgé. Or il semblerait que ceux du *Titanic* en contenaient 10 %, ce qui les aurait rendus friables. Aucune preuve ne vient réellement corroborer cette rumeur.
2. Avec un remorqueur et le croiseur *Hawke* en 1911, avec le sous-marin allemand *U-103* en 1918 qu'il coula en l'éperonnant, puis avec le bateau-feu de Nantucket qu'il coupa en deux en 1934 au large de New York.

positionnement du paquebot, à quelque 45 degrés, aura certainement provoqué cette pliure au niveau des structures longitudinales.

Si tout est bon pour générer l'indignation, il est des segments d'Histoire qui s'y prêtent mieux que les tentatives de décrédibilisation technique. Nous voulons parler de la rumeur elle-même qui, sans autre forme de procès, s'empare de tout ce qui offre prise à l'imaginaire. C'est là que se développent le mieux le blâme et le bannissement. Ici que s'est construite la légende du siècle.

Le goût de l'affabulation

Chacun trouve son compte dans le naufrage du *Titanic*. La critique et la fascination se mêlent et se confondent dans le fonds commun de cette affaire, dont les ramifications infinies ont conduit l'opinion à s'approprier son mystère. Ce sont ceux que Walter Lord appelle les « mordus » du *Titanic*.

Cette passion en a conduit plus d'un à formuler toutes sortes d'hypothèses, non seulement sur les causes matérielles de la catastrophe, mais également sur des chapitres plus inattendus, insolites parfois, et qui procèdent de l'affabulation.

Ces interprétations sont pour la plupart contemporaines des premiers témoins, dont les points de vue divergeaient en raison de leurs émotions tout d'abord, puis en fonction de leur situation à bord du paquebot lorsqu'il était en train de couler, ou des embarcations de sauvetage lorsqu'elles erraient autour du géant blessé. Le colonel Gracie en est convenu dans ses souvenirs : « De nombreuses erreurs continuent de prévaloir et ce, en raison de la méconnaissance [...] et de l'incapacité du public à se représenter les conditions réelles dans lesquelles les faits se déroulèrent. [...] Ce qui explique que tout le monde ne fut pas témoin de scènes identiques[1]. » Lawrence Beesley reconnaîtra également qu'il est difficile de se faire une opinion générale au

---

1. A. Gracie, *op. cit.*

regard d'une seule appréciation et que son propre point de vue, comme tout autre, était nécessairement partiel[1].

Si la notion de temps était évasive pour nombre de témoins directs, les propos que ceux-ci tinrent aussitôt après les événements ne pouvaient être définitifs car leur mémoire avait tendance à les trahir. Walter Lord, qu'il n'est pas difficile de soupçonner de partialité, admet lui aussi que la réalité des faits, ici plus qu'ailleurs, est à géométrie variable et que la marge d'erreur des témoignages devrait être prise en compte. Il ne s'agit donc pas, pour la grande majorité des rescapés, de mystifications dictées par une quelconque volonté de nuire à la vérité, mais bien de ce que nous appellerons une « certitude involontaire ».

Walter Lord a recensé au moins quatre versions des propos échangés entre le capitaine Rostron et le lieutenant Boxhall lorsque la chaloupe numéro 2 aborda le *Carpathia*. Comme on ne connaîtra jamais la réponse exacte à toutes les questions, dit-il, « le mieux est [...] de tenir compte de tous les détails et de tenter de parvenir à une approximation honnête[2] ». Il faudrait être animé d'une singulière présomption pour se faire le « dépositaire définitif » de tout ce qui s'est passé.

D'autres témoins, animés par la nécessité de chasser le drame de leur inconscient, ne se sont pas embarrassés de ce genre de scrupules. Soit parce qu'ils en furent les acteurs malheureux, soit par nécessité de vivre la tragédie par procuration.

Jean-Pierre Keller écrit que le sens de la tragédie du *Titanic*, « instable, toujours revu et repensé, toujours remis sur le métier », est celui d'une catastrophe qui n'en finit pas de nous hanter, « comme si elle avait à nous parler de nous-mêmes autant que de ceux qui l'ont subie[3] ». Nous sommes tous sur le pont de ce navire mythique, dont le souvenir ressemble à une éternelle urgence. Nous avons besoin de cette

---

1. *Cf.* L. Beesley, *op. cit.*
2. W. Lord, *La Nuit du* Titanic, *op. cit.*
3. Jean-Pierre Keller, *Sur le pont du* Titanic, Genève, Éditions Zoé, 1994.

stratégie, telle une référence intemporelle. Et dès lors qu'on la fait sienne, aussitôt qu'elle nous appartient, elle redonne à l'Histoire toute sa liberté.

Le *Titanic* est un signe. L'onde de choc fut si forte qu'elle a pris les mémoires en otage. Rien, avant 1912, n'avait ébranlé pareillement le monde. Jamais une catastrophe n'était entrée dans l'inconscient populaire jusqu'à se l'approprier. Le *Titanic* est subitement devenu le symbole de ce qui pouvait arriver de pire à l'humanité : une porte s'était ouverte sur l'enfer. Le monde était devenu dangereux pour l'homme. Et les critiques qui suivirent devinrent une forme de flagellation pour exorciser ses propres erreurs et sa peur grandissante de l'avenir.

Sur le navire, au moment du drame, naufragés et rescapés représentaient le monde dans sa diversité. Ils étaient un microcosme de la société dans ses différences nationales, économiques et sociales. Aussi la disparition des uns et la souffrance des autres furent-elles ressenties comme une blessure collective.

Le silence, qui d'après l'ensemble des témoins se répandit sur le navire comme une chape de plomb, est caractéristique des grandes catastrophes, des accidents spectaculaires et dramatiques. On peut le comparer à l'œil d'un cyclone, au temps qui suspend le geste et tait toute velléité de parole. Juste avant que surviennent les cris et les plaintes, les reproches et le désir de réparation. Un ami de Michel Mohrt[1], témoin de la terrible collision entre l'*Andrea Doria* et le *Stockholm*[2], raconte cette attente qu'il voit comme une parenthèse entre la vie et la mort : « le navire penche de plus en plus et la mer est absolument calme ». C'est un grand silence qui envahit alors tous les passagers[3]. Silence vrai, et silence de mémoire.

---

1. L'écrivain Jean Lambert.
2. Abordage survenu dans la nuit du 25 juillet 1956 au large des côtes américaines.
3. *Cf.* M. Mohrt et G. Feinstein, *op. cit.*

Car, passé le temps de l'horreur, les souvenirs basculent dans la fébrilité d'une vision revisitée des faits. Un exutoire à la frustration du témoin qui jalouse l'acteur, du spectateur écarté de l'action qui cherche à toute fin à s'inclure dans le cours des choses. Car la souffrance et la mort donnent sens à l'existence. Par opposition, elles permettent aux vivants de s'accomplir.

Hormis les témoignages directs dont on a mesuré les concessions à la vérité, il y a aussi les relations de seconde main, parmi lesquelles les déclarations de témoins mineurs au moment du naufrage, parfois de très jeunes enfants dont la mémoire est soumise à la sujétion collective. Il n'est pas rare non plus que les descendants de rescapés et même de victimes s'immiscent dans un rôle dont le lien fragile avec l'histoire suffit à leurs yeux à les justifier. Il s'agit moins de description factuelle que de ressenti. Serge Sautreau nous parle de mise à l'épreuve : « D'une manière ou d'une autre, dit-il, c'est de l'autre côté que le voyage invite à passer[1]. »

Après les frères Navratil, la médiatisation autour de Millvina Dean, Frank Aks et, dans une moindre mesure, Marshall Drew, est représentative de cette appropriation de l'Histoire par des témoins qui, certes, ont la chance d'avoir survécu, mais dont l'heureuse destinée ne leur donne pas droit, pour autant, à tous les blancs-seings.

Millvina Dean, née le 2 février 1912, était la plus jeune de tous les passagers du *Titanic*. Elle perdit son père dans le naufrage et sa mère décida de regagner l'Angleterre avec ses deux enfants plutôt que de s'établir sans son époux dans un pays qu'elle ne connaissait pas. Ce n'est qu'à l'âge de huit ans que l'enfant fut mise au courant de ce qu'elle avait vécu. Or, dès ce moment, sa vie changea. Comme si elle eût été appelée à supporter tout le poids du drame familial, elle assujettit sa vie à quelque chose qui ressemblait à une expiation. Force est d'admettre que le bébé qu'elle était en 1912 n'avait pas conservé le souvenir visuel du naufrage et

---

1. S. Sautreau, *Les Naufrages : histoires et rituels*, Paris, Hermé, 2003.

que toute sa réflexion repose sur la mémoire familiale et collective. Nous retiendrons deux exemples significatifs de cette appropriation des faits : le premier, lorsqu'en 1958 elle raconta qu'elle avait refusé, par crainte d'être envahie par l'émotion, d'aller voir le film de Roy Baker, *A Night to Remember*, relatant le voyage inaugural du malheureux paquebot ; le second, lorsqu'en 1997 sortit sur les écrans la superproduction de James Cameron[1], à qui elle annonça qu'elle quitterait la salle avant la scène du naufrage, si d'aventure elle acceptait de se rendre à la première du film. Elle expliqua qu'elle s'estimait incapable de « revoir » ces images « trop douloureuses », si souvent ressassées dans son subconscient qu'elles étaient devenues insupportables à sa mémoire.

Frank Phillip Aks avait dix mois lorsque sa mère décida d'embarquer avec lui sur le *Titanic*. Aux premières heures du 15 avril 1912, lorsque la jeune femme qui voyageait en troisième classe se présenta sur le pont des embarcations, elle fut séparée de son enfant. Celui-ci fut déposé par un matelot dans une autre chaloupe. C'est là que la passagère Elizabeth Nye le prit sous sa protection, jusqu'à ce que tous les rescapés fussent enfin réunis sur le *Carpathia*. Or l'adulte qu'est devenu Frank Aks ne s'est pas privé de « témoigner », fort de cette aventure et de sa légitimité d'acteur involontaire. Son droit d'exprimer ses sentiments n'est pas en cause, mais la fiabilité de son point de vue de témoin oculaire. « Ma mère était dans un état de choc après avoir perdu son bébé dans la bousculade, écrira-t-il. C'est alors qu'elle fut poussée dans un canot à côté de Mme Selena Rogers Cook. Cette dernière était pleine de chaleur et de compassion pour ma mère qu'elle réconforta et surveilla toute la nuit, puis durant son transfert et son séjour à bord du *Carpathia*. [Le matin du 15 avril,] ma mère était assise au côté de Mrs Rogers, lorsqu'une femme passa avec un bébé dans ses bras. Le bébé, c'était moi ! Lorsque j'aperçus ma mère,

---

1. *Titanic*.

je tendis immédiatement les bras vers elle, mais Elizabeth Nye prétendit que j'étais son enfant. Aussi, Mrs Rogers alla trouver le commandant Rostron et lui raconta l'histoire[1]. » On connaît la suite car elle fut racontée par divers témoins de la scène. Ce qu'on en a retenu n'offre guère de différence avec le témoignage de l'intéressé lui-même, puisqu'il a puisé aux mêmes sources.

Avant d'évoquer le cas de Marshall Drew, revenons un instant sur Edmond et Michel Navratil, qui voyageaient sous le nom d'Hoffmann que leur père avait emprunté pour quitter la France à l'insu de leur mère. On se rappelle que ces deux petits garçons avaient respectivement deux et trois ans[2] et qu'ils survécurent miraculeusement grâce à Margaret Hays, qui s'occupa d'eux jusqu'à ce qu'ils fussent rendus à leur mère. Rentrés en France, ils vécurent dans le culte de cette nuit tragique. Leurs souvenirs, en grandissant, se sont naturellement étoffés au rythme des imageries collectées dans la presse de l'époque et dans les multiples versions de leur sauvetage pathétique. Les nombreux témoignages que Michel Navratil a distillés tout au long de sa vie sont un roman qui puise évidemment ses anecdotes dans un fond de vérité, mais qui n'emprunte pas moins à la réalité toute une fantasmagorie littéraire née d'une superposition d'images plus vraies que nature accumulées avec le temps. Ce qui ne l'empêchait pas de déclarer qu'il avait « gardé du naufrage du *Titanic* […] un souvenir extrêmement précis[3] »…

En 1982, Élisabeth, fille de Michel et nièce d'Edmond Navratil, entreprenait à son tour de raconter cet épisode familial avec moult détails, qui tiennent davantage de la compilation que de la révélation. Ces témoignages de seconde, voire de troisième main, n'ont évidemment plus la spontanéité qui présidait aux explications des rescapés

1. Cité par J. Eaton et C. Haas, *op. cit.*
2. Edmond était né 5 mars 1910 et Michel le 12 juin 1908.
3. Titanic : *témoignages des survivants, op. cit.*

dans les premiers jours et les premières semaines qui suivirent leur arrivée à New York à bord du *Carpathia*. Ce ne sont que des digressions de descendants qui, en guise de caution historique, ne peuvent revendiquer que leur patronyme. Lequel fera toujours recette, quelle que soit la valeur du propos.

Le cas de Marshall Drew procède du même « fantasme ». Le jeune adolescent, âgé de onze ans lorsqu'il survécut au naufrage en embarquant dans une chaloupe parmi soixante-neuf autres rescapés, pouvait avoir imprimé quelques images fortes au cours de la nuit fatale. Plus surprenante est l'abondance de détails qui fleurirent dans son témoignage… soixante-quatorze ans après les faits. Au seuil de sa mort, avec une rigueur qui confine à la photographie, Marshall Drew raconte ce qu'il faisait à 23 h 40, le 14 avril 1912, lorsque le navire heurta l'iceberg. « Un garçon de cabine vint frapper à notre porte et nous demanda de nous habiller, d'enfiler nos brassières de sauvetage et de monter au pont des embarcations, ce que nous fîmes. Il y avait une cloison étanche juste à côté, qui fut fermée lorsque nous partions », ajoute-t-il avec une grande précision technique. Le vieil homme explique également son embarquement et la périlleuse descente de vingt-trois mètres jusqu'à la surface de l'eau, durant laquelle rien ne fonctionna correctement et dont la manœuvre faillit tuer les occupants. « Maintenant, avoue-t-il tout de même avec honnêteté, je sais pour l'avoir lu que notre canot fut le seul à avoir été rempli à capacité. » Aussi, fort de l'impression produite sur lui par le navire qui s'enfonçait définitivement dans l'océan, s'indigne-t-il du fait qu'aucun dessin n'ait jamais représenté l'exacte vérité de cette scène[1] !

On frôle parfois la démonstration littéraire plus ou moins avouée. Le *Journal de Julia Facchini*, « édité » par Christine Féret-Fleury, entre dans cette catégorie de témoignages organisés autour des faits réels. Lorsque la jeune passagère

---

1. Titanic : *témoignages des survivants, op. cit.*

imaginaire tire le bilan de son expérience, elle peut sans vergogne faire valoir les émotions de ses compagnons de voyage, sans trahir leur pensée ni froisser la vérité. Le *Titanic* devient alors le réceptacle de tous les points de vue possibles et de toutes les mystifications.

Depuis un siècle, ils ont été nombreux à tirer profit de la notoriété du naufrage. Pour des raisons bassement vénales et pour pallier les mystères et les questions sans réponses qui s'y attachent. La rumeur est ainsi l'ultime alliée de la légende.

Vérités et fantasmes

La théorie du complot vient réconforter le manque d'informations nécessaires à la compréhension d'un drame. Il peut aussi se développer en dépit de faits avérés que l'on refuse de prendre en considération.

Ainsi en va-t-il du *Titanic*, qui cumule encore un certain nombre de mystères et le besoin de réactualiser sans cesse la mystique de la tragédie. Robin Gardiner et Dan Van der Vat parlent de « paranoïa post-traumatique » frappant des personnes saines d'esprit qui en manifestent le symptôme pour mieux affronter l'épreuve du souvenir.

Le complot, qui porte ici sur l'idée de baraterie, consiste à laisser croire que les dirigeants de la White Star Line et la direction du chantier naval se seraient entendus pour substituer l'*Olympic* au *Titanic* – et intervertir leurs noms – au moment où ce dernier allait entamer son voyage inaugural. Selon les tenants de cette théorie loufoque, les incidents ayant émaillé les premières traversées de l'*Olympic* auraient incité l'armateur à perdre le navire pour tirer une somme substantielle des assurances. Au risque de faire périr plus de deux mille personnes…

À partir de 1985, les diverses plongées sur l'épave ont prouvé notamment que la coque, les hélices et le transmetteur d'ordre de la passerelle portaient bien, profondément gravé, le numéro de fabrication du *Titanic*[1] et non celui de son jumeau. Or en dépit du bon sens et de la morale, ou du simple fait que la présence à bord de Joseph Bruce Ismay la discrédite, cette accusation continue de défrayer occasionnellement la chronique du naufrage.

Bien d'autres questions hantent depuis cent ans le dossier du *Titanic* sans apporter plus de preuves. Toutes ne sont pas à charge contre la compagnie. Simplement, elles exploitent d'éventuelles dissimulations qui enrichissent la rumeur en donnant à l'affaire un côté légendaire qui fascine et entretient l'intérêt.

Par exemple, on entend dire que des officiers auraient tiré sur des passagers lors de l'embarquement dans les chaloupes, que le capitaine Smith se serait suicidé, qu'une explosion se serait produite pendant que le navire était évacué, que le livre de bord aurait été volontairement soustrait aux enquêteurs, que les cales du paquebot recelaient un trésor… ainsi qu'une momie égyptienne porteuse d'une malédiction! Ce sont là quelques-uns des mystères régulièrement évoqués, dont les errements cautionnent le fantasme.

« Il est certain que des coups de feu ont été tirés », écrit Don Lynch qui, plus sensible à sa propre conviction qu'au fragile faisceau de preuves qui accusent le lieutenant Murdoch, alimente l'idée reçue selon laquelle le premier officier du *Titanic* aurait tiré sur un ou deux passagers, en fonction des versions, lors de l'embarquement dans les chaloupes de sauvetage[2]. Puis Murdoch aurait retourné l'arme contre lui. Hugh Woolner et Nellie Becker ont témoigné dans ce sens avec plus ou moins de conviction devant les enquêteurs, tandis que le deuxième officier Charles Lightoller s'est contenté de ne rien voir ni entendre. D'autres variantes ne citent aucun officier en particulier, mais le nom de Murdoch offre l'avantage de rappeler qu'il fut peut-être responsable

---

1. Soit le 4-0-1, l'*Olympic* portant le numéro 4-0-0.
2. *Cf.* D. Lynch, *op. cit.*

de la collision, en raison de ses ordres de barre contestés au moment de la rencontre avec l'iceberg. Cet acte ajoute à sa culpabilité. En outre, le corps du malheureux Murdoch n'ayant jamais été retrouvé, ni celui d'un quelconque passager assassiné, la suspicion reste entière.

Sans désigner nommément le lieutenant Murdoch, deux autres rescapés ont décrit de leur côté le suicide d'un officier consécutif aux coups de feu tirés contre des passagers. Le premier témoin s'appelait Georges Rheims, il était français et voyageait en première classe. Le 19 avril, lendemain de son arrivée à New York à bord du *Carpathia*, il écrivait à sa femme : « Lorsque la dernière chaloupe s'éloignait, un officier abattit un homme qui tentait de grimper à l'intérieur. Sa mission accomplie, il se tourna vers nous : "Messieurs, déclara-t-il, désormais c'est chacun pour soi. Adieu !" Il fit un salut militaire, puis il se tira une balle dans la tête[1]. » Le témoin, visiblement admiratif de l'abnégation de cet officier dont il ignore l'identité, donne dans cette lettre citée par Walter Lord une version totalement différente des autres témoignages, à l'exception peut-être de celui d'Eugène Daly, venu des entreponts. Selon Daly, cet officier, qui lui était également inconnu, aurait bien abattu quelqu'un sous ses yeux avant de se suicider. Mais il avouera par la suite n'avoir pas assisté à la scène et s'être déclaré sur des ouï-dire…

La même affaire implique le commissaire de bord McElroy et le témoignage est celui de Jack Thayer, qui a rédigé ses mémoires vingt-huit ans après les faits[2]. Pour lui, qui se déclare témoin direct de l'affaire, le commissaire était « un homme admirable et d'un courage exceptionnel », qui supervisait l'embarquement du canot dans lequel il se trouvait lui-même. C'est alors que « deux types, apparemment des serveurs, se [laissèrent] tomber dans l'embarcation depuis le pont supérieur ». En les voyant sauter, McElroy

---

1. Cité par W. Lord, *Les Secrets d'un naufrage, op. cit.*
2. *Cf.* W. Lord, *ibid.*

aurait tiré deux coups de feu en l'air, « sans les toucher, semble-t-il ».

D'autres auteurs expliquent les coups de feu en les attribuant au lieutenant Harold Lowe, cinquième sur la liste des officiers du *Titanic*. Lowe, lors de sa comparution devant les enquêteurs américains, a admis avoir tiré en l'air lorsqu'il tentait de faire descendre le canot 14, le jugeant rempli au maximum de ses capacités, pour éviter que des hommes assaillent l'embarcation et « préserver la vie des autres passagers ». Arguant de sa bonne foi, il ajouta : « On aurait dit des bêtes sauvages prêtes à bondir, et c'est pourquoi j'ai tiré le long de la coque. » L'explication rationnelle du lieutenant Lowe est plausible et n'a guère suscité de commentaires. Elle ne fut donc pas de nature à faire naître une quelconque rumeur sur son compte[1], mais elle rend les autres témoignages un peu plus suspects qu'ils ne l'étaient quant au véritable auteur des coups de feu.

Ainsi, à partir d'un même fait se sont développées mille et une variantes qui se résument finalement par deux assassinats suivis d'un suicide. L'absence de certitude historique donne gain de cause aux théories les plus arbitraires, qui deviennent alors un gage de fantasmes que reproduiront à l'infini la littérature et le cinéma.

Les disparitions du commandant Smith et du second capitaine Wilde suscitent les mêmes interrogations. Se sont-ils suicidés ? ont-ils péri noyés ? sont-ils morts de froid ? Henry Wilde, appelé par Edward John Smith à le seconder pour sa dernière traversée, n'était pas familier à l'équipage du *Titanic*, et les passagers eurent peu d'occasions de l'approcher. Discret sur la passerelle comme dans les salons de première classe, il n'attirait pas l'attention, et sa disparition n'a donné lieu à aucune manifestation particulière. Un seul témoin prétend l'avoir vu se donner la mort, mais il n'apporte aucune preuve. Pas plus que l'océan, qui ne rendit jamais son corps.

---

1. *Cf.* B. Géniès, F. Huser, *op. cit.*

Quant au commandant Smith, il a subi le même sort et rien ne vient corroborer l'hypothèse du suicide. Sa mort dépend donc uniquement de l'image que l'on cherche à donner de lui auprès de l'opinion : héroïque ou triviale, debout sur la passerelle ou se débattant au milieu de ses passagers dans l'eau glacée, cherchant à s'accrocher à la vie comme aux débris de son bateau. « Nonobstant les rumeurs et les informations publiées par les journaux, relate le colonel Archibald Gracie, je n'ai retrouvé aucun survivant, ni parmi les passagers ni parmi l'équipage, en mesure de confirmer les allégations selon lesquelles le capitaine Smith se donna la mort. De nombreux témoins nient le fait, notamment le jeune opérateur Harold Bride, qui le vit sur le pont juste avant que le navire ne coule, puis, ensuite, se débattant dans l'eau[1]. »

Dans les deux versions, c'est le courage qui domine son geste : soit accompagnant le paquebot dont il était responsable jusqu'à sa dernière demeure abyssale, soit s'efforçant d'aider ou d'encourager les survivants à rejoindre une embarcation, à lutter tant qu'il y avait de l'espoir ; ou, pour que l'honneur soit sauf, à mourir dignement au milieu de ses passagers victimes de sa fatuité, comme il sied à un personnage de son rang et de sa réputation.

Mais de simples suppositions ne suffisent pas aux lauriers que l'opinion veut à toute fin tresser à la mémoire du citoyen de Lichfield, auquel elle érigera une statue monumentale. Pour donner plus d'audience à son héroïsme, la rumeur prétend qu'il aurait nagé vers une embarcation et que, sans se faire connaître, il aurait demandé à se hisser à son bord. Comme elle était pleine à chavirer, les hommes qui l'occupaient lui auraient fait comprendre qu'il les mettrait en danger s'il s'y agrippait plus longtemps… À quoi le commandant Smith aurait simplement répondu : « D'accord, les gars. Bonne chance et que Dieu vous bénisse ! » Les illustrateurs des journaux reproduiront maintes fois cette noble

---

1. A. Gracie, *op. cit.*

attitude, qu'ils agrémenteront au fil du temps et des imaginations. Un de ces dessins représente le fier capitaine tendant un nouveau-né aux occupants d'un canot renversé, à bout de forces et prêt à disparaître au terme de cet ultime effort[1].

S'enferma-t-il sur la passerelle pendant que le paquebot sombrait sous ses pieds? Sauva-t-il réellement la vie d'un enfant juste avant de disparaître dans la nuit de l'océan? Se tira-t-il lui aussi une balle dans la tête? Dans son roman consacré à l'affaire, Max Allan Collins se demande: « Qui croire? » Et de prendre le parti de souscrire à la rumeur, qui décrit le preux capitaine exhortant quelques hommes d'équipage à ne pas perdre espoir[2].

Plus fort encore: le 19 juillet 1912, un peu plus de trois mois après le naufrage, le capitaine Peter Pryal, qui avait navigué à ses côtés sur le *Majestic*, prétendit avoir croisé le capitaine Smith dans une rue de Baltimore. À la gare où il se rendait, le fantôme était monté dans un train pour Washington! Bertrand Méheust, qui rapporte l'anecdote, écrit: « Ce capitaine malchanceux a quelque chose de pathétique et sa figure possède une dimension plus comique que sacrale. Et, pourtant, la tragédie du *Titanic* l'a transformé, malgré son handicap, en un héros de légende échappant au sort commun[3]. »

Si rien n'arrête la rumeur, c'est parce qu'elle bénéficie de puissants relais dans l'opinion publique. Que celle-ci croie ou non à ce qu'elle colporte, elle n'en développe pas moins ses ramifications en toute impunité historique. Parfois étayée par un fait avéré, elle peut aussi naître, croître et se répandre hors de tout référent ou sur la foi d'un détail anodin propre à réveiller les chimères les plus enfouies dans l'inconscient populaire.

Ainsi en va-t-il de ce que l'on a appelé « la momie du *Titanic* ». Cette histoire serait oubliée si la réputation

---

1. Illustration reproduite *in* D. Lynch, *op. cit.*
2. M. A. Collins, *op. cit.*
3. B. Méheust, *op. cit.*

sulfureuse du navire ne lui avait prêté le flanc. Et si un avocat du nom de Frederick Steward, rescapé du naufrage, ne s'en était servi pour expliquer le drame sitôt de retour à New York. Au reporter du *New York World* venu l'interroger, il expliqua que l'objet de toutes les malédictions était un sarcophage embarqué sur le paquebot... et que la rencontre avec l'iceberg fatal était la conséquence des tourments endurés par l'âme captive de la prêtresse à laquelle avait appartenu le cénotaphe. Dès lors, la légende n'eut de cesse de se développer. Jusqu'à prétendre que son propriétaire l'avait fait passer à prix d'or sur le *Carpathia*, qui l'avait ensuite débarqué sur le quai de la Cunard à l'abri des regards. Deux ans plus tard, lors du naufrage de l'*Empress of Ireland*, on affirma tout naturellement que le fameux sarcophage s'était retrouvé à son bord. Lorsqu'il sombra en quinze minutes dans l'estuaire du Saint-Laurent, le paquebot entraîna plus de onze cents personnes dans la mort.

La rumeur a la vie dure. Elle se glisse dans tous les interstices de l'Histoire. L'aréopage de milliardaires qui se trouvaient à bord du malheureux transatlantique a quant à lui donné naissance à l'idée selon laquelle un fabuleux trésor se trouverait dans un repaire secret de l'épave. Cette obsession bien enracinée, qui fait partie de l'imagerie classique des vestiges engloutis, est confortée par le fait qu'une fortune bien réelle, en bijoux, espèces diverses et papiers-valeurs, disparut en même temps que ses propriétaires. L'exemple du major Peuchen, qui abandonna dans sa cabine 400 000 dollars en obligations, attise depuis toujours les imaginations.

Le *Titanic* est ainsi devenu le réceptacle de toutes les convoitises, mercantiles et intellectuelles. Et ce, dès le lendemain de sa disparition. *La Presse*, qui connaissait l'engouement des lecteurs pour ce genre d'information, s'en fit immédiatement l'écho : « Le *Times* donne, ce matin [16 avril], des détails sur la valeur d'une certaine partie de la cargaison qui se trouvait à bord du *Titanic*. Les cales de ce navire renfermaient, entre autres choses, 50 000 tonnes

de caoutchouc et une certaine quantité de thé, des diamants et des valeurs représentant une somme considérable. Les bagages transportés contenaient également des
valeurs importantes. On dit, par exemple, qu'à elle seule
une cassette de bijoux appartenant à une passagère américaine valait environ trois millions de francs[1]. La *Pall Mall
Gazette* croit savoir qu'à bord du *Titanic* se trouvaient des
diamants et des titres pour une valeur de plus de vingt-cinq
millions de francs[2]. » Et de préciser que toutes ces richesses
ont été englouties.

En réalité, la seule chose dont on soit sûr est qu'un
exemplaire du *Rubbayiat*, orné de rubis, se trouvait effectivement à bord du navire. Ce poème persan avait été acheté
fort cher aux enchères publiques, à Londres, par un libraire
new-yorkais du nom de Gabriel Wells. Le reste n'est que
vaine spéculation.

« Au long des années, les récits ont augmenté la valeur de
ces richesses jusqu'à ce que les vestiges du *Titanic* repré-
sentent un trésor potentiel presque illimité », soulignent
John Eaton et Charles Haas[3]. Fort peut-être de cette fièvre
qui emporta tant de passions, Frank Prentice, obscur magasinier à la White Star Line, prétendit que les flancs du navire
recelaient une cargaison d'or et d'argent dont le secret avait
été bien gardé par les autorités britanniques. L'homme[4]
déclara qu'il avait transbordé le précieux métal dans une
cale blindée, mais personne ne fut jamais en mesure de
corroborer cette assertion. Car de cale blindée le *Titanic*
n'en possédait pas, du moins sous la forme qu'on semble
lui donner. Le manifeste du paquebot n'indique par ailleurs
aucun transfert de lingots vers les États-Unis, mais il semblerait que d'autres navires civils aient servi dans le passé
au transfert des métaux précieux de la Banque d'Angleterre

---

1. Soit plus de neuf millions d'euros (un franc de 1912 valant un peu
plus de trois euros en 2012).
2. Soixante-quinze millions d'euros. *La Presse*, 17 avril 1912.
3. Titanic : *destination désastre*, *op. cit.*
4. Cité par D. Lynch, *op. cit.*

à la Banque centrale américaine en toute discrétion, sans que les compagnies de navigation en aient mentionné la présence. On ne cite pas de chiffre, laissant ainsi toute latitude à la fantaisie.

La déclassification de l'information permettra peut-être de rendre justice aux allégations du magasinier. Pour l'heure, cette « confidence » donne à cette affaire un air de chasse au trésor. Au point que de nombreux chercheurs de trésors ont de tout temps rêvé de plonger sur l'épave la plus mythique de l'Histoire, par passion ou par cupidité. Poussés par l'intérêt historique ou l'exploit scientifique, ils ne seront finalement qu'une poignée à concrétiser cet exploit, en dépit des difficultés et des réticences d'une partie de la population qui la considérait comme un mausolée. Une tombe qu'il ne fallait en aucun cas profaner.

13

LES DEUX VIES DU *TITANIC*

La découverte de l'épave du *Titanic*, en 1985, a d'abord provoqué de l'incrédulité, puis une excitation mêlée d'inquiétude. Le public allait-il se désintéresser de ce qui l'avait tenu en haleine jusqu'alors, ou allait-il s'engager dans une nouvelle aventure?

En réalité, cet événement ouvrait un nouveau chapitre de l'affaire, écrit avec la même ferveur. D'abord consensuelle, elle allait devenir polémique.

Les âmes errantes

En 1912, l'impossibilité matérielle d'atteindre le paquebot dans son cimetière marin n'avait pas découragé les tentatives avortées d'un bon nombre d'utopistes, qui rêvaient par exemple de renflouer le navire.

Ce fut le cas d'un consortium financé par quelques riches familles de disparus. Mandatée pour tenter de récupérer l'épave, la société Merritt & Chapman déclara rapidement forfait devant l'ampleur de l'entreprise et le manque de moyens techniques dont elle pouvait disposer. Mais elle avait ouvert la voie.

Deux ans plus tard, un architecte de Denver reprit à son compte l'idée du renflouement. Il se nommait Charles Smith et son projet consistait à remonter le *Titanic* au moyen de câbles et de treuils fixés à des pontons. Le coût fut estimé à 1,5 million de dollars et l'affaire fut rapidement entendue.

Il fallut attendre 1953 pour qu'une troisième tentative vît le jour. Cette fois, une compagnie spécialement constituée pour l'opération promettait non pas de renflouer l'épave, mais de récupérer les fameux trésors dont on avait tant parlé. La Risdon Beazley Society affréta donc pour ses recherches un bateau de sauvetage de la Royal Navy, équipé de téléobjectifs et bardé d'instruments télécommandés pour localiser le bâtiment sous 3 800 mètres d'océan. Mais on n'en trouva jamais la trace et l'idée de faire fortune à ses dépens perdit tout son sens à la suite de cet échec.

Les initiatives de récupération de l'épave se poursuivirent en vain pendant quelques années. Peu de gens, avant sa découverte, croyaient à la version de Jack Thayer selon laquelle le *Titanic* s'était brisé avant de sombrer. Nombre de témoignages contradictoires affirmaient le contraire et c'est sur ces allégations que l'idée se développa d'un possible renflouement.

C'est un certain Douglas Woolley, à la fin des années 1960, qui relança l'intérêt de cette quête. « Modeste ouvrier anglais du textile, [...] il n'avait ni bagage universitaire ni formation scientifique, ne possédait aucune expérience maritime et se trouvait bien incapable de mobiliser les fonds nécessaires[1] », au dire de Walter Lord. La presse s'y intéressa néanmoins et rendit compte de ses extravagantes propositions. Le public fit écho à ses excentricités. Si bien qu'un jour deux investisseurs hongrois créaient la Titanic Salvage Company pour concrétiser son projet d'exploration. Ce plan quelque peu fumeux consistait à remplir des ballons avec de l'hydrogène obtenu par électrolyse de l'eau de mer. L'opération fut abandonnée au début des années 1970, en raison de l'incongruité de ses calculs et faute de logistique.

---

1. W. Lord, *Les Secrets d'un naufrage, op. cit.*

Flotteurs de verre, injections de cire, de vaseline ou de balles de ping-pong : tels furent quelques-uns des procédés suggérés à la suite de Wooley par des amateurs illuminés, que la réalité technique et scientifique a rapidement réduits au silence et rendus à l'anonymat.

En 1976, Clive Cussler publiait un roman intitulé *Raise the* Titanic, que Jerry Jameson devait porter par la suite à l'écran[1]. Le scénario s'attaquait à l'objectif que les scientifiques n'avaient pu réaliser : s'emparer du trésor perdu du *Titanic*. Le trésor en question consiste ici en un chargement de métal rare, appelé byzanium ; « si rare, dit l'auteur, que le seul stock existant au monde avait été embarqué à bord du *Titanic*[2] ». Les obstacles naturels sont nombreux, des espions étrangers convoitent le précieux minerai, mais l'opération réussit. Tant et si bien que le transatlantique refait bientôt surface, sous le regard incrédule du monde, qui n'a d'yeux que pour cet exploit. D'autant que l'on croyait encore que l'épave gisait en un seul tenant au fond de l'océan.

Mais la fiction était bien loin de rivaliser avec la réalité. D'autant que l'on croyait encore que le *Titanic* gisait à l'emplacement calculé par le lieutenant Boxhall le soir du 14 avril 1912. Le fait que le *Carpathia* eût retrouvé les embarcations des naufragés loin du point géographique officiel du naufrage n'avait pas alerté les chasseurs de trésor qui, depuis environ soixante ans, s'obstinaient à tenir cette position pour authentique : 41° 46' nord, 50° 14' ouest.

C'est en 1978, pour la première fois, que l'on prit conscience d'une possible erreur d'estimation. Le commandant John Grattan, spécialiste des techniques de plongée en eaux profondes, des récupérations et des sauvetages pour la Royal Navy, recalcula la position de l'épave en soustrayant la demi-heure de route effectuée le dimanche soir avant la rencontre de l'iceberg, trente minutes correspondant à

---

1. Le film fut diffusé en français sous deux titres différents : *Renflouez le* Titanic et *La Guerre des abîmes*.
2. C. Cussler, *Renflouez le* Titanic, Paris, Robert Laffont, 1977.

l'ajustement des horloges du bord effectué chaque soir pour compenser le décalage horaire. Il prit également en compte la vitesse du navire à cet endroit du banc de glace, qu'il minimisa, ainsi que la position des canots de sauvetage retrouvés par le *Carpathia*. Ces calculs lui permirent de circonscrire la zone des recherches dans un rectangle de 23 milles de long sur 13 de large, à 300 milles au sud du Cap Race. C'est sur cette base que fut fondée la Seawise & Titanic Salvage, financée par deux hommes d'affaires londoniens, Philip Slade et Clive Ramsay.

Au même moment, un Texan nommé Jack Grimm fondait la Titanic 1980 Incorporation, en collaboration avec l'université Columbia, dans le but d'éprouver de nouvelles techniques d'investigation sous-marine en grande profondeur. Pour ce consortium américain, le romantisme de l'épave passait au second plan : seuls comptaient les tests d'ingénierie mis au point par les scientifiques. Pour ce faire, l'épave du *Titanic* était un banc d'essai grandeur nature de tout premier ordre.

Durant l'été 1980, Robert Sténuit se lançait de son côté dans l'aventure et donnait à la presse un aperçu de ses intentions. Les journalistes suivirent avec intérêt les préparatifs de cet archéologue sous-marin renommé, par ailleurs inventeur de plusieurs épaves célèbres. D'autant plus qu'il manifestait l'intention – abandonnée depuis plusieurs années – de remonter les 46 000 tonnes du gisant de la fosse abyssale des Grands Bancs. Contrairement à ses concurrents anglo-saxons, le but avoué de l'explorateur belge était archéologique. Pour asseoir son « projet fou », il signait au mois d'août 1980 dans *Science & Vie* un long article qui démontrait le bien-fondé. Après des décennies de chimères, le magazine expliquait en guise d'introduction que cette tentative « aurait au moins le mérite d'être techniquement fructueuse[1] ». La précaution oratoire imposait l'usage du conditionnel.

---

1. Robert Sténuit, « Un projet fou : le renflouage du *Titanic* », n° 775, août 1980.

« Comment repêcher un navire de 46 000 tonnes gisant par 3 900 mètres de fond ? », lançait Robert Sténuit, avant d'énumérer les trois phases principales de la mission. La localisation de l'épave, tout d'abord, au moyen d'un sonar à balayage latéral et d'un magnétomètre à protons. Puis l'identification de la masse ainsi découverte. Enfin, la récupération totale ou partielle du navire, s'il s'avérait qu'il ne pouvait être remonté d'un seul tenant. Si le matériel de localisation et d'identification semblait à Robert Sténuit parfaitement fiable, l'opération de récupération, de son propre aveu, était « beaucoup moins évidente[1] ». Ce serait en effet la première fois qu'on s'attaquerait concrètement à une épave de cette taille et de ce poids. Par ailleurs, cette partie de l'opération demeurait sujette à toutes sortes de variables inconnues, d'un point de vue technique notamment.

Hormis l'aspect financier, une dernière question taraudait l'entrepreneur de fouilles : l'utilité véritable d'un renflouement. En effet, les techniciens de l'image avaient fait de tels progrès et disposaient désormais de procédés si sophistiqués qu'il devenait certainement possible, grâce à des robots et dans un laps de temps très court, de filmer l'épave et ses secrets sur la zone même du naufrage. Ce qui dispenserait de la remonter, du moins en théorie. Pour autant, l'entreprise restait séduisante et l'archéologue ne voulut pas y renoncer *a priori*, dût-il fragmenter le navire à l'explosif en une centaine de morceaux pour l'extraire de sa gangue de sédiment, confiait-il avant de conclure : « On aurait ainsi accompli l'exploit d'avoir remonté d'une profondeur record, outre un millier de squelettes, une montagne de tôles rouillées, tordues, déchiquetées, percées, couvertes de vie marine[2] […] ! » Comme d'autres avant lui, Robert Sténuit avait fait de son rêve une réalité virtuelle, car on n'entendit jamais plus parler de son entreprise…

1. *Ibid.*
2. *Ibid.*

Seule l'opération de Jack Grimm poursuivit ses objectifs en missionnant trois expéditions jusqu'au milieu des années 1980. Faute de trouver l'épave en dépit des efforts déployés, la presse s'en désintéressa, comme de tous les « farfelus » qu'elle cessa provisoirement de prendre au sérieux.

Pendant ce temps, loin des effets d'annonce habituels, l'US Navy mettait au point un nouveau système de localisation télécommandé nécessitant un champ d'action grandeur nature. On désigna aussitôt l'épave du *Titanic*, dont la situation extrême offrait des conditions idéales d'expérimentation. Lorsque les instruments furent en mesure d'être testés, la Marine se rapprocha du laboratoire de plongée profonde de la Woods Hole Oceanographic Institution, dans le Massachusetts, dont l'originalité était d'avoir mis au point un système d'écholocalisation d'une toute nouvelle génération. Près de trois millions de dollars furent octroyés en 1983 par l'armée américaine pour que la Woods Hole entreprît ce test. Cette somme se révélant insuffisante, le laboratoire océanographique s'associa à l'Institut français de recherche pour l'exploration de la mer (Ifremer). Séduit par l'entreprise, celui-ci mit à disposition le *Nautile*, un submersible habitable capable d'opérer jusqu'à 6 000 mètres et de mettre en action une caméra autonome téléguidée.

La première expédition fut conduite par l'équipe de Jean-Louis Michel à bord du *Suroît*. Le 9 juillet 1985, date de l'arrivée sur zone du navire de l'Ifremer, les Français entamèrent le balayage d'un secteur de 150 milles carrés au sud-est de la position officielle du naufrage. Au moyen d'un sonar à large faisceau latéral (SAR), les fonds marins furent scrutés jour et nuit pendant dix jours. À court de vivres et de carburant, le navire partit se ravitailler à Saint-Pierre-et-Miquelon et, le 26 juillet, le *Knorr* affrété par Robert Ballard prenait la relève du navire français. Le navire océanographique américain, parti des Açores, ne mit pas tout de suite le cap sur les Grands Bancs mais sur l'épave d'un sous-marin nucléaire perdu corps et biens en 1968, l'USS *Scorpio*, afin de tester la technologie de recherche mise au point par l'institut du Massachusetts et profiter de la campagne du *Titanic* pour localiser le submersible. Le 17 août, la nouvelle caméra embarquée[1] fit merveille et le *Scorpio* fut abondamment photographié. Les prises de vue furent aussitôt classifiées et l'équipe du Dr Ballard pouvait faire route au sud de Terre-Neuve, où l'attendait le *Titanic*.

Le ratissage reprit le 22 août, là où le *Suroît* l'avait abandonné. La mission franco-américaine bénéficiait d'un très beau temps et d'une mer d'huile offrant aux scientifiques une visibilité remarquable. Pour autant, les écrans présentaient toujours la même désolation : pas un débris de naufrage, aucun indice permettant de rappeler le drame du 15 avril 1912. Les observateurs se relayaient derrière les écrans, à l'affût du moindre signe fourni par la caméra immergée à près de 4 000 mètres.

Mais à l'aube du 1er septembre, alors que le calendrier du *Knorr* touchait à sa fin, la caméra saisit une masse cylindrique qu'il était presque impossible de confondre avec une roche ou quelque autre aspérité géologique. Jean-Louis Michel, qui était de quart avec les membres de son équipe, se souvient : « Notre attention fut attirée par des objets sur le fond et, en quelques minutes, de plus en plus de ces objets fabriqués par l'homme se dessinèrent sur notre écran, jusqu'à l'apparition d'une chaudière appartenant clairement au *Titanic*[2]. » Quelques minutes plus tard, tout le navire était en effervescence autour des écrans du poste de contrôle. Mais le Français dut tempérer sa joie : il se trouvait sur le site d'un drame où des centaines d'âmes avaient tragiquement péri.

Le premier réflexe de Robert Ballard fut d'emmener tous les hommes à l'arrière du *Knorr* afin d'observer une minute de silence à la mémoire des naufragés. Au cours de la mission, tout le monde s'était secrètement demandé si l'expédition serait confrontée à la découverte d'un ossuaire

---

1. L'Argo.
2. Cité par J. Eaton et C. Haas, *op. cit.*

sous-marin. Cette pensée morbide avait aussi traversé l'esprit de Ballard, qui le confesse dans ses mémoires : « Trouverions-nous des restes de ceux qui étaient morts cette nuit-là[1] ? », se demandait-il au moment d'envoyer la caméra télécommandée fouiller l'intérieur de l'épave.

Tant que les ruines du *Titanic* ne nourrissaient que le fantasme populaire, elles excitaient les imaginations sans provoquer de polémique. Mais lorsque l'épave devint accessible et que le regard de l'homme fut en mesure de violer son intimité, la controverse succéda au consensus. Notamment parmi les survivants du naufrage, dont la voix portait encore au milieu des années 1980. Ceux-ci sentaient confusément que viendrait le moment où des scientifiques en mal d'argent et de notoriété, stimulés par une opinion publique avide de sensations fortes, exhumeraient de son cimetière marin le souvenir de leurs proches. Devenant à leur tour propriétaires de la mémoire du *Titanic*, ils leur enlèveraient leur dernier privilège, celui d'avoir abandonné une partie d'eux-mêmes au cœur de l'épave. Le temps était venu de défendre leur ultime pré carré contre une intrusion qu'ils jugeaient d'ores et déjà malsaine. Cette possession jalouse se voulait exclusive.

Le Dr Ballard ne poursuivit pas sa mission au-delà de sa fabuleuse découverte, qu'une prouesse technique avait rendue possible. L'exploration photographique du navire, même superficielle, avait livré suffisamment de secrets pour ne pas outrepasser son cahier des charges ni enfreindre son contrat personnel avec l'Histoire, qui lui imposait des égards et de la considération pour le fruit de ses exploits.

Le 9 septembre, le *Knorr* franchissait le détroit de Nantucket où se trouvait son port d'attache. La nouvelle de cette victoire de la science et de la recherche archéologique ayant précédé son retour, une foule enthousiaste accueillit en fanfare les nouveaux héros du *Titanic*. « Les

---

1. Robert Ballard, *L'Exploration du* Titanic, Grenoble, Glénat/The Madison Press Books, 1988.

quais grouillaient d'un monde qui avait envahi chaque mètre carré, raconte Robert Ballard. On avait édifié une immense estrade couverte de caméras de télévision et de journalistes. Des drapeaux flottaient partout, un orchestre jouait, les enfants des écoles agitaient des ballons de baudruche, et un coup de canon salua notre accostage[1]. »

Très vite, cependant, la passion l'emporta sur les considérations morales. Dès l'été suivant, la Woods Hole Oceanographic reprit du service. Équipée d'un bathyscaphe capable d'atteindre les plus extrêmes profondeurs, elle s'octroyait la mission de filmer les entrailles de l'épave au moyen d'un robot télécommandé. Susceptible de s'introduire dans les plus petits interstices, le robot pourrait aisément visiter le navire tel qu'il était après soixante-quinze ans d'immersion.

On savait déjà que le *Titanic* gisait en deux parties sur un fond sablonneux et que la plus grande section, de la proue à la troisième cheminée, permettrait une assez bonne investigation photographique. Sa relative conservation permettrait une visite instructive de ses structures. L'arrière, qui avait certainement tournoyé en coulant, s'était écrasé dans le sédiment et s'était effondré sur lui-même, tel un château de cartes. Il reposait tête-bêche à un peu plus de six cents mètres de l'avant. D'accès quasiment impossible, il resterait à jamais inviolé. C'est là, très certainement, que se trouvait le plus grand nombre de personnes juste avant qu'il ne sombre. Jusqu'à un kilomètre autour de cette tombe, des débris de toutes sortes étaient disséminés sur le sable : de la vaisselle, de l'argenterie, des ustensiles de cuisine et des bouteilles. L'armature d'un banc de pont, une tête de lit, une baignoire. La statuette qui ornait la cheminée du grand salon des première classe. Plus émouvant encore, il y avait là de nombreux objets personnels tels que des bagages, des bottes et des pots de chambre, ainsi que la tête d'une poupée de porcelaine.

---

1. *Ibid.*

Bien que l'ensemble de l'épave fût considérablement dégradé par l'action des micro-organismes, l'exploration fascina les plongeurs qui en prirent connaissance à travers les hublots du sous-marin de poche *Alvin* et sur les écrans de contrôle de l'*Atlantis II*, affrété pour l'opération. Plus que tout, les indiscrétions du petit robot d'exploration expérimental émerveilleront les observateurs et bientôt le monde entier.

Chaque partie du navire fut parcourue, visitée avec une émotion dépourvue de voyeurisme, examinée avec nostalgie. Plus les détails étaient insignifiants, plus ils prenaient d'importance ; ils faisaient revivre tout ce qu'avaient éprouvé les passagers avant que leur destin bascule. Dans les projecteurs, un lustre, suspendu à son fil électrique et que le courant marin faisait osciller légèrement, semblait éclairer le pont d'une lueur phosphorescente. « Je ne pouvais en croire mes yeux, relatera Robert Ballard. Le navire avait fait une chute de près de 4 000 mètres, heurtant le fond avec la puissance d'un train percutant le flanc d'une montagne, et pourtant, il y avait là une lampe absolument intacte. [...] Nous pouvions même distinguer les douilles où étaient vissées les ampoules[1] ! »

Au terme de cette deuxième expédition, une plaque offerte par les membres de la Titanic Historical Society fut déposée sur la poupe du *Titanic*, à la mémoire de ses victimes.

Robert D. Ballard avait espéré que l'épave dormirait désormais en paix. Que l'essentiel avait été fait pour l'Histoire et la conscience collective. À son « grand désappointement », écrira-t-il, « une équipe française, soutenue par des financiers suisses et américains, replongea sur le site au cours de l'été 1987 afin de ramasser des objets dans le champ de débris et de les ramener à la surface[2] ». Pour l'inventeur de l'épave du *Titanic*, cette nouvelle expédition,

---

1. *Ibid.*
2. *Ibid.*

menée dans un but purement mercantile, ne pouvait être qu'un faire-valoir commercial. « Ces profanateurs ne sont que des vautours, des pirates », s'exclamera Eva Hart[1], l'une des dernières survivantes du naufrage.

Cette année-là, cependant, c'est une expédition franco-britannique qui remit le feu aux poudres. Pour justifier leur mission, les commanditaires évoquèrent la nécessité de vérifier les ultimes allégations qui couraient encore sur les causes du naufrage. Certains témoins avaient parlé d'une explosion, et les photographies rapportées par Ballard montraient une brèche béante sur le flanc droit du navire. Probablement occasionnée par le choc de l'étrave sur le fond de l'océan, cette déchirure est située trop au-dessus de la ligne de flottaison pour avoir provoqué une voie d'eau. Ces évidences n'eurent pas l'heur d'intriguer les chasseurs de trésor, dont le but se révéla bien différent. Faisant fi de ses motivations scientifiques, la mission devait mettre au jour un nombre considérable d'objets repêchés au milieu du champ de débris, qui constituait le sanctuaire du navire naufragé.

Deux conceptions de l'exploration s'affrontaient dorénavant. Pour les Américains, l'épave du *Titanic* n'était pas un site archéologique mais un lieu de mémoire. Ce que l'on avait longuement photographié, filmé et enregistré suffisait largement à l'instruction du public[2]. Les Français, à l'inverse, arguaient du fait que tout ce qui pouvait être remonté de l'épave participerait à la connaissance générale. En conséquence, ils ne voyaient pas ce qui pouvait les empêcher d'effectuer des fouilles à destination purement archéologique. Ils contesteront par ailleurs toute attitude sacrilège et nieront fermement le viol d'un espace qu'ils ne considéreront jamais comme une tombe. C'est ainsi qu'ils entreprirent une très médiatique « pêche aux souvenirs »,

---

1. Citée par D. Lynch, *op. cit.*
2. Cinquante mille photographies et cent heures d'enregistrement vidéographique furent réalisées par les équipes du professeur Robert Ballard.

en dépit de la critique et du Memorial Act du 21 octobre 1986 encourageant la création d'un sanctuaire[1].

Le divorce était consommé entre la Woods Hole Oceanographic et l'Ifremer, lequel accusait par ailleurs l'institut scientifique américain de s'être approprié la paternité et la diffusion des documents relatifs à leurs expéditions communes. Cette campagne de fouilles, avec la remontée de près de deux mille objets, apparut aux yeux de la communauté américaine « comme une profanation, une insulte aux victimes de la catastrophe », note Philippe Masson[2]. Colère amplifiée lors d'une émission télévisée enregistrée le 28 octobre 1987 à la Villette, où l'on procéda en direct à l'ouverture d'un coffre de cabine et d'une sacoche de cuir remontés de l'épave. Pour le sociologue Jean-Pierre Keller, cette volonté récurrente d'exposer la preuve de toute chose témoigne « de ce que nous sommes incapables de supporter le non-vu[3] ».

Tous ces vestiges constitués de métaux, de matières organiques, de verre et de porcelaine furent traités par électrolyse dans les laboratoires d'EDF, dont les recherches sur les phénomènes de dégradation chimique et bactérienne remontaient à 1983[4]. Après quoi seulement, ils purent être remis en pleine lumière et soumis à l'action corrosive de l'oxygène en toute sécurité. Exposés pour la première fois en 1990, ces vestiges obtinrent un immense succès populaire, battant tous les records muséographiques de la planète.

D'autres expéditions suivront jusqu'en 2001, au cours desquelles seront de nouveau filmés la plus célèbre épave du monde et ses fantômes. Quelques nouvelles centaines d'objets seront encore remontées, fragments de tôle et

---

1. Lire le texte intégral du « Memorial Act » dans *Latitude 41*, n° 8, août-octobre 2000.
2. *Le Drame du* Titanic, *op. cit.*
3. J.-P. Keller, *op. cit.*
4. Lire à ce sujet : Marc Albouy, *Du* Titanic *à Karnac, l'aventure du mécénat technologique*, Paris, Dunod, 1994.

particules de charbon cédées pour quelque menue monnaie aux fétichistes du monde entier[1]. En revanche, aucun
objet personnel ou décoratif provenant de l'intérieur du
navire ne sera jamais mis sur le marché.

Plus qu'une fortune de mer

La fascination pour le *Titanic* date des années de sa
conception. Son naufrage lui a conféré une notoriété
qu'il n'aurait jamais atteinte s'il avait poursuivi sa carrière
jusqu'au ferraillage. Or voilà qu'en retrouvant son épave
on s'appropriait le supplément d'âme qui manquait à sa
célébration. Désormais, la panoplie semblait complète.
Tous les ingrédients étaient à la disposition du public pour
en consommer l'image et développer sa légende.

Pour canaliser cette exaltation, que Don Lynch appelle
joliment « le folklore des hommes[2] », des associations[3] se
sont créées sur le modèle de la Titanic Historical Society,
fondée aux États-Unis en 1963 et qui compte aujourd'hui
quelque cinq mille membres. Leur objet est de confronter
les points de vue de leurs adhérents sur le grand paquebot
martyr et de rassembler témoignages et documents sur le
navire, le naufrage et les rescapés. De cette conjonction
d'intérêts et de recherches est né le Musée du *Titanic* d'In-
dian Orchard, dans le Massachusetts. L'Association française du *Titanic*, quant à elle, a l'ambition de promouvoir la
mémoire du paquebot en France et dans la francophonie,
de fournir des informations relatives au navire, à son équipage et tout particulièrement à ses passagers français. C'est

---

1. En France, ces reliques seront les seules à être commercialisées
lors des expositions. Deux morceaux de charbon furent vendus aux
enchères en 1993 à l'Hôtel Drouot, à Paris, pour la somme de 500 euros
pièce.
2. D. Lynch, *op. cit.*
3. Citons parmi d'autres la Belfast Titanic Society, la Scandinavian Titanic Society, la Titanic Verein en Suisse et en Allemagne, la Canadian
Titanic Society ou la Brazilian Titanic Society.

elle, en outre, qui a permis de sauver le *Nomadic*, dernier témoin de la construction navale du début du XXᵉ siècle.

Outre les mémoriaux érigés au lendemain du naufrage[1], les commémorations permettent de renforcer la mémoire historique et de relier le présent à l'événement. Pour le centenaire du naufrage, plusieurs voyagistes et compagnies de navigation prévoient d'affréter des navires à destination du site exact du naufrage, au terme d'un périple qui doit conduire leurs passagers de Southampton à Cobh[2], via Cherbourg, aux dates exactes du calendrier de 1912. Dans la cité de Belfast qui a vu construire le *Titanic*, les manifestations prennent une importance qui ne laisse pas indifférents ses habitants. Quand on les interroge sur les risques d'un dérapage commercial, ils n'y voient pas de dérive impertinente susceptible de dénaturer le souvenir et de transformer la fête en un champ de foire. Tous les interlocuteurs que nous avons interrogés, étudiants, historiens, financiers ou responsables politiques, nous ont fait la même réponse : l'Ulster s'apprête à célébrer la réussite d'une audace technologique, d'un chantier d'avant-garde et d'une génération de navires aux performances exceptionnelles. La tragédie du *Titanic* est considérée comme une conjonction malheureuse de situations qui n'a aucune raison de perturber la fête. L'accident du 14 avril 1912 n'était pas imputable au chantier naval, dit expressément Brian Malone, du département des Finances de la ville de Belfast[3] ; il ne sera donc pas l'objet des commémorations. Quant à Terry Madill, du Titanic

---

1. En Grande-Bretagne, aux États-Unis et en France, notamment, de nombreux monuments font écho aux fontaines, bustes et plaques diverses érigées dans les jardins, sur les places et les murs de Liverpool, New York ou Cherbourg en l'honneur des concepteurs, officiers, hommes d'équipage et passagers du *Titanic*.

2. Queenstown en 1912.

3. Correspondance avec l'auteur, 5 novembre 2010. Fonds Gérard A. Jaeger, Bibliothèque cantonale et universitaire de Fribourg (Suisse), cote LD 64.

Schools Project, il répond : « Célébrer les succès de l'ingénierie de cette époque permet d'inspirer la jeunesse. En Irlande du Nord, le symbole du *Titanic* a cet extraordinaire pouvoir de réunir une population déchirée par trente ans de guerre civile. De fait, il est un trait d'union nécessaire entre les confessions et les antagonismes d'un peuple qui reconstruit son avenir autour d'un passé commun[1]. »

Depuis longtemps déjà, les historiens se sont penchés sur les raisons génériques de cet engouement populaire que l'on peut résumer en trois points : la haute technicité de la construction navale, la tragédie humaine du naufrage et les mystères qui entourent la fatalité de son voyage inaugural. À cela vient s'ajouter une valeur symbolique sélective à laquelle la mémoire collective fut immédiatement perméable. Pour beaucoup, le *Titanic* représentera toujours l'outrecuidance d'une génération, l'arrogance d'une société cupide – argumentation que nous avons relativisée. Mais il leur faut justifier le plus rationnellement possible ce qui restera, on peut l'espérer, la plus grande catastrophe maritime civile que l'humanité ait jamais connue. Et l'idée d'une simple fatalité ne satisfait pas le besoin d'y associer un coupable nommément identifié.

C'est ce syndrome que reprennent périodiquement à leur compte un certain nombre d'auteurs en quête de référents médiatiques[2]. Or d'autres malheurs se sont abattus sur les hommes depuis un siècle, d'autres signes ont évoqué cette « colère de Dieu », ressassée chaque fois que l'humanité redoute l'avenir en raison de l'accélération de l'Histoire ou prend peur d'elle-même après avoir joué aux apprentis sorciers.

---

1. Correspondance avec l'auteur, 26 octobre 2010. Traduction de B. Alvergne. Fonds Gérard A. Jaeger, Bibliothèque cantonale et universitaire de Fribourg (Suisse), cote LD 64.
2. Les récentes thèses écologiques de Nicolas Hulot, précisément intitulées *Le Syndrome du* Titanic (2 vol., Paris, Calmann-Lévy, 2004 et 2009), illustrent cette récupération symbolique.

Pour d'autres, en revanche, l'imagerie du *Titanic* offre une variété de supports qu'ils détournent de l'Histoire pour la faire entrer dans leur propre légendaire. Loin de rappeler le tragique destin des mille cinq cents victimes du naufrage, le « souvenir » qu'ils en retirent fait référence à ce qu'ils considèrent comme un fait d'Histoire sans connotation macabre. Un curseur parmi d'autres dans la chronologie de l'humanité, qui charme, enivre, hypnotise par la dévotion même qu'on lui porte. Leur méconnaissance leur offre toute liberté de travestir la chronique sans vergogne, au nom d'une attirance instinctive qui se nourrit du meilleur et du pire[1], qui séduit et choque tout à la fois car elle touche au milieu maritime, l'un des domaines les plus mystérieux pour l'homme. Pour paraphraser Platon, nous dirons qu'à part les vivants et les morts il y a les hommes et les femmes du *Titanic*. Depuis cent ans, chacun de nous cherche à sa manière à s'en approcher dans une étrange

---

1. Dans le registre du pire, les produits dérivés du *Titanic* ne manquent pas sur les étals des marchands du temple. Contrairement à ce qu'on pourrait imaginer, les principales institutions de sauvegarde de la mémoire du paquebot trempent dans ce commerce de pacotille où l'on trouve de quoi satisfaire toutes les bourses et tous les goûts. Nous n'en donnerons qu'un exemple, découvert à la boutique du très sérieux Musée du *Titanic*, dans le Massachusetts. Si les reproductions de journaux de l'époque, de photographies et de cartes postales (même retouchées dès 1912 pour faire de l'*Olympic* un *Titanic* tout à fait présentable), de peintures et de plans du navire, voire d'étiquettes de bagages et de papier à lettres frappé de l'étoile blanche de la compagnie, sont des produits génériques de qualité, il en est de plus douteux qui rivalisent de mauvais goût. Non pas les répliques de bijoux censés avoir été portés par des passagères de première classe lors du voyage inaugural, les boutons de vareuses ou les pièces de vaisselle de la White Star Line reproduits en millions d'exemplaires, les casquettes, cravates et chemises aux impressions les plus excentriques, mais toute une masse d'objets dérivés hétéroclites qui vont de la méchante maquette au porte-clés, du pin's au sous-bock et du *mug* à l'effigie du capitaine Smith... aux répliques de pots de chambre. Ce n'est là qu'un échantillon, mais il existe aussi des dérivés de haute gamme, notamment dans l'horlogerie.

association de crainte et de passion. C'est à peu de chose près ce que disait le philosophe Gaston Bachelard lorsqu'il affirmait qu'un héros de la mer est toujours un héros de la mort[1].

Répulsion et fascination ont fait du *Titanic* un théâtre d'ombres où chacun se reconnaît peu ou prou, une représentation du monde aux valeurs pérennes. « Aucune catastrophe n'avait bénéficié d'une mise en scène aussi soignée[2] », ajoute le sociologue Bertrand Méheust. Le *Titanic* et son naufrage ne sont pas une banale fortune de mer. Ils sont une représentation théâtrale que le vase clos, la symbolique de l'action et la diversité des personnages ont rendue mythique, exemplaire et paradoxalement intemporelle.

« J'ai souvent pensé qu'un transatlantique était le lieu rêvé d'une pièce de théâtre », écrivait Michel Mohrt en 1962. Il faisait alors référence au paquebot *France*, dont les salons, les fumoirs et le grand escalier « avaient le style pompeux des antichambres des palais où se déroule l'action[3] ». Puis il ajoutait, songeant à la clôture des navires en pleine mer, que c'était là le lieu privilégié des intrigues. Mais il n'y eut vraiment que sur le *Titanic* qu'elles évoluèrent jusqu'au drame.

Ce fut une belle histoire en effet, une comédie qui s'annonçait sous d'excellents auspices et qui vira au tragique. Comme au théâtre, les protagonistes avaient des rôles déterminés. Ils n'avaient guère de liberté dans l'interprétation et campaient leurs personnages avec le plus grand sérieux. C'étaient des héros calibrés conçus pour la fiction et qui collaient à s'y méprendre à la réalité. L'Histoire et la légende firent front commun et c'est ce qui donne encore à cet événement une dimension unique.

---

1. *Cf.* Gaston Bachelard, *L'Eau et les Rêves*, Paris, Librairie José Corti, 1942.
2. B. Méheust, *op. cit.*
3. M. Mohrt, G. Feinstein, *op. cit.*

Dans *Dernière Conversation sur le* Titanic[1], que son éditeur qualifie d'« ouvrage pétillant d'humour et d'esprit », Philippe de Baleine fait dire à un riche passager, lors de la cohue du transbordement dans les canots de sauvetage, qu'il n'a pas payé ses billets au prix fort pour participer à un vaudeville. Réplique on ne peut plus pertinente car la tragédie, qui donne aux hommes et aux choses un goût de grand exil et d'éternité, prend souvent naissance dans le comique dérisoire des comportements.

Le voyage du *Titanic* est un temps suspendu. Une parenthèse développée dans une expression qui lui sied à merveille et qui semble avoir été faite pour lui survivre : un lieu parallèle qui ressemble à une abstraction, où rien n'est contredit. C'est le degré zéro de l'Histoire. Là où tout commence vraiment. La véritable aventure du *Titanic* est dans l'inconscient de ses acteurs et dans son acceptation par le spectateur. Là où tout est de nouveau possible.

Après avoir été interprétée à huis clos sur les Grands Bancs de Terre-Neuve, cette pièce fut jouée pour la première fois en public devant les commissions d'enquête, qui érigèrent le naufrage en situation d'exception. Par leurs questions aux témoins, la direction que les experts ont donnée aux débats l'a très vite sorti du contexte historique pour le réduire au symbole.

Qu'on se souvienne du scénario et des rôles attribués à chaque protagoniste. Face à la couardise des seconds rôles érigés en faire-valoir, l'héroïsme des acteurs principaux prit aussitôt ses marques et s'imposa tout naturellement sur la scène du monde, tel qu'on avait voulu le montrer. Pour certains observateurs que l'idéalisation des architectes de la légende ne laissait pas indifférents, la réalité n'était pas tout à fait la même : « La presse immortalise les multimillionnaires comme des héros, pouvait-on lire dès le 2 mai 1912 dans *The Miners Magazine* de Denver. Or ils ont été forcés d'être braves, car

---

1. Paris, Presses de la Renaissance, 1998.

l'équipage n'a pas plié devant eux lorsqu'il les a forcés à laisser leur place[1] ! »

Les lâches ont tout de suite été désignés, notamment Joseph Bruce Ismay, dont nous avons évoqué le martyre officiel. Mais il n'est pas le seul à partager cet opprobre, que la légende a radicalisé sans lui laisser le plus petit espoir de salut. En dépit des tentatives de réhabilitation, il sera définitivement condamné pour avoir sauvé sa vie. Les règles de ce jeu ne laissent pas de rappeler les lois immuables du théâtre, qui réduit les hommes à leurs expressions les plus rudimentaires. Dans la ligne de mire de la légende, Ismay se retrouve en compagnie du capitaine Lord, commandant du *Californian*, de James Pirrie et de John Pierpont Morgan, respectivement directeur du chantier du *Titanic* et du trust propriétaire de la White Star Line.

En face, l'architecte naval Thomas Andrews fait figure officielle de héros. Les auteurs de fiction ne s'y sont pas trompés en respectant le tableau d'honneur des historiens. La mort d'Andrews au cours du naufrage leur ayant fourni l'alibi nécessaire à sa survie légendaire, ils l'ont fait rejoindre le commandant Edward John Smith et le courageux commandant du *Carpathia*.

Pour se perpétuer, la légende se doit d'être manichéenne. Il nous reste donc une image un peu brouillée, dont la vision syncopée fut développée par le cinéma dès les premiers tours de manivelle. Un mois jour pour jour après le naufrage, l'actrice Dorothy Gibson était à l'affiche d'une projection de douze minutes tournée par Étienne Arnaud, intitulée *Saved from the* Titanic (« Rescapée du *Titanic* »). Passagère de première classe à bord du paquebot, elle raconte en quelques scènes pathétiques comment elle a échappé à la mort. Dans cette toute première interprétation, le témoin qu'elle fut concentre un maximum d'émotions censées résumer le drame. Ce que l'on en retint

---

1. Cité in *Titanica : the Disaster of the Century, op. cit.* Traduction de B. Alvergne.

focalisa l'attention du public sur quelques images choisies pour l'impressionner.

Le catalogue des rôles étant établi, il ne restait plus qu'à l'exploiter. En 1929, le film *Atlantic* projetait une image répondant à l'idée que se faisait désormais la population sur les responsabilités des compagnies de navigation en matière de sécurité maritime[1]. Sans le nommer, le scénario s'inspirait du drame du *Titanic*. Aussi, le 9 décembre, la White Star Line se plaignit-elle à la société de production du traitement que son film réservait au comportement de ses officiers. Cette contre-publicité nuisait à son bon fonctionnement commercial. D'autant que ce film, le premier parlant tourné en Europe, fut un énorme succès. La compagnie réitéra sa protestation un mois plus tard en exigeant qu'une notice fût présentée au public avant chaque projection, dans laquelle les producteurs assureraient les spectateurs du caractère romanesque de l'histoire qui leur était présentée. On devait pouvoir y lire en outre « que le ministère du Commerce veillait aux pratiques de la navigation et que celles-ci donnaient entière satisfaction en matière de sécurité[2] ».

Plus de vingt ans plus tard, une autre affaire d'atteinte à la crédibilité de la White Star survint avec un film de propagande voulu par Joseph Goebbels. Plus manichéenne encore, cette production réalisée par Herbert Selpin mettait en cause l'incompétence des officiers du *Titanic* et le comportement criminel de Joseph Ismay, qui ne pensait qu'à redorer le blason d'une compagnie au bord de la faillite. Au moment du naufrage, un officier d'origine allemande sauve Ismay de la noyade pour qu'il comparaisse devant ses juges. Le film accentue jusqu'à la caricature la légende du lâche et du héros qui s'attache à l'idée du

---

1. La même année, un film allemand intitulé *In Nacht und Eis* (« Dans la nuit et la glace ») sortait également sur les écrans. Il n'en existe plus de copie.
2. Fac-similés présentés par B. Riffenburgh, *op. cit.* Traduction de B. Alvergne.

Titanic. Le tournage de ce brûlot fut semé d'embûches. Interrompu en 1942 en raison du suicide du réalisateur[1], le film fut achevé par Werner Klingler un an plus tard. Mais l'œuvre commanditée par Goebbels ne devait être projetée que dans quatre villes durant la guerre[2]. Il fallut attendre 1950 pour qu'elle soit diffusée en Allemagne fédérale. Or pour ne pas blesser la sensibilité des vainqueurs de 1945, elle sera très vite retirée des écrans.

L'Histoire, revisitée par la propagande, s'appuyait sur les balbutiements de la légende. Aucune production cinématographique, depuis lors, n'a rompu avec ce schéma si bien rodé, ces personnages si parfaitement ciselés qu'aucun réalisateur n'a voulu prendre le risque de casser le moule. Le public voulait s'entendre conter la fable qu'il attendait, avec ses repères, ses références, sa culture forgée sur mesure, sans dérogation ni réserve.

En 1958, Roy Baker s'engouffrait dans la brèche après le succès de librairie de Walter Lord, *A Night to Remember*[3]. Bien que l'écrivain se fût inspiré des témoins du drame et que sa fresque prît en compte un certain nombre de contradictions négligées jusqu'alors, le scénariste Eric Ambler, célèbre auteur de romans policiers, ne voulut pas se départir des conventions de la légende. Cédait-il aux sirènes du producteur William MacQuitty? L'affiche apporte peut-être une réponse, rappelant que le *Titanic* fut « la plus grande tragédie maritime de tous les temps ». Malgré sa promesse de révéler tous les événements de la nuit du 14 au 15 avril 1912, le film garde le cap légendaire en continuant d'incriminer toujours les mêmes coupables et de dénoncer les mêmes responsables. Si bien que les familles de Joseph Ismay et de Stanley Lord protestèrent publiquement contre ces images qui diffamaient la mémoire de leurs parents. Comme l'avait fait la White Star Line en 1929,

---

1. Arrêté pour insultes à la Wehrmacht, Herbert Selpin se pendit dans sa prison.
2. Stockholm, Florence, Amsterdam et Paris.
3. *La Nuit du* Titanic, *op. cit.*

la fille d'Ismay et le fils de Lord exigèrent que chaque projection fût précédée d'une annonce faisant état de leur indignation.

Une bonne demi-douzaine d'autres œuvres ont tissé la même toile au cours des quarante années suivantes. Jusqu'à la sortie de la superproduction de James Cameron, en 1997, qui devait battre tous les records d'audience. Or si ce film qui n'est pas intrinsèquement meilleur que les autres, peu s'en faut, fonctionna dans le monde entier comme un révélateur, c'est parce qu'il reprenait à son compte l'ensemble des clichés qui avaient fait fortune, auxquels il ajoutait ces ingrédients hollywoodiens dont la culture populaire aime à peupler ses rêves : un destin plein d'avenir brisé dans son ascension, une critique caricaturale de la « bonne société », ainsi qu'une forte intrigue amoureuse que n'eût pas reniée Michel Mohrt, lui qui évoquait le huis clos théâtral des grands paquebots. Le reste tient à une impressionnante campagne de communication ainsi qu'une conjonction d'événements et de conditions difficiles à rationaliser.

Le privilège de la légende est d'être universelle : c'est alors qu'elle devient un mythe. Comme le destin du *Titanic*. « Jack Dawson[1] n'existe plus que dans ma mémoire », explique la vieille dame du film de Cameron à la fin de l'histoire. Rideau ! Le navire a coulé. La légende nous appartient.

La parabole du Titanic

La légende est le fruit d'histoires croisées, racontées par des points de vue qui s'entremêlent et qui dialoguent. Considéré sous cet angle, le *Titanic* procède d'une double vie : celle de sa disparition tragique et celle de la jeunesse éternelle. « On appelle naufrage une soudaine quête d'horizon, souligne Serge Sautreau, et chaque fois

---

1. Personnage interprété par Leonardo DiCaprio.

l'histoire semble s'arrêter là[1]. » Or ce n'est jamais que le commencement d'autre chose. L'impatience d'un autre rivage. Pour qu'il atteigne à l'imaginaire, l'événement doit être spectaculaire. Il faut qu'il marque à jamais les esprits, qu'il devienne emblématique par sa force de persuasion sur l'opinion publique. Ce que fut le voyage inaugural du plus grand paquebot du monde, Arche profane.

Renvoyés dos à dos, les tenants de l'« histoire vraie » et les nouveaux propriétaires de sa légende éternelle ne sont pas prêts à accepter leurs différences. Mais force est de constater que les premiers n'ont plus guère d'espoir de retourner les faits à leur avantage, faute de nouvelles preuves irréfutables sur les raisons objectives du naufrage. Ils offrent donc à leurs contradicteurs des pages blanches que ces derniers s'empressent de combler, avec cette idée qu'ils ont pour mission de corriger le drame, de dépasser la fin d'une histoire pour la transcender. Ce sont eux qui perpétuent l'image du *Titanic* en répondant à la nécessité de croire à défaut de savoir. La nature humaine a horreur du vide et peur de l'Histoire, quand elle ne la rassure pas sur ses interrogations qui sont autant d'inquiétudes.

Selon Ernst Jünger, la peur, étant sociologique, a trouvé son antidote dans les bras accueillants de la légende car elle est prête à faire son marché dans les présupposés de l'Histoire[2]. Et à y faire des compromis, jusqu'à devenir une parabole porteuse d'un message générique. Celui qui consiste à ne pas subir un événement mais à le conduire. À le déconstruire pour se reconstruire. Par là même, le *Titanic* « invente » une autre forme d'admiration rituelle, qui suscite une certaine confusion des genres en l'assimilant aux constructions sacrées de l'humanité, à une forme de durée rassurante. Les hommes ont besoin de socles où s'appuyer pour progresser, de réponses pour avancer. Surtout lorsqu'ils sont en perte de repères. En outre, le *Titanic* est

---

1. S. Sautreau, *op. cit.*
2. *Cf.* Ernst Jünger, *Le Mur du temps*, Paris, Gallimard, 1994.

entré dans leur vie par effraction, sans consentement ni préavis. Bien au contraire, il a surpris tout le monde en s'imposant là où on ne l'attendait pas. Ainsi le navire tragique est-il devenu référent. Nous avons l'impérieuse obligation d'en prendre acte et d'en tirer les réflexions qui s'imposent.

Une légende est une enluminure de l'Histoire qui doit se nourrir en permanence afin de se renforcer au fil du temps. Pour être crédible, elle doit prendre l'ascendant sur les faits eux-mêmes. Sur le dernier témoin de son existence réelle, qui n'est plus qu'une épave que l'abîme dissout lentement jusque dans sa trace physique.

Rongé par les bactéries qui peuplent les profondeurs, le souvenir matériel du *Titanic* finira par disparaître un jour, dans quatre à cinq cents ans peut-être, mais le processus est irréversible. Un siècle après le naufrage, 650 tonnes de rouille recouvrent déjà plus de 80 % de l'épave, en dépit de l'absence d'oxygène à cette profondeur. Pour D. Roy Cullimore, microbiologiste à l'université de Regina, au Canada, ces concrétions proviennent des colonies bactériennes qui consomment le minerai de fer contenu dans l'acier de la coque. Depuis que le *Titanic* gît sur le fond de l'océan, ces organismes microscopiques en renvoient l'acier à son état initial de minerai. D'où cet agglomérat rougeâtre de déjections où se concentrent les oxydes de fer. Au rythme de 600 kilos détruits chaque jour, le docteur Cullimore a calculé que, depuis son naufrage, 20 % du navire a disparu et qu'il finira par s'effondrer sur lui-même avant de disparaître à jamais dans le sédiment.

Inversement, le cœur de la légende se développe, croît de manière exponentielle et se fixe dans les mémoires avec une opiniâtreté identique. Plus les années passent et plus la légende du *Titanic* semble devenir une assurance sur l'avenir : une reconnaissance mémorielle servant de caution pour les générations futures. Cette prise de conscience caricaturale organise le drame de façon manichéenne, à la manière des imageries d'Épinal, au risque de surenchérir au-delà du crédit que lui alloue l'opinion publique.

Jusqu'ici, rien ne semble avoir mis en péril cette vision ritualisée du naufrage, passée du témoignage à la rumeur, puis au légendaire. Devenue fondatrice des grandes peurs de l'ère moderne, la légende du *Titanic* ne donne aucun signe d'essoufflement. « Aujourd'hui, écrit Beau Riffenburgh, ce qui concerne la construction, le voyage inaugural et le naufrage du *Titanic* suscite toujours l'intérêt, de même que les détails sur ces hommes, femmes et enfants qui voyagèrent à son bord, les navires impliqués dans le sauvetage des rescapés, les enquêtes officielles, la découverte de l'épave et les recherches. Dans le monde entier, musées, associations et sites Internet consacrés à son histoire et à son souvenir assurent la pérennité de la légende de ce géant, qui restera pendant des années encore un sujet de débats, de recherches et… d'hypothèses[1]. » Sa légende fait donc partie, de manière intégrante, de « l'affaire Titanic ».

Le 1ᵉʳ décembre 1999, un sondage publié par *Le Parisien* révélait que 39 % des personnes interrogées considéraient le naufrage du *Titanic* comme le fait divers le plus remarquable du xxᵉ siècle. Il est vrai que le film de James Cameron venait de raviver bien des passions. Or c'est bien de légende qu'il s'agit. Les personnes sondées par le journal ne se référaient pas aux arguments des historiens, mais bien aux images récurrentes que projette l'événement, à ses lieux communs et ses idées reçues. À une certaine idée du xxᵉ siècle qui se cherchait, hésitait, secouait les doutes et les appréhensions, se trompait parfois, mais finissait par triompher.

Dans cette abstraction qu'est désormais le *Titanic*, au regard de certaines mémoires fécondées par la légende, se lit une image dépouillée des querelles d'école. Une histoire virtuelle, simple comme la naissance d'un culte. Cette approche prend tout son sens dans la genèse de l'aventure humaine, avec ses pleins et ses déliés, sa fougue et

---

1. B. Riffenburgh, *op. cit.*

ses naïvetés, sa grande peur liée à l'avenir, à l'inconnu de la feuille de route, aux arcanes du chemin pas encore balisé.

Aussi, pour compenser le manque de visibilité de l'Histoire, est-il parfaitement naturel de se réfugier dans les bras de la légende. Toujours rassurante, elle sédimente certaines idées et s'en tient généralement à quelques assertions élémentaires, mais essentielles à sa survivance. C'est un peu ce qu'a voulu transmettre Romain Jérôme, manufacturier d'horlogerie genevois, en décidant d'associer l'image éternelle et définitive du *Titanic* à la mesure du temps[1].

Le film *Titanic II*, tourné en 2010 par le réalisateur Shane Van Dyke[2], sans inspiration artistique ni moyens financiers, est symptomatique dans son ambition de boucler le cycle de la saga. Cent ans après le drame, une réplique du *Titanic* y subit à son tour le sort du grand *liner* de la White Star Line. Pour bien nous faire comprendre que sa destinée est sans appel, les producteurs nous font savoir que la tragédie ne s'est pas arrêtée le 15 avril 1912 et qu'elle continuera de frapper.

Tout ce qui touche de près ou de loin au *Titanic* est immuable, désormais figé dans la légende, tel un mouvement perpétuel. Quand le premier voyage est le dernier, quand « commencer » et « achever » se conjuguent simultanément, quand il n'y a plus ni passé ni avenir, quand toute durée est supprimée, alors s'ouvre l'espace où se construit la légende[3].

---

1. Romain Jérôme propose une série limitée de montres conçues à partir de fragments de rouille remontés de l'épave, marquées NDA (code génétique du Titanic).
2. Uniquement diffusé en DVD.
3. *Cf.* J.-P. Keller, *op. cit.*

Épilogue
UN ÉPIPHÉNOMÈNE ORDINAIRE

La cruelle mésaventure du *Titanic* avait pris le monde au dépourvu. Pour pallier cette incompréhension, les hommes s'étaient trouvé des explications rassurantes, des coupables désignés pour expliquer l'indicible. En imposant une vision légendaire de l'Histoire qui la rendait un peu plus supportable, l'humanité avait cru se dédouaner de ses erreurs.

Deux ans plus tard, la guerre vint cautionner l'idée qui prévalait en filigrane dans le naufrage du 15 avril 1912. En disparaissant au fond de l'abîme, le *Titanic* était devenu l'emblème d'un échec, d'une ambition sacrifiée sur l'autel de l'impudence. On changeait brusquement de siècle, les anciens régimes étaient détrônés. Or, pour en rendre compte devant l'Histoire, il fallait circonscrire les erreurs du passé en pointant sur elles un doigt vengeur. Et donner des responsables en exemple aux générations futures par le truchement d'un théâtre d'ombres.

Pourtant, en dépit des transformations psychologiques issues de cette épreuve et de la relecture historique des événements, les doutes suscités par la prodigalité de la légende n'ont jamais récusé sa prédominance, bien au contraire. Pas même l'idée toute simple que le *Titanic* ait pu être la victime d'un terrible concours de circonstances sans message ni symbolique particulière, d'un épiphénomène ordinaire. « Quand une pierre tombe dans un étang, qui sait jusqu'où se propage l'onde de choc? », aimait à dire Paul Guimard[1].

Les facéties du hasard sont inépuisables. Ainsi l'aventure du *Titanic*. La bonne question n'est-elle pas : à quel moment s'est produit le premier impact sur la vie du grand transatlantique déchu? Nous avons tenté d'y répondre en privilégiant la thèse de l'épiphénomène, en contradiction avec l'analyse purement factuelle de l'Histoire ou la théorie du complot qui induit la passion et le fantasme.

Pris dans son acception philosophique, un épiphénomène[2] définit une suite d'événements anodins, mais qui s'additionnant finissent par dégrader une situation à l'origine sans impact majeur ni conséquence prévisible, passant ainsi de la petite à la grande Histoire. Rappelons-nous cette déclaration du lieutenant Charles Lightoller devant la commission d'enquête britannique : « Il s'est produit un extraordinaire concours de circonstances comme on n'en verra plus. Cela témoigne à l'évidence que le sort s'acharnait contre nous[3]. »

La tragédie est ainsi conçue, qui subit la dictature des éléments extérieurs[4]. Ironie du sort ou prédestination? Le danger de la théorie consisterait à substituer à cette

---

1. Leitmotiv romanesque de l'auteur de l'*Ironie du sort* et d'*Un concours de circonstances. Cf.* Gérard A. Jaeger, *Sur les pas d'un enfant du siècle : Paul Guimard, écrivain et dilettante*, Paris, Éditions Pen-Duick, 2000.
2. Mot créé par le philosophe anglais Henry Maudsley (1835-1918) et repris par le naturaliste Thomas Huxley (1825-1895). L'épiphénomène est un phénomène lié à un autre par une conséquence physiologique mécanique, automatique, sans aucune intervention de la conscience. *Cf. Dictionnaire encyclopédique Quillet*, Paris, Librairie Aristide Quillet, 1938.
3. Cité par W. Lord, *Les Secrets d'un naufrage, op. cit.*
4. « Personne n'est venu blâmer les architectes et les ingénieurs des tours du World Trade Center de New York, après que les avions les eurent percutées le 11 septembre 2001 », répondait un universitaire de Belfast, Rory Flanigan, à notre questionnaire sur les responsabilités du naufrage du *Titanic*. Archives de l'auteur, fonds Gérard A. Jaeger, Bibliothèque cantonale et universitaire de Fribourg (Suisse), cote LD 64.

succession de contretemps l'idée d'une prédétermination du destin. Or la fatalité ne fait pas obligatoirement appel à l'irrationnel, qui a pour objet de répondre par l'absurde à la logique de notre univers mental. Cette dérive est sournoise car elle suscite de nouvelles croyances, qui alimentent à leur tour l'imaginaire collectif et l'emprise de la légende.

En somme, la sagesse invite à parler d'une simple accumulation de dysfonctionnements mineurs qui s'apparentent au mieux à des habitudes professionnelles, au pire à de la confiance mal gérée. Certains parleront d'arrogance : tant des ingénieurs, à la conception du paquebot, que de son équipage, à son usage à la mer.

Le *Titanic*, qui avait trente-sept secondes pour éviter l'iceberg, aurait pu changer le cours de la vie de milliers de gens s'il n'avait été le jouet d'événements imprévisibles. Petit à petit, jour après jour, dès 1907, année où tout a réellement commencé. L'ultime question n'est donc pas de se demander pourquoi – l'honnêteté nous en empêche –, mais plutôt : que se serait-il passé si la course au gigantisme s'était arrêtée ? Si l'économie du transport maritime n'avait pas incité les armateurs à jouer avec le danger ? Si, plus prosaïquement, on avait entendu le chef mécanicien réclamer un inverseur de propulsion et le responsable du Bord of Trade suggérer l'agrandissement du safran de gouvernail ? Si de l'écume avait été visible à la base de l'iceberg meurtrier, si les vigies avaient trouvé des jumelles dans le nid-de-pie et si le lieutenant Murdoch avait donné au timonier un ordre de manœuvre différent face à l'obstacle de glace ?

Soit. Mais si l'Histoire se commente au passé, elle ne s'écrit jamais qu'au présent. Après cent ans de réflexion, force est de constater que ces détails, pris séparément, ne pouvaient pas influencer la marche du destin. Pas plus que l'indifférence du capitaine Smith aux avertissements des navires qui traversaient la barrière de glace le soir du 14 avril 1912, l'absence de veille radiotélégraphique à bord du *Californian* et la priorité donnée aux messages personnels sur le *Titanic*. Sans compter les deux départs retardés en raison des avaries de l'*Olympic*.

À la question de savoir ce qui serait advenu de l'ambassadeur de la White Star Line si cet enchevêtrement de circonstances ne s'était pas noué comme un lien fatal autour de son nom, nous sommes tenté de répondre : nous n'en parlerions plus depuis longtemps. S'il était arrivé corps et biens à son quai de débarquement sur l'Hudson River…

Mais les dés avaient roulé sur le nom du *Titanic*.

ANNEXES

I

Chronique d'un naufrage

10 AVRIL 1912 (*heure GMT*)

Avec vingt jours de retard sur le calendrier initial, le *Titanic* est prêt à embarquer ses premiers passagers à Southampton, point de départ de son voyage inaugural.

6 h 00 : Embarquement des membres de l'équipage.

6 h 30 : Arrivée à bord de l'architecte naval Thomas Andrew, concepteur du paquebot, dont il est de tradition qu'il effectue la première traversée.

7 h 30 : Arrivée à bord du commandant Edward John Smith.

8 h 00 : Le capitaine d'armement de la White Star Line procède à l'appel de l'équipage.

9 h 00 : Le commandant Smith remet au capitaine d'armement le « rapport du commandant à la compagnie ».

9 h 30 : Arrivée à bord de Joseph Bruce Ismay, directeur de la compagnie propriétaire du paquebot.

10 h 30 : Arrivée en gare maritime de Southampton des passagers de 2e et de 3e classe.

11 h 30 : Arrivée des passagers de 1re classe.

11 h 45 : Trois coups de sifflet annoncent le départ imminent du *Titanic*. Le pilote est à bord et les cinq remorqueurs sont à poste. Le taux de remplissage est de seulement 30 % – soit 20 % de moins que la moyenne lors d'un voyage inaugural.

12 h 15 : Le navire s'ébranle.

13 h 00 : Le paquebot *New York*, à couple avec un autre navire dans le chenal, est attiré par les forces dynamiques du déplacement du *Titanic*, rompt ses amarres et vient chasser contre l'arrière du grand paquebot qu'il évite de justesse.

13 h 30 : Le *Titanic* entre dans les eaux libres de la Manche.

15 h 40 : Les passagers de Paris arrivent à la gare maritime de Cherbourg (GMT+1) par le « New York Express ».

18 h 30 : Arrivée du *Titanic* à Cherbourg (GMT+1), où il mouille dans la rade en raison de son fort tirant d'eau. Embarquement des nouveaux passagers.

20 h 10 : Le *Titanic* quitte Cherbourg (GMT+1).

11 AVRIL 1912 (*heure GMT*)

11h30: Arrivée du *Titanic* devant Queenstown (aujourd'hui Cobh). Montée à bord du pilote.
13h30: Appareillage de Queenstown. Le paquebot *Carpathia* de la Cunard quitte New York pour Trieste.

12 AVRIL 1912 (*heure du* Titanic)

12h00: L'arbre principal d'hélice du *Titanic* tourne à 72 tours/minute. 468 milles nautiques ont été parcourus depuis le départ de Queenstown. *La Touraine*, qui revient de New York, croise le *Titanic* et lui signale la présence d'icebergs au 50ᵉ degré de longitude ouest.

13 AVRIL 1912 (*heure du* Titanic)

12h00: 519 milles nautiques ont été parcourus en vingt-quatre heures.
13h00: Le chef mécanicien rend compte de l'extinction de l'incendie dans la soute à charbon n° 6, qui s'était déclaré au départ de Belfast le 2 avril. La dérive du champ de glace se situe maintenant par 41° 42' N – 49° 50' O.

14 AVRIL 1912 (*heure du* Titanic)

9h00: Le *Caronia* signale que le champ de glace s'étend de 42° de latitude nord à 50° de longitude ouest, tandis que le *Titanic* se trouve par 43° 35' N - 43° 50' O, faisant route sud au 62ᵉ.
9h44: Le *Titanic* accuse réception du message du *Caronia*.
10h30: Le commandant Smith préside le service religieux.
11h30: De retour sur la passerelle, le commandant ordonne de doubler les vigies en cas d'apparition de la brume.
11h40: Second message du *Caronia*, doublé par celui du *Noordam* concernant le champ de glace et des icebergs aperçus sur la route officielle.
12h00: 546 milles nautiques ont été parcourus en 24 heures. Le *Titanic* capte la station TSF du Cap Race et commence à transmettre les messages personnels des passagers.
13h40: Un message avertissant de la présence d'icebergs émis par l'*Athinai* et relayé par le *Baltic* est remis par le commandant Smith à Joseph Bruce Ismay, qui le conservera jusqu'à 19h15. Le champ de glace est situé maintenant par 41° 51' N – 49° 52' O, alors que le *Titanic* se trouve par 42° 35' N – 45° 50' O.

13h45 : L'*Amerika* signale des glaces par 41° 27' N - 50° 08' O, message que captent les opérateurs du *Titanic* sans le remettre à la passerelle.

14h00 : La TSF du *Titanic* tombe en panne. L'exercice de sauvetage, conseillé par les autorités de la Marine marchande, est annulé par le commandant Smith, qui le juge inutile.

17h50 : Le *Titanic* passe le point de virement officiel fixé en 1899 sur le parallèle de New York ; le second capitaine Wilde met le cap au 266 pour venir sur tribord, de S 62° O à S 86° O. La vitesse du *Titanic* est de 21,5 nœuds.

19h00 : La température extérieure de l'air est de 6 °C. La TSF est réparée.

19h15 : On ferme l'écoutille du gaillard d'avant pour éviter que la lumière ne gêne les veilleurs du nid-de-pie.

19h30 : Le *Titanic* capte un marconigramme envoyé par le *Californain* à l'*Antillian* concernant le champ de glace désormais situé par 42° 03' N - 49° 09' O, soit 19 milles nautiques au nord de sa route. La température extérieure de l'air est de 4 °C.

20h00 : Les passagers se rendent dans les diverses salles à manger pour le dîner.

20h30 : Le commandant Smith se rend à la salle à manger de 1re classe pour le dîner.

20h40 : On surveille la température de la réserve d'eau douce.

21h00 : Le commandant Smith quitte la salle à manger pour la passerelle. La température extérieure de l'air est de 1 °C.

21h20 : Le commandant Smith quitte la passerelle et donne l'ordre de diminuer la vitesse si le temps se voile.

21h40 : Le *Mesaba* émet un avis de danger sur la zone comprise entre 41° 25' N et 49° 30' O, que le télégraphiste du *Titanic* alors en poste, Harold Bride, ne transmet pas à la passerelle.

22h00 : Le premier lieutenant Murdoch prend son quart et les vigies Lee et Fleet remplacent Jewell et Symons dans le nid-de-pie. La température extérieure de l'air est de 0 °C.

22h30 : La température extérieure de l'air est de –1 °C.

22h55 : Le *Californian*, qui se trouve à 20 milles nautiques environ du *Titanic*, stoppe pour la nuit devant le champ de glace, par 42° 05' N – 50° 07' O, soit à deux heures de mer environ.

23h00 : Le second télégraphiste du *Titanic*, Jack Phillips, rembarre son collègue Harold Cottam, du *Californian*, parce qu'il perturbe ses émissions.

23h25 : Jack Phillips continue d'émettre des messages personnels via le Cap Race.

23h30 : Le télégraphiste du *Californian* coupe ses appareils et part se coucher.

23 h 35: Les vigies annoncent une nappe de brouillard.

23 h 39: Le veilleur Fleet, dont le poste d'observation culmine à dix mètres au-dessus du pont, voit surgir une masse noire devant l'étrave, à 500 mètres environ. Il sonne aussitôt l'alerte et appelle la passerelle.

23 h 39' 20": Le premier lieutenant Murdoch fait virer à bâbord toute, puis donne l'ordre de battre en arrière. Il reste 17 secondes avant l'impact. Le paquebot parcourant 700 mètres à la minute, il mettra 35 secondes pour réagir à la barre.

23 h 39' 37": On ferme les portes étanches, tandis que l'étrave heurte l'iceberg au-dessous de la surface de l'eau durant 20 secondes, provoquant un écrasement de la coque et de fortes voies d'eau.

23 h 39' 57": Les machines sont stoppées. En 18 secondes, le destin du *Titanic* vient de basculer.

23 h 40: Heure officielle de l'abordage notifié sur le livre de bord. Le *Titanic* a navigué pendant quatre jours et demi.

23 h 45: Le lieutenant Boxhall reçoit l'ordre d'évaluer les dégâts avec l'architecte Thomas Andrews.

23 h 50: Le navire se met à gîter sur bâbord.

---

15 AVRIL 1912 (*heure du* Titanic)

0 h 00: Le *Titanic* prend une gîte sur tribord de 5° et un début d'apiquage à l'avant. Le *Mount Temple*, qui se trouve dans le champ de glace, stoppe ses machines pour la nuit.

0 h 05: Le rapport d'avaries est sans appel: le *Titanic* est condamné avec de l'eau dans les soutes 1 et 2, les chaufferies 5 et 6 et le local du courrier, ce qui signifie qu'il y a cinq compartiments inondés, soit un de plus que ne l'exige sa flottabilité. La brèche estimée dans la coque a environ 70 centimètres de hauteur sur 70 à 100 mètres de long. Thomas Andrews estime que le navire sera perdu à 2 heures du matin. Le commandant Smith ordonne de décapeler les embarcations de sauvetage et bat le rassemblement de tout l'équipage.

0 h 10: On envoie le message de détresse CQD, suivi de l'immatriculation du navire, MGY, avec sa position rapidement calculée par le lieutenant Boxhall, soit: 41° 46' N - 50° 14' O.

0 h 15 : Le commandant Smith ordonne d'abandonner le navire. Les stewards réveillent les passagers qui ne sont pas déjà sur le pont.

0 h 20: Le Cap Race reçoit le CQD du *Titanic*, ainsi que le *Mount Temple*, qui se trouve encalminé dans le champ de glace à quelque 50 milles nautiques. Les musiciens de l'orchestre ont commencé à jouer sur le pont A.

0h25: On ordonne la mise à l'eau des embarcations de sauvetage. Il y a de la place pour 1 178 personnes à bord des 16 canots et 4 radeaux d'appoint, alors que le paquebot compte 2 207 passagers et membres d'équipage. 1 029 personnes sont mathématiquement promises à la mort.

0h35: Le commandant Smith fait remplacer le CQD par le nouveau signal de détresse : SOS.

0h45: La première embarcation de sauvetage (n° 7) est descendue à la mer avec un faible nombre de personnes à son bord (comme le seront la plupart). La première des dix fusées de détresse (blanche) est lancée par le lieutenant Boxhall.

0h55: La deuxième embarcation de sauvetage (n° 6) est descendue à la mer, sur laquelle embarque la vigie Frederick Fleet. La troisième embarcation (n° 5) est mise à l'eau.

1h00: Plusieurs navires, tels que le *Caronia*, le *Frankfurt*, le *Baltic*, le *Virginian* et l'*Olympic*, font route vers le *Titanic* malgré leur éloignement. La quatrième embarcation (n° 3) est mise à l'eau.

1h10: Les cinquième et sixième embarcations (n°s 1 et 8) sont mises à l'eau.

1h15: La proue du *Titanic* s'est enfoncée jusqu'au niveau du nom sur l'étrave. Des passagers de 3e classe sont encore prisonniers à l'intérieur du navire.

1h20: Le *Titanic* se met à gîter sur bâbord. Les septième et huitième embarcations (n°s 10 et 9) sont mises à l'eau.

1h25: Les neuvième, dixième et onzième embarcations (n°s 11, 12 et 13) sont mises à l'eau. Le paquebot revient sur sa gîte tribord.

1h30: La douzième embarcation (n° 14), devant laquelle le lieutenant Lowe tire en l'air pour la dégager, est descendue à la mer.

1h35: Les treizième et quatorzième embarcations (n°s 15 et 16) sont mises à l'eau.

1h40: Un journaliste de New York ayant capté les messages du *Virginian* (heure du *Titanic* –1h55) comprend qu'un drame se joue en plein océan : il appelle aussitôt le vice-président de la White Star Line à New York, Philip Franklin, pour lui demander des précisions, mais ce dernier ignore encore tout de la catastrophe.

Le radeau C dans lequel est monté Joseph Ismay, le président de la compagnie, est mis à la mer. La dernière fusée de détresse est lancée.

1h45: La quinzième embarcation (n° 2) est mise à l'eau.

1h55: La seizième embarcation (n° 4) est mise à l'eau. Il reste à bord les radeaux A, B et D, alors que plus de 1 500 personnes restent prisonnières du paquebot. La poupe se dresse au point de laisser apparaître les hélices. L'orchestre cesse de jouer.

2h00: Le concepteur du *Titanic*, Thomas Andrews, s'est réfugié dans le fumoir désert, son gilet de sauvetage sur une chaise près de lui.

2 h 05 : Le radeau D est mis à l'eau et sera renversé par une vague, servant à quelques rescapés qui se débattaient dans l'eau.

2 h 10 : L'eau a envahi le local TSF ; le commandant Smith ordonne aux télégraphistes Bride et Philips d'abandonner leur poste.

2 h 15 : Le navire s'enfonce jusqu'à la verrière du grand escalier arrière, tandis que tout s'effondre à l'intérieur en faisant un vacarme terrifiant. L'une des cheminées se détache. Les radeaux A et B sont balayés du pont par les vagues et serviront aux naufragés jetés à la mer.

2 h 17 : Le *Carpathia* reçoit le dernier message du *Titanic*.

2 h 18 : Les générateurs d'électricité cessent de fonctionner, le navire s'éteint. Le *Titanic* s'incline à près de 45° avant de couler à pic.

2 h 20 : La poupe détachée du navire, qui vient de se briser et de s'enfoncer, sombre à son tour en 2 minutes. L'*Olympic* émet pour tous les navires alentour que le *Titanic* ne répond plus.

2 h 30 : Quelques rares embarcations se portent au secours des naufragés tombés à la mer. Des rescapés s'accrochent aux radeaux A et B, parmi lesquels le lieutenant Lightoller.

2 h 35 : Le *Carpathia*, qui se trouve à 58 milles de la zone de la catastrophe, fait route vers le lieu du naufrage en bravant les dangers du champ de glace.

2 h 40 : Les lumières observées sur l'océan par certains rescapés ont disparu.

2 h 45 : Le *Carpathia* tire des fusées éclairantes toutes les 15 minutes et navigue à 17 nœuds entre les icebergs, tandis qu'à bord l'équipage se prépare à recevoir les naufragés.

3 h 00 : Vingt embarcations de sauvetage errent dans la nuit. Le *Titanic* a coulé avec 1 507 personnes à bord. Si les embarcations de sauvetage avaient été remplies selon les normes du constructeur, elles auraient embarqué 461 personnes de plus, soit 23 par unité. L'embarcation n° 14 récupère quatre naufragés dans l'eau à -3 °C, dont l'un d'entre eux succombe peu après.

À New York (où il est 1 h 05), Philip Franklin appelle l'*Olympic* pour lui demander des précisions sur ce qu'on lui a raconté au téléphone.

3 h 30 : Le *Carpathia*, arrivé sur zone, ne trouve personne sur les lieux supposés du naufrage.

4 h 00 : Le *Carpathia* trouve enfin les embarcations de sauvetage au milieu des icebergs.

4 h 10 : Le *Carpathia* recueille la première embarcation, la n° 14, commandée par le lieutenant Boxhall. La rescapée Elizabeth Allen est la première à être hissée à bord.

5 h 30 : Le capitaine Stanley Lord, commandant le *Californian*, apprend par le *Frankfurt* que le *Titanic* a coulé à 20 milles nautiques dans le sud de sa position : il fait aussitôt remettre en route pour se rendre sur zone, cap au 16 O, mais ne peut dépasser les 6 nœuds en raison des glaces qui l'entourent.

6 h 00 : Le *Californian* doit se dérouter à l'ouest car le champ de glace lui fait barrage.

6 h 30 : Le *Californian* entre enfin dans les eaux libres et pousse ses machines à leur maximum, soit 13,5 nœuds.

7 h 30 : Le *Californian* croise le *Mount Temple* sur la zone annoncée du naufrage, mais ne trouve rien et poursuit dans le sud.

8 h 10 : La dernière embarcation de sauvetage (n° 12) est hissée à bord du *Carpathia*.

8 h 30 : Le *Californian* arrive sur la zone où se trouve le *Carpathia*, par 41° 33' N - 50° 01' O.

8 h 50 : Le *Carpathia* quitte la zone avec tous les rescapés, direction New York, après avoir pris à son bord 13 des 16 embarcations du *Titanic*. Le *Californian* reste sur zone afin de rechercher d'éventuels survivants ou des corps flottant à la surface de l'eau.

9 h 00 : Le *Mount Temple* quitte la zone.

11 h 20 : Le *Californian* quitte la zone à son tour sans avoir retrouvé personne. La liste des survivants dressée à bord du *Carpathia* est communiquée à l'*Olympic* qui propose d'accueillir les rescapés, mais la White Star Line y renonce en raison de la gémellité des navires, qui pourrait choquer les naufragés. Joseph Ismay télégraphie au service maritime du ministère britannique du Commerce (il est environ 14 h 20, heure de Londres) pour l'informer de la perte du *Titanic*, sans faire mention de victimes.

12 h 40 : Le commandant de l'*Olympic*, le capitaine Herbert Haddock, annonce la nouvelle du naufrage à l'Associated Press à New York, qui appelle le bureau de la White Star Line.

16 h 00 : Une oraison funèbre est prononcée à bord du *Carpathia*.

19 h 00 : L'International Mercantile Maritime, propriétaire de la White Star Line, annonce officiellement la catastrophe (il est environ 17 heures, heure de New York).

19 h 30 : La White Star Line affrète le câblier *Mackey-Bennett* qu'elle compte envoyer sur la zone du naufrage dès le surlendemain (il est environ 17 h 30, heure de New York).

---

16 AVRIL 1912 (*heure de New York*)

3 h 30 : Le *New York Times* met sous presse la première édition relatant le naufrage.

La tempête accompagne la route du *Carpathia*.

---

17 AVRIL 1912 (*heure de New York*)

Joseph Ismay envoie du *Carpathia* un marconigramme à la White Star Line, à New York, pour s'entendre avec Philip Franklin sur le discours officiel à tenir et faire en sorte que l'équipage rescapé puisse rentrer en Angleterre dès le 19 avril, lendemain du jour fixé pour l'arrivée du *Carpathia*; il lui est répondu que ce ne sera pas envisageable avant le 20.
La presse publie ses premières critiques sur le drame, en même temps que le nombre réel de pertes humaines. Une foule immense se rend dans les bureaux de la White Star, à Londres, à New York, à Southampton et dans de nombreuses capitales afin d'obtenir des nouvelles.
À New York, le sénateur William Alden Smith met sur pied une commission d'enquête destinée à rendre publiques les responsabilités de la White Star Line.
12 h 00 : Le câblier *Mackey-Bennett* appareille d'Halifax à destination de la zone du naufrage, chargé d'une centaine de cercueils, de tonnes de glace et de matériel d'embaumement.

---

18 AVRIL 1912 (*heure de New York*)

19 h 00 : Le *Carpathia* est en vue de New York.
20 h 00 : 30 000 personnes attendent l'arrivée du *Carpathia* au quai 54 de la Cunard Line.
21 h 00 : Le *Carpathia* commence par débarquer les embarcations de sauvetage du *Titanic* au quai 59 de la White Star Line.
21 h 20 : Le *Carpathia* commence le débarquement des rescapés de la 1re classe.
22 h 00 : Les journalistes sont sur le pied de guerre et quêtent les interviews des passagers. Le *New York Times* a loué l'étage d'un hôtel à proximité, qu'il a transformé en salle de rédaction.
23 h 00 : Après le débarquement des passagers de la 2e classe, c'est au tour des immigrés de descendre à quai; ceux qui ne sont pas attendus par leur famille sont regroupés, puis conduits à Ellis Island pour être contrôlés sommairement.

---

19 AVRIL 1912 (*heure de New York*)

0 h 00 : Le débarquement des rescapés est terminé.
1 h 00 : Le *Californian* arrive à Boston.
9 h 00 : À Boston, on annonce à la foule venue à sa rencontre qu'il n'y a aucun rescapé à bord du *Californian*.

10h00: À New York, le sénateur William Smith entame l'interrogatoire des rescapés dans la sale dite « Myhrtle Room », à l'hôtel Waldorf Astoria. Le *New York Times* consacre quinze pages à l'événement.

---

20 AVRIL 1912

Le personnel du *Titanic* qui n'est pas retenu par la commission d'enquête, ainsi que 170 passagers, partent pour l'Angleterre à bord du *Lapland*.
Arrivée du *Mackey-Bennett* sur la zone du naufrage.
L'*Olympic*, à quai à Cherbourg, collecte 35000 francs au profit des sinistrés.
La presse britannique critique la commission d'enquête américaine, qu'elle qualifie d'incompétente et de partiale.
Le *Carpathia* quitte New York pour la Méditerranée, sa destination initiale.

---

21 AVRIL 1912

Les premiers cadavres du *Titanic* sont repêchés par le *Mackey-Bennett*, ainsi que certains objets du paquebot flottant à la surface de l'océan.

---

22 AVRIL 1912

La commission d'enquête américaine quitte l'hôtel Waldorf Astoria de New York et se rend à Washington afin de poursuivre les auditions des principaux témoins dans de meilleures conditions.
Le *Minia* part relever le *Mackey-Bennett*.
Une messe de requiem est célébrée dans la cathédrale de Queenstown.
La diplomatie britannique emboîte le pas à la presse et ironise sur l'incompétence de la commission américaine.

---

23 AVRIL 1912

Désignation d'une commission d'enquête britannique conduite par lord Mersey.

---

24 AVRIL 1912

Le départ de l'*Olympic* pour New York est annulé pour cause de grève des chauffeurs, qui revendiquent une plus grande sécurité à bord.

25 avril 1912

Le câblier *Mackey-Bennett* quitte la zone du naufrage et se rend à Halifax avec sa macabre cargaison de 190 dépouilles (116 ont été immergées).

26 avril 1912

Le *Minia* arrive sur zone et relève le *Mackey-Bennett*.

29 avril 1912

Arrivée du *Lapland* à Plymouth avec 167 membres du personnel du *Titanic*, dont une partie est retenue pour comparaître devant la commission d'enquête britannique. Départ du reste du personnel à bord d'un train spécial pour Southampton.
Le *New York Times* fait sa quinzième « une » consécutive sur le *Titanic* depuis le 15 avril.

2 mai 1912

Ouverture de la commission d'enquête britannique sur le naufrage du *Titanic* au Randon's Scottish Drill Hall.

3 mai 1912

Inhumation des corps repêchés par le *Mackey-Bennett* et non réclamés par leurs familles dans trois cimetières d'Halifax, de confessions différentes.
Le *Montmagny* quitte Québec pour relever le *Minia*.

6 mai 1912

Le *Montmagny* relève le *Minia*, qui a repêché 15 nouveaux corps dans la région du Gulf Stream (deux ont été immergés).
Les derniers membres d'équipage du *Titanic* sont de retour en Angleterre.

10 mai 1912

Le *Montmagny*, qui a repêché 4 victimes, immerge le corps d'un matelot non identifié et rentre au Canada.

11 MAI 1912

Les derniers témoins libérés par la commission américaine embarquent sur l'*Adriatic* à destination de Liverpool, via Queenstown, parmi lesquels Joseph Ismay et les quatre officiers rescapés.

14 MAI 1912

Sortie de *Saved from the Titanic*, premier film (muet) de 10 minutes sur le naufrage, avec la rescapée Dorothy Gibson dans son propre rôle.

15 MAI 1912

L'*Algerine* quitte Terre-Neuve pour une ultime mission de repêchage, qui lui permettra de ramener un dernier corps à terre.
L'*Oceanic* récupère le radeau A flottant à 200 milles nautiques du naufrage.

24 MAI 1912

Concert donné à l'Albert Hall de Londres par 500 musiciens, en mémoire des victimes du *Titanic*.

29 MAI 1912

Conclusions de la commission d'enquête américaine.

30 JUILLET 1912

Conclusions de la commission d'enquête britannique.

1er MARS 1914

Premier projet de renflouement du *Titanic*.

17 OCTOBRE 1937

Mort de Joseph Bruce Ismay.

1er SEPTEMBRE 1985

Découverte de l'épave du *Titanic* par une expédition américano-française. L'épave est bien séparée en deux parties distantes d'environ 600 mètres. Un champ de débris couvre les fonds marins. La proue du paquebot est enfoncée d'environ 20 mètres dans le sédiment. Sa position exacte est : 42° 43' N - 49° 56' O, soit à 13 milles du lieu estimé du naufrage.

11 SEPTEMBRE 1985

Le sénateur américain William Jones propose une loi sur l'inviolabilité du *Titanic*.

21 OCTOBRE 1985

Le président Reagan signe la loi Jones préalablement adoptée par les Chambres sur l'inviolabilité de l'épave du *Titanic*, bien qu'elle n'ait aucune autorité légale internationale.
Les États-Unis votent le « Memorial Act » sur l'interdiction d'importation et de vente dans le pays d'objets provenant du *Titanic*.

11 SEPTEMBRE 1987

Retour de l'expédition franco-britannique controversée au cours de laquelle ont été remontés 1 800 objets de l'épave.

15 DÉCEMBRE 1992

Publication d'un avis de la France sur la propriété des objets de l'épave remontés en 1987.

23 DÉCEMBRE 1993

La société Titanic Venture devient propriétaire légale de l'épave en tant que « sauveteur », sous le nom de RMS Titanic Incorporation.

4 SEPTEMBRE 1994

Le Musée maritime de Greenwich présente 200 objets remontés de l'épave du *Titanic* en présence de survivants et doit s'expliquer sur sa démarche. L'exposition attire 750 000 visiteurs.

II
TABLEAUX RÉCAPITULATIFS

Temps approximatif de la traversée
de l'Atlantique Nord, d'est en ouest

XVIIᵉ siècle :	70 jours de moyenne pour une goélette.
XIXᵉ siècle :	33 jours de moyenne pour un clipper.
1819 :	26 jours pour un vapeur mixte comme le *Savannah*.
1838 :	15 jours pour un vapeur mixte comme le *Great Western*.
1840 :	14 jours pour le *Britannia*.
1848 :	9 jours pour l'*Atlantic*.
1862 :	8 jours pour le *Scotia*.
1876 :	7 jours pour le *Britannic*.
1888 :	5 jours pour le *City of Paris*.
1911 :	4 jours pour le *Lusitania*.
1936 :	3 jours pour l'*United States*.

Déplacement, longueur et vitesse
des paquebots de la génération du *Titanic*

PAQUEBOT	DÉPLACEMENT	LONGUEUR	VITESSE
Lusitania (Cunard Line)	31 550 tonnes	232 mètres	25 nœuds
Mauretania (Cunard Line)	31 938 "	232 "	25 "
Olympic (White Star Line)	45 324 "	269 "	22,5 "
Titanic (White Star Line)	46 328 "	269 "	22,5 "
Imperator (Hamburg Amerika Linie)	50 000 "	277 "	22 "
Aquitania (Cunard Line)	50 000 "	277 "	23 "
Britannic (II) (White Star Line)	50 000 "	305 "	22,5 "

311

Naufrages civils ayant coûté la vie
à 1 000 personnes et plus dans le monde

DATE	NAVIRE	LIEU	VICTIMES
1822 (6 février)	*Tek Sing*	Mer de Chine	env. 1 600
1867 (27 avril)	*Sultana*	Mississippi	env. 1 000
1904 (15 janvier)	*General-Slocum*	East River	env. 1 000
1912 (15 avril)	***Titanic***	Large de Terre-Neuve	env. 1 500
1914 (29 mai)	*Empress of Ireland*	Saint-Laurent	env. 1 000
1954 (26 sept.)	*Toya Maru*	Mer du Japon	env. 1 200
1980 (22 avril)	*Don Juan*	Côte philippine	env. 1 000
1987 (20 déc.)	*Doña Paz*	Côte philippine	env. 4 000
1993 (17 février)	*Neptune*	Côte haïtienne	env. 1 000
2002 (26 sept.)	*Joola*	Côte sénégalaise	env. 1 900
2006 (3 février)	*Al Salam Boccaccio*	Mer Rouge	env. 1 000

Nombre de victimes dues à des naufrages
sur l'Atlantique Nord avant le *Titanic*

De 1881 à 1891 :	822 victimes	1 126 victimes en 30 ans sur 3 250 000 voyageurs transportés, soit 0,02 %
De 1892 à 1901 :	247 victimes	
De 1902 à 1911 :	57 victimes	
1912 :	1 500 victimes (***Titanic***)	

Provisions de bouche embarquées
pour le voyage inaugural du *Titanic*

Légumes :	55 tonnes	Pain :	1 tonne
Poisson :	35 tonnes	Fruits :	3 500 caisses
Viande :	35 tonnes	Farine :	250 barils
Charcuterie :	20 tonnes	Bière :	15 000 bouteilles
Beurre :	15 tonnes	Eau minérale :	12 000 bouteilles
Volaille :	10 tonnes	Laitage :	10 000 bouteilles
Céréales :	5 tonnes	Vin :	1 000 bouteilles
Sucre :	5 tonnes	Alcool :	850 bouteilles
Café :	1 tonne	Œufs :	35 000 unités
Thé :	1 tonne	Cigares :	8 000 unités

Caractéristiques du *Titanic*

Nom	*RMS* (Royal Mail Steamer) *Titanic*
Numéro de construction	401
Numéro de coque	390904
Numéro d'enregistrement au Bord of Trade	131428
Port d'attache	Liverpool
Longueur	269,06 mètres
Largeur	28,19 mètres
Tirant d'eau	19,80 mètres
Hauteur (sans les cheminées)	29 mètres
Hauteur des cheminées	25 mètres
Hauteur totale	54 mètres
Hauteur réelle des cheminées	46 mètres au-dessus du plancher des chaufferies
Diamètre des cheminées	7,60 mètres
Hauteur du nid-de-pie	30 mètres au-dessus du pont
Hauteur des deux mâts	64 mètres au-dessus de la mer
Puissance	46 000 CV (2 machines alternatives de 15 000 CV et 1 turbine basse pression de 16 000 CV)
Tonnage brut	46 329 tonnes
Tonnage à pleine charge	67 063 tonnes
Déplacement	52 250 tonneaux*
Vitesse de croisière	22 nœuds
Vitesse maximale	24 nœuds (jamais atteints)
Coque	double en plaques d'acier rivetées
Compartiments étanches	16
Chaudières	29
Foyers	159
Hélices	Trois de 7 mètres de diamètre, dont une hélice centrale à 4 pales de 22 tonnes et deux hélices latérales à 4 pales de 38 tonnes
Poids total des hélices	98 tonnes
Équipage	900 personnes
Passagers à plein	2 600 (1re classe 905, 2e classe 565, 3e classe 1 130)
Passagers à bord lors du voyage inaugural	1 324 (1re classe 329, 2e classe 285, 3e classe 710)
Coût de construction	7 500 000 dollars (env. 165 000 000 dollars d'aujourd'hui)

* 1 tonneau = 2,83 m³.

Capacité des moyens de sauvetage du *Titanic*

Nombre de gilets de sauvetage (en nombre suffisant) :	3 560
Capacité légale à bord des embarcations (en fonction du calcul volumétrique du navire) pour un navire tel que le *Titanic* :	980 places
Capacité des moyens de sauvetage du *Titanic* :	1 176 places*
Nombre d'engins de sauvetage de 65 places ayant dû être embarqués en fonction du potentiel total du navire (hors réglementation) :	54
Nombre de chaloupes de 9 mètres :	14 de 65 places, soit 910 places
Nombre de cotres de 7,5 mètres :	2 de 35 places, soit 70 places
Nombre de radeaux pliables de 8 mètres :	4 de 49 places, soit 196 places
Nombre de personnes embarquées :	2 228 (env.)
Excédent de personnes embarquées par rapport au nombre de places :	1 052 (env.)
Excédent de personnes embarquées si le navire avait été plein :	2 119

* Soit 196 places de plus que ne l'exigeait la loi britannique.

État-major du *Titanic*

Commandant Edward John Smith .... capitaine
Capitaine Henry Wilde .... 2e capitaine
Lieutenant William Murdoch .... 1er officier
Lieutenant Charles Lightoller .... 2e officier*
Lieutenant Herbert Pitman .... 3e officier*
Lieutenant Joseph Boxhall .... 4e officier*
Lieutenant Harold Lowe .... 5e officier*
Lieutenant James Moody .... 6e officier
Herbert McElroy .... commissaire

* Ont survécu au naufrage.

Victimes et rescapés du naufrage du *Titanic**

Passagers à bord :	1 324, dont :	1re classe :	329
		2e classe :	285
		3e classe :	710
Membres d'équipage :	899		
Nombre de personnes à bord :	2 223		
Rescapés** :	706 (32 %), dont :	1re classe :	199 (60 %)
		2e classe :	119 (40 %)
		3e classe :	174 (25 %)
		équipage :	214 (24 %)
Victimes :	1 517, dont :	1re classe :	130 (40 %)
		2e classe :	166 (60 %)
		3e classe :	536 (75 %)
		équipage :	685 (76 %)
Dépouilles retrouvées par les expéditions du *Mackay-Bennett*, du *Minia*, du *Montmagny* et de l'*Algerine* :	347, dont :	Immergées après récupération :	119
		Rendues aux familles :	78
		Ensevelies aux cimetières d'Halifax :	150

* *Calcul moyen effectué selon les bases de données actuellement reconnues.*
** *471 personnes de plus auraient pu être potentiellement sauvées si les embarcations avaient pris la mer à pleine charge de leur capacité.*

III
FILMOGRAPHIE INSPIRÉE PAR LE *TITANIC*

1912 :   *RESCAPÉE DU* TITANIC [*Saved from the* Titanic].
Film muet d'Étienne Arnaud, avec Dorothy Gibson (actrice rescapée du naufrage).
Durée : 12 minutes.
Sorti le 14 mai, un mois jour pour jour après le drame.

1912   *DANS LA NUIT ET LA GLACE* [*In Nacht und Eis,* ou *Der Untergang der* Titanic].
Film muet de Mime Misu, avec Waldemar Hecker et Otto Rippert.
Durée : 30 minutes.
Sorti le 17 août, quatre mois après le drame.

1915 :   *TITANIC.*
Film muet italien de Pier Angelo Mazzolotti, avec Mario Bonnard et Giovanni Casaleggio.
Références inconnues.

1929 :   *ATLANTIQUE* (ou *ATLANTIS*) [*Atlantic*].
Premier film parlant tourné en Europe, réalisé d'après *The Berg,* pièce d'Ernest Raymond.
Réalisation d'Édouard André Dupont, avec Franklin Dyall, Madeleine Carroll et, parmi les figurants, Alfred Hitchcock.
Scénario : Victor Kendall et Ernest Raymond.
Durée : 90 minutes.
Le film fait réagir la White Star Line, qui juge le scénario et l'exploitation du drame nuisibles à la compagnie. La production se voit contrainte par la justice d'avertir les spectateurs du caractère fictif de l'histoire et des normes qu'impose la législation en matière de sécurité maritime.

1943 :   *TITANIC.*
Film commandé par Joseph Goebbels à Herbert Selpin, à des fins de propagande antibritannique. Interrompu par le suicide du réalisateur en 1942, le film est terminé par Werner Klinger avec Kirsten Heiberg et Sybille Schmitz.
Scénario : Walter Zerlett-Offenius.
Durée : 85 minutes.
Sortie partielle : 1943, 1950.

1953 : *TITANIC* [*Nearer, My God, to Thee*].
Film de Jean Negulesco, avec Clifton Webb et Barbara Stanwyck.
Scénario : Charles Bracket et Walter Reisch.
Durée : 98 minutes.
Oscar du meilleur scénario.

1958 : *ATLANTIQUE, LATITUDE 41* [*A Night to Remember*].
Film de Roy Baker, avec Kenneth More et Honor Blackman.
Scénario : Eric Ambler, d'après le livre de Walter Lord.
Conseiller technique : quatrième lieutenant du *Titanic* Joseph Boxhall.
Durée : 123 minutes.
En janvier 1959, les familles de Joseph Ismay et de Stanley Lord, capitaine du Californian, *protestèrent contre le traitement qui leur était réservé dans le film. La production refusa d'y donner suite.*

1979 : *SOS* TITANIC.
Téléfilm de William Hale, avec David Janssen et Susan Saint James.
Scénario : James Costigan.
Durée : 144 minutes (VO), réduites à 103 minutes.

1980 : *RENFLOUEZ LE* TITANIC (ou *La Guerre des abîmes*) [*Raise the Titanic*].
Film de Jerry Jameson, avec Alec Guinness, et Anne Archer.
Scénario : Eric Hughes et Adam Kennedy, d'après le livre de Clive Cussler.
Durée : 109 minutes.

1996 : *LE* TITANIC [*Titanic*].
Téléfilm de Robert Lieberman, avec Peter Gallagher et Catherine Zeta Jones.
Scénario : Ross La Manna et Joyce Eliason.
Durée : 180 minutes.

1997 : *TITANIC*.
Film de James Cameron, avec Leonardo DiCaprio et Kate Winslet.
Scénario : James Cameron.
Durée : 150 minutes.
11 Oscars, dont celui du meilleur film.

2010 :   *TITANIC II.*
Film de Shane Van Dick, avec Bruce Davison et Brooke Burns.
Scénario : Shane Van Dick.
Durée : 90 minutes.
Distribué uniquement en DVD.

De nombreuses réalisations théâtrales ou cinématographiques, comme *Cavalcade* en 1932, *Le Destin se joue la nuit* en 1937, jusqu'à *La Femme de chambre du* Titanic en 1997, se sont en partie inspirées du drame du *Titanic*.
En 1999, Brian Trenchard-Smith a réalisé un film sur le naufrage du *Britannic*, troisième sistership du *Titanic* transformé en navire-hôpital, coulé par une mine le 21 novembre 1916. Avec Edward Atterton et Jacqueline Bisset, sur un scénario de Brett Thompson, Kim Smith, Dennis Pratt et Brian Trenchard-Smith.

IV
BIBLIOGRAPHIE

Les ouvrages sont classés par ordre chronologique de publication.

a) ENQUÊTE :

US SENATE, Subcommittee Hearing of the Committee on Commerce, 62nd Congress, 2nd Session, Document n° 933, *Titanic Disaster,* Washington, Washington Government Printing Office, 1912.

WRECK COMMISSIONER' COURT, Proceedings before the Right Honourable Lord Mersey, on a *Formal Investigation ordered by the Board of Trade into the Loss of the Titanic,* London, 1912.

b) TÉMOIGNAGES :

BEESLEY Lawrence, *The Loss of the SS* Titanic *: its Story and its Lessons,* Boston & New York, Houghton Mifflin / London, William Heinemann, 1912.

BRIDE Harold, « Thrilling Tale by *Titanic's* Surviving Wireless Operator », *The New York Times,* 28 avril 1912.

CANDEE Helen Churchill, « Sealed Orders », *Collier's,* 4 mai 1912. Tr. fr. : *Le Manuscrit autographe de Helen Churchill Candee,* fac-similé de 41 feuillets, Paris, Aristophil/Scriptura, s.d.

CAPLAN Bruce M., *The Sinking of the* Titanic, s.l., Instant Book, 1912.

EVERETT Marshall, *Story of the Wreck of the* Titanic, s.l., Instant Book, 1912.

MARSHALL Logan, *The Sinking of the* Titanic *and Great Sea Disaster,* s.l., Instant Book, 1912.

MOWBRA Henry Jay, *Sinking of the* Titanic *: Eyewitness Accounts,* s.l., Instant Book, 1912.

WASHINGTON Dodge, *The Loss of the* Titanic, s.l.n.é., 1912.

GRACIE Archibald, *The Truth about the* Titanic, New York, Mitchell Kennerly, 1913. Tr. fr. : *Rescapé du* Titanic, Paris, Ramsay, 1998.

ROSTRON Arthur H., *The Loss of the* Titanic, London, Cassel & Company Ltd, 1931.

DUFF GORDON Lady Lucy, *Discretions and Indiscretions,* London, Jarrolds Publishers, 1932.

LIGHTOLLER Charles H., Titanic *and other Ships*, London, Ivor Nicholson & Watson, 1935.

THAYER John B., *The Sinking of the* Titanic, s.l.n.é., 1940, h.c. Tr. fr.: *Le Naufrage du* Titanic, Paris, Ramsay, 1998.

The Story of the Titanic *as told by its Survivors*, by Jack Winocour, New York, Dover Publications, 1960.

NAVRATIL Élisabeth, *Les Enfants du* Titanic (Michel et Edmond Navratil), Paris, Hachette, 1982.

JESSOP Violet, Titanic *Survivor*, pp. John Maxtone-Graham, New York, Sheridan House, 1997.

Titanic, témoignages sonores de survivants, 2 CD-R, Pérone, Institut des Archives sonores et Frémeaux & Associés, 2000.

BRETAGNE Jean-Marie, « Et Ruth monta à bord du *Titanic...* l'histoire vraie de Ruth Baker », *Géo Ado*, n° 6, février 2003.

c) OUVRAGES GÉNÉRAUX:

RENARD Léon, *Les Merveilles de l'art naval*, Paris, Hachette, 1866.

VERNE Jules, *Une ville flottante*, Paris, Hetzel, 1867.

ROBERTSON Morgan, *Futility*, New York, 1898. Rééd.: *The Wreck of the* Titan, New York, McClure's Magazine and Metropolitan Magazine, 1912. Tr. fr.: *Le Naufrage du* Titan, Orléans, Corsaire Éditions, 2005.

BULLOCK Shan F., *A* Titanic *Hero: Thomas Andrews, Shipbuilder*, s.l.n.é., 1912. Rééd. Riverside, 7 C's Press Inc., 1973.

PHILIPPAR Georges, *La Décoration des navires*, Paris, Société du *Journal de la marine marchande*, 1927.

PEISSON Édouard, *Parti de Liverpool*, roman, Paris, Grasset, 1932.

BRENET Albert, *Le Navire à travers les temps*, Paris, Éditions de Varenne, 1951.

OLDHAM Wilton J., *The Ismay Line*, Liverpool, Charles Birchall & Son Ltd, 1961.

CANBY Courtlandt, *Histoire de la marine*, Lausanne, Éditions Rencontre, 1962.

ANDERSON Roy, *White Star*, Prescot, T. Stephenson & Sons Ltd, 1964.

CÉLÉRIER Pierre, *Les Navires*, Paris, PUF, coll. « Que sais-je? » (n° 411), 1966.

LEWIS Edward V., O'BRIEN Robert, *Les Bateaux*, Paris, Robert Laffont, 1969.

Ocean Liners of the Past: Olympic and Titanic, London, Patrick Stephens Ltd, 1970.

BATHE Basil W., *Les Paquebots: des croisades aux croisières*, Fribourg, Office du Livre, 1972.

Maxtone-Graham John, *The Only Way to Cross*, New York, McMillan, 1972.

Peillard Léonce, *Sur les chemins de l'océan*, Paris, Hachette, 1972.

Coleman Terry, *The Liners*, London, Penguin Books, 1976.

Borgé Jacques, Viasnoff Nicolas, *Les Transatlantiques*, Paris, Balland, 1977.

Maddocks Melvin, *Le Règne du paquebot*, Paris, Time Life, 1979.

——, *Les Premiers Transatlantiques*, Paris, Time Life, 1982.

Mohrt Michel, Feinstein Guy, *Paquebots: le temps des traversées*, Paris, Éditions maritimes et d'outre-mer, 1980.

Brown Richard, *Voyage of the Iceberg*, New York, Beaufort Books, 1983.

Rentell Philip, *White Star Liners*, Truro, Blue Water Publications, 1986.

Marin Pierre-Henri, *Les Paquebots, ambassadeurs des mers*, Paris, Gallimard, coll. « Découvertes », 1989.

Eaton John, Haas Charles, *Falling Star, Misadventures of White Star Line Ships*, London, Norton 1990.

Haws Duncan, « White Star Line (Oceanic Steam Navigation Company) », *Merchant Fleet*, Hereford, Duncan Haws, n° 19, 1990.

« Paquebots de légende », *Neptunia*, n° 184, 1991.

Hillion Daniel, *L'Atlantique à toute vapeur*, Rennes, Éditions Ouest-France, 1993.

McCaughan Michael, *The Birth of the* Titanic, Belfast, The Balckstaff Press, 1998.

Marriott Leo, McCluskie Tom, Sharpe Michael, Titanic *and her Sisters:* Olympic *and* Britannic, London, PRC Publishing, 1998.

Pickford Nigel, *Lost Treasure Ships of the XXth Century*, London, Pavillon, 1999.

Lagier Rosine, *Il y a un siècle… les paquebots transatlantiques: rêves et tragédies*, Rennes, Éditions Ouest-France, 2002.

Offrey Charles, *Chronique transatlantique du XXᵉ siècle, des hommes et des navires qui l'ont marquée*, Le Touvet, MDV Éditions, 2000.

Lynch John, *An Unlikely Success Story: The Belfast Shipbuilding Industry (1880-1935)*, Belfast, Belfast Society, 2001.

Sautreau Serge, *Les Naufrages: histoires et rituels*, Paris, Hermé, 2003.

Ferulli Corrado (éd.), *Au cœur des bateaux de légende*, Paris, Hachette, 2004.

Hall Steve, Beveridge Bruce, Olympic *and* Titanic*: The Truth behind the Conspiracy*, Haverford, Infinity, 2004.

Vanhoutte Fabrice, Mella Philippe, *Le SS* Nomadic, Cherbourg, Éditions Isoète, 2004.

Gardiner Robin, *The History of the White Star Line*, Hersham, Ian Allan, 2005.

CHIRNSIDE Mark, *The "Olympic" Class Ships*, Chalford Stround, Tempus Publishing, 2006.

CUSSLER Clive, DIRGO Graig, « Le RMS *Carpathia* », in *Chasseurs d'épaves (nouvelles aventures)*, Paris, Grasset, 2006.

MOLONY Senan, Titanic : *Victims and Villains*, Chalford Stround, Tempus Publishing, 2008.

CROCHET Bernard, PIOUFFRE Gérard, *Paquebots, des lignes régulières aux croisières*, Paris, Éditions Du May, 2009.

MOLONY Senan, Titanic *Scandal : The Trial of the* Mount Temple, Chalford Stroud, Amberley Publishibg, 2009.

PIOUFFRE Gérard, *L'Âge d'or des voyages en paquebot*, Paris, Éditions du Chêne/Hachette Livre, 2009.

d) MONOGRAPHIES :

CONRAD Joseph, *Notes on Life and Letters*, London, J. M. Dent & Sons, 1924. Tr. fr. partielle : « Sur le naufrage du *Titanic* » et « Aspects admirables de l'enquête sur le naufrage du *Titanic* », réunis sous *Le Naufrage du* Titanic, Paris, Arléa, 2009.

CARR John Dickson, *The Crooked Hinde*, roman, 1938. Tr. fr. : *Le Naufragé du* Titanic, Paris, Librairie des Champs-Élysées, 1987.

LORD Walter, *A Night to Remember*, New York, Henry Holt & Company, 1955. Tr. fr. : *La Nuit du* Titanic, Paris, Robert Laffont, 1958 ; Paris, L'Archipel, 1998, 2012, préface de Gérard A. Jaeger.

WINOCOUR Jack, *The Story of the* Titanic *as told by its Survivors*, New York, Dover Publications, 1960.

PADFIELD Peter, *The* Titanic *and the* Californian, New York, The John Day Company, 1965.

BALDWIN Hanson W., « Le *Titanic* s'enfonce dans les flots », *Historia*, n° 269, avril 1969.

MARCUS Geoffrey, *The Maiden Voyage*, London, George Allen & Unwin Ltd, 1969.

CUSSLER Clive, *Renflouez le* Titanic, roman, Paris, Robert Laffont, 1977.

STÉNUIT Robert, « Un projet fou : le renflouage du *Titanic* », *Science et Vie*, n° 755, août 1980.

WADE Wyn Craig, Titanic : *End of a Dream*, London, Futura Publications, 1980.

BROWN Rustie, *The* Titanic, *the Psychic and the Sea*, Lomita, Brue Harbor Press, 1981.

ENZENSBERGER Hans Magnus, *Le Naufrage du* Titanic, comédie, Paris, Gallimard, 1981.

READE Leslie, *The Ship that Stood Still : the* Californian *and her Mysterious Role in the* Titanic *Disaster*, New York, Norton, 1983.

« *Titanic* retrouvé », *Paris Match*, n° 1895, 20 septembre 1985.

DAVIE Michael, *The* Titanic, *her Death and Life of a Legend*, London, Dodley Head, 1986.

HARRISON Leslie, *A* Titanic *Myth*, London, William Kimber, 1986.

LORD Walter, *The Night lives on*, New York, Avon Books, 1986. Tr. fr. : *Les Secrets d'un naufrage*, Paris, L'Archipel, 1998.

« Le *Titanic* comme vous ne l'avez jamais vu », *Paris Match*, n° 2000, 25 septembre 1987.

BALLARD Robert D., *L'Exploration du* Titanic, Grenoble, Glénat/The Madison Press Books, 1988.

BEHE George, Titanic, *Psychic Forewarning of a Tragedy*, London, Patrick Stephens Ltd, 1988.

LACOUDRE Noël, MONTLUÇON Jacques, *Les Objets du* Titanic, Paris, Admitech/EDF, 1989.

MCCEARNEY James, « Tous les mystères du *Titanic* », *Historama*, n° 72, février 1990.

PELLEGRINO Charles, *Her Name :* Titanic, *the Untold Story of the Sinking and Finding of the Unsinkable Ship*, New York, Avon Books, 1990.

RINALDI Brigitte, *Mémoire du* Titanic, Versailles, Éditions des 7 Vents, 1990.

ALBOUY Marc, *Du* Titanic *à Karnak : l'aventure du mécénat technologique*, Paris, Dunod, 1994.

KELLER Jean-Pierre, *Sur le pont du* Titanic, Genève, Zoé, 1994.

GANNON Robert, « Le vice caché du *Titanic* », *Sélection du Reader's Digest*, n° 584, octobre 1995.

HUSER France, GÉNIÈS Bernard, *La Nuit de l'iceberg*, roman, Paris, Fayard, 1995.

LYNCH Don, Titanic : *la grande histoire illustrée*, Grenoble, Glénat/The Madison Press Books, 1996.

ARCHBOLD Rick, MCCAULEY Dana, *Last Dinner on the* Titanic : *Menus and Recipes from the Great Liner*, Toronto, The Madison Press Books, 1997, préface de Walter Lord.

The Titanic *Disaster as reported in the British National Press (April-July 1912)*, New York, Norton, 1997.

O'DONNELL E. E. (éd.), *L'Album* Titanic *du révérend père Browne*, Le Touvet, MDV Éditions, 1998, préface de Robert D. Ballard.

BALEINE Philippe de, *Dernière Conversation sur le* Titanic, roman, Paris, Presses de la Renaissance, 1998.

BRUNAT David, *Tragic Atlantic, ou les métamorphoses du* Titanic, Paris, Flammarion, 1998.

CLARY James, *The Last True Story of* Titanic, Brooklyn, Domhan Books, 1998.

DJANA et PASCAL Michel, Titanic : *au-delà d'une malédiction*, Paris, Anne Carrière, 2004.

DESTREM Maja, « Un iceberg interrompt tragiquement la première croisière du palace flottant *Titanic* », in *Le* Titanic, *les Géants foudroyés*, s.l., Éditions Magellan, 1998.

EATON John, HAAS Charles, Titanic : *destination désastre*, Le Touvet, Éditions Marcel-Didier Vrac, 1998.

GARDINER Robin, VAN DER VAT Dan, *L'Énigme du* Titanic, *mystères et dissimulations...*, Paris, Michel Lafon, 1998.

GELLER Judith B., Titanic : *Women and Children First*, New York, Norton, 1998.

MASSON Philippe, Titanic, *le dossier du naufrage*, Paris, Tallandier, 1987 ; rééd. revue et augmentée, sous le titre *Le Drame du* Titanic, 1998. Le même auteur a publié chez France Loisirs, en 1998, une édition illustrée intitulée *Le Naufrage du* Titanic.

PASCAL Michel, Titanic *n'a jamais existé*, roman, Paris, Éditions du Rocher, 1998.

« *Titanic* », *Marines*, hors série, février 1998.

Titanica : the Disaster of the Century in Poetry, Song and Prose, selected by Steven Biel, New York, Norton & Company, 1998.

ADAMS Simon, *La Tragédie du* Titanic, Paris, Gallimard, 1999.

BESSON Patrick, *La* Titanic, roman, Paris, Éditions du Rocher, 1999.

BREWSTER Hugh, COULTER Laurie, *Tout ce que vous avez toujours voulu savoir sur le* Titanic, Grenoble, Glénat/The Madison Press Books, 1999, L'Archipel, 2012.

COX Stephen, Titanic, *Hard Choice, Dangerous Decisions*, Chicago, Open Court Pub, 1999.

FERSAN Henri de, *La Malédiction du* Titanic, Paris, Éditions Dualpha, 1999.

HUSER France, GÉNIÈS Bernard, *Les Rescapés du* Titanic, Paris, Fayard, 1999.

LAMBERT Christophe, *Titanic 2012*, roman, Paris, Hachette, 1999.

LANG Henry, *Le Management du* Titanic : *les leçons d'un naufrage*, Paris, Éditions d'Organisation, 1999.

COLLINS Max Allan, *Les Meurtres du* Titanic, roman, Paris, Payot & Rivages, 2000.

PELLEGRINO Charles, *Ghosts of the* Titanic, New York, Avon Books, 2001.

McDOUGALL Robert, GARDINER Robin, Titanic *in Postcards*, Hersham, Ian Allan Publishing, 2002.

FÉRET-FLEURY Christine, *SOS* Titanic. *Journal de Julia Facchini (1912)*, roman, Paris, Gallimard Jeunesse, 2005.

MATSEN Brad, *The Heroic Discovery ot the Abyss*, New York, Pantheon, 2005.

Méheust Bertrand, *Histoires paranormales du* Titanic, Paris, J'ai Lu, 2006.

Ballard Robert, Archbold Rick, *Robert Ballard's* Titanic, New York, Barnes & Noble, 2007, introduction de Walter Lord.

Chatterton John, Kohler Richie, Titanic*'s Last Secrets*, New York, Hachette Books, 2008.

Riffenburgh Beau, *Toute l'histoire du* Titanic *: la légende du paquebot insubmersible*, Bagneux, Sélection du Reader's Digest, 2008.

Butler Daniel A., *The Other Side of the Night*, Newbury, Casemate Publishers, 2009.

Nolane Richard D., Dumas Patrick A., *Titanic*, bande dessinée, MC Productions, 2009.

Piouffre Gérard, *Le* Titanic *ne répond plus*, Paris, Larousse, 2009.

Titanic *: the Artefact Exhibition*, Atlanta, RMS Titanic Inc., 2009.

Codet François, Mendez Olivier, Dufief Alain, Gavard-Perret Franck, *Les Français du* Titanic, Rennes, Marines Éditions, 2010.

DVD :

– *Les Secrets du* Titanic, National Geographic, 1986.
– *Les Fantômes du* Titanic *: Plongez au cœur de la légende !* Titanic, Pathé Vidéo, 2004.
– Titanic *: Delve Deep into the Ocean to View the most Famous Ship that ever Sailed*, 3 DVD, Discovery Channel, 2007.
– *RMS* Olympic *: Transatlantic Voyage*, White Star Momentos, 2009.
– *The Yard : Ship Building in Belfast Shipyard*, Harland & Wolff, 2009.
– *Built in Belfast : A Tribute Story to the Designers, Builders, Passengers and Crew*, Harland & Wolff, s.d.
– Olympic, Titanic, Britannic *: A Story of the Beloved, the Damned and the Forgotten !*, Fifth Avenue, s.d.

Sites Internet officiels :

– Association française du *Titanic* : http://aftitanic.free.fr
– Encyclopedia Titanica : www.encyclopedia-titanica.org
– Titanic Historical Society : www.titanic1.org
– Titanic Inquiry Project : www.titanicinquiry.org
– Titanic Schools Project : www.titanicschools.com

REMERCIEMENTS

Nos remerciements vont tout particulièrement à Béatrice Alvergne, John Andrews, Renaud Boyer, Stephan Cameron, Ronan Connigan, Daniel Dupont, Sharon Farren, Hedy Ferreboeuf, Rory Flanigan, Paul Houillon, Clifford Ismay, Raphaël Jaeger, Maurice Jordan, Terry Madill, David McVeigh, Brian Malone, Jean-Marc Olivier, Alan Parkinson, Patrick Prior, Federica Stanton et Marc Triverio.

Index

ABELSETH Olaus, 173
AKS Frank Phillip,
  196, 253-254
ALAIN (Émile
  Chartier, dit), 241
ALPHONSE XIII (roi
  d'Espagne), 71
AMBLER Eric, 287
ANDREWS Thomas,
  11-12, 38, 50, 58,
  62-64, 72, 74, 78,
  81, 83-86, 94,
  111, 122, 137-140,
  171-173, 285
ANTHIAUME Albert
  (abbé), 102
ARCHBOLD Rick, 70
ARENDT Hannah, 40
ARNAUD Étienne, 285
ASTOR John Jacob, 101,
  103, 108, 122, 154,
  168, 208, 217
ASTOR Madeleine, 122,
  154, 189-190, 195,
  203, 208-209, 214
AUBART Léontine, 122

BACHELARD Gaston, 283
BAKER Reginald
  (commissaire
  adjoint), 117
BAKER Roy, 151,
  254, 287
BALEINE Philippe
  de, 284
BALLARD Robert
  D., 272-277
BARKWORTH
  Algernon, 189

BECKER Nellie, 258
BECKER Ruth, 210
BEESLEY Lawrence,
  99, 105, 121, 130,
  141, 151-152, 186,
  193, 205-206, 250
BELL Joseph, 84-85,
  94, 104
BERTRAND Jacques-
  Émile, 128
BISSET James, 182
BJÖRNSTRÖM-
  STEFFANSON Mauritz
  Hakån, 106, 232
BLAIR David (lieu-
  tenant), 91
BLASCO Steve, 247
BLONDEL Merry-
  Joseph, 232
BOOKER Derek, 60
BOWYER George, 86
BOXHALL Joseph Groves
  (lieutenant), 91,
  124-125, 137-139,
  142-143, 145,
  152, 181, 198,
  238, 251, 269
BOYER Renaud, 162
BRADLEY George
  (« Brayton »), 107
BRENET Albert, 47
BRIDE Harold, 89,
  113, 119, 164,
  212-213, 261
BROWN James
  Joseph, 191
BROWN Molly
  (Margaret Tobbin,
  dite), 101, 191

BROWN Richard,
  128-129
BROWNE Frank (père),
  99, 103, 105
BRUNAT David, 126, 244
BRUNEL Isambard
  Kingdom, 48
BUCKLEY Daniel, 159
BUCKNELL Emma
  Ward, 130
BULEY Edward
  John, 192
BULLEN Frank, 63
BUTT Archibald
  (major), 105, 154
BYLES Thomas
  (père), 117

CAMERON James,
  254, 288, 291
CANBY Courtlandt, 31
CARDEZA Charlotte
  Drake, 101, 232
CARLISLE Alexander,
  25-26, 41, 49-50,
  78, 172, 234
CARRUTHERS Fran-
  cis, 83-85
CARTER William, 232
CASTEL Louis, 102
CAUSSIN (capitaine), 112
CÉLÉRIER Pierre, 51
CHADWICK French Ensor
  (amiral), 231
CHAPLIN Charlie, 22
CHURCHILL CANDEE
  Helen, 105-106,
  140, 153, 155-156,
  177, 187, 191

329

CLARK Maurice
(capitaine), 93
COLLEY Edward
Pomeroy, 106
COLLINS Max Allan,
41, 49, 72, 92
CONRAD Joseph, 37, 246
COOK Selena
Rogers, 254
COOPER Colin
Campbell, 134
COTTAM Harold, 181, 212
COX William
Denton, 158
CRAIN (Mrs), 194
CROISILE Georges, 34
CROWE George
Frederick, 169
CULLIMORE Denis Roy
(docteur), 290
CUNARD Samuel, 31
CUSSLER Clive, 195, 269

DAL PIAZ John, 24, 46
DALY Eugène, 259
DEAN Elizabeth Gladys
(« Millvina »), 253
DESTREM Maja, 165
DEWEY George
(amiral), 231
DICKENS Charles, 68
DIRGO Craig, 195
DJANA, 127
DOUGLAS Mahala,
122-123
DOUGLAS Walter
Donald, 122
DREW Marshall,
253, 255-256
DUFF GORDON Cosmo
Edmund (Sir),
101, 122
DUFF GORDON Lucile
(Lady), 101, 122

EATON John, 68, 73,
84, 152, 191, 209,
219, 247, 249, 264

ENZENSBERGER Hans
Magnus, 40, 155-156
ESCOFFIER Auguste, 70
EVANS Cyril, 132, 147-148
EVANS (Mlle), 165

FÉRET-FLEURY Christine,
185, 207, 213, 256
FERGUSON Duncan, 247
FINLAY Robert (Sir), 233
FLEET Frederick, 131-
133, 237, 301-303
FORCE Katharine, 209
FRANCATELLI Laura, 122
FRANKLIN Philip, 174,
201-203, 205, 210-
211, 224, 227
FRAZER, 148
FULTON Robert, 31-32
FUTRELLE Lily May, 179

GARDINER Robin, 45, 54,
185, 230, 244, 257
GARNETT Mayn Clew, 79
GAXOTTE Pierre, 37
GIBSON Dorothy, 285
GILL Ernest, 148
GOEBBELS Joseph,
286-287
GRACIE Archibald
(colonel), 90, 118,
130, 157, 165, 169,
176, 189, 194-
195, 250, 261
GRATTAN John
(commandant),
GRIMM Jack, 269
GRISCOM Clement, 44
GUGGENHEIM Benita,
130
GUGGENHEIM
Benjamin, 101,
108, 122, 130, 154
GUIMARD Paul, 294

HAAS Charles, 68, 73,
84, 152, 191, 209,
219, 247, 249, 264

HADDOCK Herbert
(capitaine), 82, 197
HARLAND Edward, 45
HARRIS Henry B., 232
HARRISON Leslie, 151
HART Eva Miriam,
130, 277
HART John Edward, 158
HARTLEY Wallace,
117, 157
HAWS Duncan, 41
HAYS Charles
Melville, 105
HAYS Margaret, 176, 255
HEARST William
Randolph, 14, 170
HERBAKOFF
Alexander, 242
HETZEL Pierre-Jules, 49
HICHENS Robert
(quartier-maître),
132, 177, 191
HILLION Daniel, 42
HILLIS Newell Dwight
(révérend), 188
HOMER Harry
(« Haven »), 107
HOOK Rudolf, 242
HORWELL Walter J., 78
HOUILLON Paul (doc-
teur), 167, 170
HUTCHINSON Robert, 138

ICARD Amélie Rose, 188
INVERCLYDE James
Cleland (baron),
16-18
ISMAY Joseph Bruce,
13-15, 17-22, 24-25,
27-28, 31, 38-41,
43-45, 49-50, 55, 57,
63-64, 67, 72, 75,
81, 88, 94, 111, 115,
120, 122, 139, 144,
168-173, 175, 197,
199, 203-205, 210-
211, 223-228, 233,
244, 258, 285-288

Ismay Margaret, 19, 227
Ismay Thomas Henry,
41, 43-44, 53, 91

Jameson Jerry, 269
Jérôme Romain, 292
Jewell Archie, 131
Johnson Carl, 141
Jünger Ernst, 289

Keller Jean-Pierre,
251, 278
Kent Edward, 106
Klingler Werner, 287

Lang Henry, 126, 238
Lardner Frederick
Harold (capitaine),
215, 217, 219
Lavedan Paul, 243
Lee Reginald, 131-
132, 134
Leroy Berthe, 189
Lightoller Charles
Herbert (lieute-
nant), 91, 122,
142, 150, 156, 161,
163, 167-168, 170,
176, 190, 198, 226,
239, 258, 294
Lines Elizabeth
Lindsey, 225
Lord Stanley (capi-
taine), 131, 147-152,
185, 198, 228-229,
285, 287-288
Lord Walter, 62, 73,
79, 92, 151, 157,
159, 173, 184, 194,
234, 242, 250-251,
259, 268, 287
Lowe Harold Godfrey
(lieutenant), 91,
168-169, 192-
193, 198, 260
Lynch Don, 112, 154,
228, 258, 279

Maddocks Melvin,
30, 49
Madill Terry, 61, 280
Malone Brian, 280
Marconi Guglielmo, 212
Masson Philippe, 65,
97, 154, 224, 278
Mc Veigh David, 61
McCauley Dana, 70
McElroy Herbert
(commissaire),
94, 102, 153, 259
McGrady James, 220
McQuitty William,
151, 287
Méheust Bertrand,
39, 87, 262, 283
Mellors William J., 176
Mersey of Toxtey John
Charles Bigham
(baron), 227-
229, 232-233
Michel Jean-Louis,
272-273
Millet Francis, 105
Mohrt Michel, 26, 107,
252, 283, 288
Moody James Paul
(sixième offi-
cier), 91, 121
Moore James Henry
(capitaine), 144-145
Morgan John Pierpont,
18, 20, 25, 44, 53,
62-64, 87, 244, 285
Mulvihill Bridget
Elizabeth, 131
Murdoch William
McMaster
(lieutenant), 90-91,
121, 130-133, 137,
156, 161-163, 167,
258-259, 295

Naess Henrik (capi-
taine), 146-147, 151
Navratil Edmond,
175, 253, 255

Navratil Élisabeth, 255
Navratil Michel Jr,
175, 253, 255
Navratil Michel Sr (alias
Michel Hoffmann),
175, 218, 255
Nelson Philip, 43
Norris William, 159
Nye Elizabeth, 197,
254-255

Osman Frank, 134, 168

Pàlsson Alma, 219
Pàlsson Gösta, 219
Panula EinoViljami, 219
Panula Juha, 219
Panula Maria, 219
Parr Ryan (doc-
teur), 219
Pascal Michel, 127
Pearcey Albert
Victor, 158
Peillard Léonce, 32
Peuchen Arthur
Godfrey (major),
155, 191, 263
Philippar Georges, 24
Phillips Jack, 89, 113,
119, 123, 132, 143,
164, 181, 212
Pilkington John, 42-43
Piouffre Gérard, 65, 158
Pirrie William James
(baron), 15-21,
23, 25-27, 38-41,
44-45, 49-50, 53-55,
57, 62-64, 74, 81,
88, 111, 244, 285
Pitman Herbert
George (troisième
officier), 91
Platon, 282
Prentice Frank, 264
Prior Patrick, 171-173
Pryal Peter
(capitaine), 262
Puccini Giacomo, 123

RAMSAY Clive, 270
RAYNER Isidor, 224
RHEIMS Georges, 259
RING Carl Johann
(capitaine), 146
ROBERTSON Morgan,
39-40
ROMAINE Charles
(« Rolmane »), 107
ROSTRON Arthur Henry
(commandant), 164,
181-186, 193-194,
197-199, 204, 207,
214, 230, 251, 255
ROTHES Lucy Noël
Martha (com-
tesse de), 192
RYERSON Emily Maria,
120, 190

SANDERSON Harold
Arthur, 44, 83-85
SARNOFF David, 201
SAUTREAU Serge, 253, 288
SCARROTT Joseph, 134
SCHUTES Elizabeth, 196
SCHWABE Christian, 43-44
SCOTT John, 27-28
SELPIN Herbert, 286-287
SLADE Bertram, 87
SLADE Philip, 270
SMITH Charles, 267
SMITH Edward John
(commandant),
26, 71, 82-84,
86-87, 90-93, 99,
102, 104, 106, 109,

112, 114-115, 117,
120-121, 123, 137,
139-140, 142-143,
145, 153-154, 161,
164, 167, 171, 177,
185, 225, 230, 232,
238-239, 258, 260-
262, 282, 285, 295
SMITH William Alden,
210-213, 221, 223-
227, 229-230
STEAD William Thomas,
80-81, 131
STEEL Benjamin
(capitaine), 92
STEFFANSSON Mauritz
Björnström, 106,
232
STEINER Edward
Alfred, 22
STÉNUIT Robert, 270-271
STEVENSON Robert
Louis, 22
STEWARD Frederick, 263
STRAUS Ida, 118, 168
STRAUS Isidor, 118, 168
SYMONS George, 131

TAFT William Howard,
105, 191
TCHAÏKOVSKI Piotr
Ilitch, 123
THAYER Jack, 122, 134,
158, 259, 268
THAYER John Borland,
122, 130, 176,
178, 185, 214

THAYER Marian, 120,
122, 190, 214
THAYLOR Elmer, 122, 153
THRELFELD Henry, 42-43

VAN ANDA Carr, 201
VAN DER VAT Dan, 45,
54, 185, 244
VAN DYKE Shane, 292
VERNE Jules, 49

WELLS Gabriel, 264
WHELAN John, 103
WHITE Ella Stuart, 192
WIDENER Eleanor,
122, 154
WIDENER George,
108, 122, 154
WIDENER Harry
Elkins, 122
WILDE Henry (capi-
taine), 87, 90-91,
100, 102, 117, 142,
161, 170, 260
WOLFF Wilhelm, 44-45
WOOLLEY Douglas,
268-269
WOOLNER Hugh,
106, 258
WRIGHT Fred, 118

YATES Jay (dit
« Rogers »), 108
YOUNG Alfred
(capitaine), 78

Table

Un naufrage qui a fasciné le monde 11
Face à la vindicte populaire 13

Prologue : *Londres, 29 juillet 1907* 15

1. DES CONTRATS SUR L'ATLANTIQUE 29

    Les premiers paquebots 30
    L'ère des démiurges 33
    La querelle des Anciens et des Modernes 37

2. LA NAISSANCE DES TITANS 41

    Une étoile à cinq branches 42
    Des navires de haute technologie 45
    Sur les quais de Queen's Island 51

3. MYSTIQUE D'UN GÉANT 57

    Un jour historique 57
    Confort, luxe et volupté 64
    Des défaillances et des doutes 70

4. LE *TITANIC* SIFFLERA TROIS FOIS 77

    Le syndrome du naufrage 77
    De l'exaltation à l'anxiété 82
    Ultimes préparatifs 89

5. LEVER DE RIDEAU 97

    Dernières escales 98
    La vie s'organise 104
    Premiers avertissements 110

6. L'ICEBERG IMPROBABLE 117

    En route vers le destin 118
    Le rendez-vous tragique 124
    L'heure de vérité 129

7. INDÉCISE DESTINÉE 137

    L'irréversible agonie 137
    Les vaisseaux fantômes 144
    Aux postes d'abandon 152

8. LA SENTENCE 161
   Un branle-bas désespéré 163
   Chacun pour soi 167
   La marche à l'abîme 173

9. ERRANCE MACABRE 181
   La marche forcée du *Carpathia* 181
   Les femmes à la barre 187
   Cap sur New York 193

10. UN CIMETIÈRE MARIN 201
    La terrible réalité 202
    Quai 54 206
    Une liste indécente 215

11. LES ATTENDUS DE LA TRAGÉDIE 223
    À la recherche de boucs émissaires 224
    Des conclusions sans surprise 230
    L'heure des comptes 234

12. LES ERREMENTS DE LA RUMEUR 241
    Le syndrome du manquement 243
    Le goût de l'affabulation 250
    Vérités et fantasmes 257

13. LES DEUX VIES DU *TITANIC* 267
    Les âmes errantes 267
    Plus qu'une fortune de mer 279
    La parabole du *Titanic* 288

Épilogue : *Un épiphénomène ordinaire* 293

ANNEXES

I.   *Chronique d'un naufrage* 299
II. *Tableaux récapitulatifs* 311
III. *Filmographie inspirée par le* Titanic 317
IV. *Bibliographie* 321

Remerciements 328
Index 329

Du 12 avril au 26 août 2012

TITANIC
Témoignage écrit d'une rescapée

Le manuscrit autographe d'Helen Churchill Candee
présenté avec d'autres documents en exclusivité

.mlm.

musée
des lettres et manuscrits

222 bd Saint-Germain - 75007 Paris
Tél. : 01 42 22 48 48 - www.museedeslettres.fr

*Cet ouvrage a été composé
par Atlant'Communication
au Bernard (Vendée)*

*Achevé d'imprimer sur Roto-Page
par l'Imprimerie Floch à Mayenne
en décembre 2011
pour le compte des Éditions de l'Archipel
département éditorial
de la S.A.S. Écriture-Communication*

Imprimé en France
N° d'impression : 81134
Dépôt légal : janvier 2012